KB054843

남북한 유엔 가입

결의안 채택 및 대응 1

남북한 유엔 가입

결의안 채택 및 대응 1

한국학술정보

| 머리말

유엔 가입은 대한민국 정부 수립 이후 중요한 숙제 중 하나였다. 한국은 1949년을 시작으로 여러 차례 유엔 가입을 시도했으나, 상임이사국인 소련의 거부권 행사에 번번이 부결되고 말았다. 북한도 마찬가지로, 1949년부터 유엔 가입을 시도했으나 상임이사국들의 반대에 매번 가로막혔다. 서로가 한반도의 유일한 합법 정부라 주장하는 당시 남북한은 어디까지나 상대측을 배제하고 단독으로 유엔에 가입하려 했으며, 이는 국제적인 냉전 체제와 맞물려 어느 쪽도 원하는 바를 성취하지 못하게 만들었다. 하지만 1980년대를 지나며 냉전 체제가 이완되면서 변화가 생긴다. 한국은 북방 정책을 통해 국제적 여건을 조성하고, 남북한 고위급 회담 등에서 남북한 유엔 동시 가입 등을 강력히 설득한다. 이런 외교적 노력이 1991년 열매를 맺어, 제46차 유엔총회를 통해 한국과 북한은 유엔 회원국이 될 수 있었다.

본 총서는 외교부에서 작성하여 30여 년간 유지한 남북한 유엔 가입 관련 자료를 담고 있다. 한국의 유엔 가입 촉구를 위한 총회결의한 추진 검토, 세계 각국을 대상으로 한 지지 교섭 과정, 국내외 실무 절차 진행, 채택 과정 및 향후 대응, 관련 홍보 및 언론 보도까지 총 16권으로 구성되었다. 전체 분량은 약 8천 쪽에 이른다.

2024년 3월

한국학술정보(주)

| 일러두기

· 본 총서에 실린 자료는 2022년 4월과 2023년 4월에 각각 공개한 외교문서 4,827권, 76만 여 쪽 가운데 일부를 발췌한 것이다.

· 각 권의 제목과 순서는 공개된 원본을 최대한 반영하였으나, 주제에 따라 일부는 적절히 변경하였다.

· 원본 자료는 A4 판형에 맞게 축소하거나 원본 비율을 유지한 채 A4 페이지 안에 삽입하였다. 또한 현재 시점에선 공개되지 않아 '공란'이란 표기만 있는 페이지 역시 그대로 실었다.

· 외교부가 공개한 문서 각 권의 첫 페이지에는 '정리 보존 문서 목록'이란 이름으로 기록물 종류, 일자, 명칭, 간단한 내용 등의 정보가 수록되어 있으며, 이를 기준으로 0001번부터 번호가 매겨져 있다. 이는 삭제하지 않고 총서에 그대로 수록하였다.

· 보고서 내용에 관한 더 자세한 정보가 필요하다면, 외교부가 온라인상에 제공하는 『대한민국 외교사료요약집』 1991년과 1992년 자료를 참조할 수 있다.

| 차례

정 리 보 존 문 서 목 록					
기록물종류	일반공문서철	등록번호	2020080065	등록일자	2020-08-28
분류번호	731.12	국가코드		보존기간	영구
명 칭	남북한 유엔가입, 1991.9.17. 전41권				
생 산 과	국제연합1과	생산년도	1990~1991	담당그룹	
권 차 명	V.29 유엔가입 권고 결의안 채택 : 안전보장이사회(8.8)				
내용목차	1. 남북한 가입신청서 안보리 심의 - 8.6 안보리 가입심사위원회, 의장 제출 남북한의 가입신청에 관한 가입심사위 보고서 만장일치 채택 - 8.8 안보리, 남북한 유엔가입 권고 결의안 채택(S/Res/702) 2. 각국 언론반응				

0001

1. 남북한 가입신청서 안보리 심의

0002

安保理 加入勸告 決議案 採擇에 즈음한 外務部長官 聲明

1991. 8. 9

o 政府는 91.8. XX 00:00時(뉴욕現地時刻 : 서울時刻은 8. XX 00:00時) 유엔安全保障理事會에서 우리의 유엔加入 申請이 理事國 全員의 贊成을 얻어 ~~오는 9.17. 開幕되는 제46차~~ 總會에 加入勸告키로 決議案이 採擇된데 대하여 만족하며, 특히 南北韓의 유엔加入 申請이 安保理에서 一括處理된 것을 매우 뜻깊게 생각한다.

o 우리는 유엔會員國이 됨을 契機로 國際平和와 安全의 維持 및 人類의 繁榮과 發展을 위한 유엔의 고귀한 目標達成에 더욱 寄與하고자 하며, ~~또한 南北韓 關係의 改善과 發展을 도모하며, 나아가 窮極的인 祖國의 平和統一을 促進하기 위한 우리의 努力을 倍加해 나가고자 한다.~~

o ~~우리는~~ 오는 9.17. 제46차 유엔總會~~의 개막일에~~ 國際社會의 축복속에서 정식으로 유엔會員國이 될 것을 고대하면서, 정부는 그간 우리의 加入努力에 諸般支援과 協調를 아끼지 않은 ~~友邦을 위시한~~ 全世界 平和愛好國들에게 感謝~~한다~~.

— 끝 —

공람	국제기구	91.7.29

安保理 加入勸告 決議案 採擇에 즈음한 外務部長官 聲明

1991.7.26.
국제연합과

o 政府는 91.8. XX 00:00時(뉴욕現地時刻 : 서울時刻은 8. XX 00:00時) 유엔安全保障理事會에서 우리의 유엔加入 申請이 理事國 全員의 贊成을 얻어 오는 9.17. 開幕되는 제46차 總會에 加入勸告키로 決議案이 採擇된데 대하여 만족하며, 특히 南北韓의 유엔加入 申請이 安保理에서 一括處理된 것을 매우 뜻깊게 생각한다.

o 우리는 유엔會員國이 됨을 契機로 國際平和와 安全의 維持 및 人類의 繁榮과 發展을 위한 유엔의 고귀한 目標達成에 더욱 寄與하고자 하며, 또한 南北韓 關係의 改善과 發展~~을 도모하며, 나아가 窮極的인 祖國의 平和統一을 促進하기 위한 우리의 努力을 倍加해 나가고자 한다.~~ 를 도모키위하여 노력코자 한다.

o 온국민과 더불어 오는 9.17. 제46차 유엔總會의 개막일에 國際社會의 축복속에서 정식으로 유엔會員國이 될 것을 고대하면서, 정부는 그간 우리의 加入努力에 諸般支援과 協調를 아끼지 않은 友邦을 위시한 全世界 平和愛好國들에게 感謝한다. 끝.

0004

安保理 加入勸告 決議案 採擇에 즈음한 外務部長官 聲明

1991. 8. 1.
국제연합과

o 政府는 91.8. XX 00:00時(뉴욕現地時刻 : 서울時刻은 8. XX 00:00時) 유엔安全保障理事會에서 우리의 유엔加入 申請이 理事國 全員의 贊成을 얻어 오는 9.17. 開幕되는 제46차 總會에 加入勸告키로 決議案이 採擇된데 대하여 만족하며, 특히 南北韓의 유엔加入 申請이 安保理에서 一括處理된 것을 매우 뜻깊게 생각한다.

o 우리는 유엔會員國이 됨을 契機로 國際平和와 安全의 維持 및 人類의 繁榮과 發展을 위한 유엔의 고귀한 目標達成에 더욱 寄與하고자 하며, 또한 南北韓 關係의 改善과 發展을 도모키 위하여 努力하고자 한다.

o 온국민과 더불어 오는 9.17. 제46차 유엔總會의 개막일에 國際社會의 축복속에서 정식으로 유엔會員國이 될 것을 고대하면서, 정부는 그간 우리의 加入努力에 諸般支援과 協調를 아끼지 않은 友邦을 위시한 全世界 平和愛好國들에게 感謝한다. 끝.

0005

安保理 加入勸告 決議案 採擇에 즈음한 外務部長官 聲明

1991. 8. 9.

- 政府는 91.8. XX 00:00時(뉴욕現地時刻 : 서울時刻은 8. XX 00:00時) 유엔安全保障理事會가 우리의 유엔加入 申請을 理事國 全員의 贊成으로 總會에 勸告키로 한것을 기쁘게 생각하며, 특히 南北韓의 유엔加入 申請이 安保理事會에서 一括處理된 것을 매우 뜻깊게 생각합니다.

- 우리의 오랜 宿願課題였던 유엔加入이 드디어 實現될 수 있게 된것은 그동안 政府가 꾸준히 추진해 온 北方外交의 結實로서 우리는 유엔會員國이 됨을 契機로 國際平和와 安全의 維持 및 人類의 繁榮을 위한 유엔의 고귀한 目標達成에 더욱 寄與하고자 하며, 유엔에서의 相互 協力增進을 통해 南北韓間의 共存共榮과 窮極的인 平和統一을 促進하기 위한 努力을 더욱 强化해 나가고자 합니다.

- 政府는 온국민과 더불어 오는 9.17. 제46차 유엔總會가 開幕되면 國際社會의 축복속에서 정식으로 유엔會員國이 될 것을 期待하면서, 그간 우리의 유엔加入努力에 諸般支援과 協調를 아끼지 않은 全世界 平和愛好國들에게 感謝를 表하는 바입니다. 끝.

0006

安保理 加入勸告 決議案 採擇에 즈음한 外務部長官 聲明

1991. 8. 9.

o 政府는 91.8.8. 11:33時(뉴욕現地時刻 : 서울時刻은 8.9. 00:33時) 유엔安全保障理事會가 우리의 유엔加入 申請을 理事國 全員의 贊成으로 總會에 勸告키로 한것을 기쁘게 생각하며, 특히 南北韓의 유엔加入 申請이 安保理事會에서 一括處理된 것을 매우 뜻깊게 생각합니다.

o 우리의 오랜 宿願課題였던 유엔加入이 드디어 實現될 수 있게 된것은 그동안 政府가 꾸준히 추진해 온 北方外交의 結實로서 우리는 유엔會員國이 됨을 契機로 國際平和와 安全의 維持 및 人類의 繁榮을 위한 유엔의 고귀한 目標達成에 더욱 寄與하고자 하며, 유엔에서의 相互 協力增進을 통해 南北韓間의 共存共榮과 窮極的인 平和統一을 促進하기 위한 努力을 더욱 强化해 나가고자 합니다.

o 政府는 온국민과 더불어 오는 9.17. 제46차 유엔總會가 開幕되면 國際社會의 축복속에서 정식으로 유엔會員國이 될 것을 期待하면서, 그간 우리의 유엔加入努力에 諸般支援과 協調를 아끼지 않은 全世界 平和愛好國들에게 感謝를 表하는 바입니다. 끝.

0007

Foreign Minister's Statement on the occasion of the Security Council's Adoption of a Resolution for ROK's UN Membership

9 August 1991

- o The Government of the Republic of Korea is pleased to note that the Security Council unanimously adopted a resolution recommending ROK's admission to the United Nations at 11:33 AM on 8 August local time (at 00:33 AM on 9 August Seoul time). In particular, the Government of the Republic of Korea attaches great significance to the fact that both North and South Korea's applications for UN membership were settled under a single resolution by the Security Council.

- o The Government of the Republic of Korea considers its eventual entry into the UN, a long-cherished wish of the Korean people, the result of Northern Diplomacy that the Republic of Korea has pursued unremittingly. As the Republic of Korea joins the UN, we intend to contribute as much as we can towards the United Nations' lofty ideals of international peace and security as well as human development and prosperity. We also intend to redouble our efforts to enhance cooperation with North Korea within the United Nations system so that both Koreas can improve inter-Korean relations and accelerate the process towards peaceful reunification of our homeland.

0008

o The Government of the Republic of Korea, together with all Korean people, looks forward to becoming a full-fledged member of the UN at the beginning of the 46th General Assembly with the blessings of the whole international community. We are deeply grateful to all peace-loving countries in the world for the staunch support and assistance they gave to our campaign for UN membership.

0009

관리 번호	

	분류번호	보존기간

발 신 전 보

번 호 :   종별 :

수 신 : 주 수신처 참조 대사. ~~총영사~~

(국연)

발 신 : 장 관

제 목 : 아국 유엔가입관련 사의표명

강원지시 hold!

1. 우리의 유엔가입 신청서가 91.8.8. (뉴욕시간) 안보리 심의를 통과함에 따라 금년 제46차 유엔총회 개막일인 9.17(화) 우리의 유엔가입이 실현될 전망임.

2. 금번 우리의 유엔가입 실현을 위하여 주재국(겸임국)이 보여준 아국입장 지지태도에 대하여 주재국측에 사의를 표명하기 바람. 끝.

(장 관 이상옥)

예고 : 1991.12.31. 일반.
의거 일반문서로 재분류됨

보안 통제	

앙 고 재	91년 8월 9일	유엔과	기안자 성명		과 장	심의관	국 장	1차보	차 관	장 관

외신과통제

0010

수신처 : 주 방글라데시, 브루나이, 미얀마, 휘지, 이란, 몽골,
네팔, 파키스탄, P.N.G., 필리핀, 스리랑카, 바레인,
예멘, 요르단, 쿠웨이트, 리비아, 모리타니아, 모로코,
오만, 카타르, 사우디, 수단, 튀니지, U.A.E., 카메룬,
가봉, 케냐, 말라위, 모리셔스, 나이제리아, 시에라레온,
스와질랜드, 우간다, 잠비아, T&T(바베이도스 포함),
볼리비아, 브라질, 칠레, 콜롬비아, 멕시코(니카라과해당),
도미니카(공), 과테말라, 아이티, 자마이카, 파나마,
파라과이, 페루, 수리남, 우루과이, 베네주엘라, 덴마크,
핀랜드, 희랍, 뉴질랜드, 노르웨이, 스웨덴, 터키,
불가리아, 유고 대사, 카이로 총영사 (61국)

0011

관리 번호	

	분류번호	보존기간

발 신 전 보

번 호 : 종별 :

수 신 : 주 수신처 참조 대사. 총영사 (국연)

발 신 : 장 관

제 목 : 아국 유엔가입관련 사의표명

1. 우리의 유엔가입 신청서가 91.8.8. (뉴욕시간) 안보리 심의를 통과함에 따라 금년 제46차 유엔총회 개막일인 9.17(화) 우리의 유엔가입이 실현될 전망임.

2. 우리의 유엔가입 실현을 위하여 귀주재국(겸임국)이 보여준 적극적인 지원과 협조에 대하여 귀직은 귀주재국(겸임국) 외무성에 우리정부의 깊은 사의를 전달바람.

3. 또한 그간 유엔가입 추진을 위하여 애써온 귀직을 비롯한 귀공관원의 노고를 치하함. 끝.

(장 관 이상옥)

예고 : 1991.12.31. 일반. (예고문에 의거 일반문서로 재분류됨)

수신처 : 주인도, 인니, 말련, 뉴질랜드(서사모아 해당), 태국, 싱가폴, 알제리, 코트디브와르, 가나, 세네갈, 자이르, 알젠틴, 코스타리카, 에쿠아돌, 멕시코, 호주, 오지리, 독일, 아일랜드, 이태리(몰타포함), 화란, 포르투갈, 스페인, 헝가리, 체코, 폴란드, 루마니아대사 (28국)

보 안 통 제	(서명)

앙 고 재	91년 8월 9일	유엔과	기안자 성 명		과 장	심의관	국 장	1차보	차 관	장 관
			(서명)		(서명)	(서명)	(서명)	(서명)	(서명)	

외신과통제

0012

관리 번호	

	분류번호	보존기간

발 신 전 보

번 호 : 종별 :

수 신 : 주 북경 대사. ~~총영사~~ (국연)

발 신 : 장 관

제 목 : 아국 유엔가입관련 사의표명

장관지시 hold!

1. 우리의 유엔가입 신청서가 91.8.8. (뉴욕시간) 안보리 심의를 통과함에 따라 금년 제46차 유엔총회 개막일인 9.17(화) 우리의 유엔가입이 실현될 전망임.

2. 금번 우리의 유엔가입 실현 노력과 관련, 중국측이 보여준 안보리 상임이사국으로서의 책임있는 자세 및 협조에 대하여 귀직은 적절한 계기에 중국측에 아측의 깊은 사의를 전달바람.

3. 그간 우리의 유엔가입 추진에 있어 귀직 및 귀관원의 노고를 치하함. 끝.

(장 관 이상옥)

예고 : 1991.12.31. 일반.
의거 일반문서로 재분류

보안 통제	(서명)

앙 고 재	91년 8월 5일	유엔과	기안자 성명		과 장	심의관	국 장	1차보	차 관	장 관
			(서명)		(서명)	(서명)	(서명)	(서명)	(서명)	

외신과통제

0013

관리 번호	

	분류번호	보존기간

발 신 전 보

번 호 :   종별 :

수 신 : 주 소련 대사. ~~총영사~~ (국연)

발 신 : 장 관

제 목 : 아국 유엔가입관련 사의표명

1. 우리의 유엔가입 신청서가 91.8.8. (뉴욕시간) 안보리 심의를 통과함에 따라 금년 제46차 유엔총회 개막일인 9.17(화) 우리의 유엔가입이 실현될 전망임.

2. 금번 우리의 유엔가입 실현 노력에 있어 귀주재국의 적극적인 관심과 협조가 중요한 역할을 하였다고 봄. 귀직은 적절한 계기에 주재국 요로에 우리정부의 사의를 전달바람.

3. 또한 우리의 유엔가입 실현을 위한 귀직 및 귀관원의 노고를 치하함. 끝.

(장 관 이상옥)

예고 : 일반문서 재분류 1991.12.31. 일반.

보안 통제	

앙고재	91년 8월 3일	유엔과	기안자 성명		과 장	심의관	국 장	1차보	차 관	장 관

외신과통제

0014

관리 번호	

	분류번호	보존기간

발 신 전 보

장관지시에의 hold!

번 호 : 종별 :

수 신 : 주 수신처 참조 대사. 총영사 (국연)

발 신 : 장 관

제 목 : 아국 유엔가입관련 사의표명

1. 우리의 유엔가입 신청서가 91.8.8. (뉴욕시간) 안보리 심의를 통과함에 따라 금년 제46차 유엔총회 개막일인 9.17(화) 우리의 유엔가입이 실현될 전망임.

2. 귀주재국은 핵심우방국(Core Group)으로서 우리의 유엔 가입 실현을 위하여 아낌없는 지원과 협조를 다해주었는 바, 귀직은 귀주재국 요로에 대하여 우리정부의 심심한 사의를 전달바람.

3. 또한 그간 유엔가입 추진에 있어 귀직 및 공관원들의 노고를 치하함. 끝.

(장 관 이상옥)

19예.고. : 1991.12.31. 일반.
의거 일반문서로 재분류

수신처 : 주벨지움, 카나다, 불, 영, 미, 일대사(6국)

보 안 통 제	(서명)

앙 고 재	91년 8월 3일	유엔 과	기안자 성 명		과 장	심의관	국 장	1차보	차 관	장 관
			(서명)		(서명)	(서명)	(서명)	(서명)	(서명)	

외신과통제

0015

청와대
안보리의 일 축하
답신필요!!

유엔加入申請書 安保理 通過

1991. 8. ~~10.~~ 9

外 務 部

91.8.8(木) 오후(뉴욕 현지시간*) 安全保障理事會는 南北韓의 유엔加入申請을 審議, 理事國 全員贊成으로 今秋 제46차 總會에 加入을 勸告하는 決議를 採擇한 바, 關聯事項 아래 報告드립니다. * 서울현지시각 : 91.8.9(金) XX:XX시

1. 處理經過 (뉴욕시간)

o	8.6(火)		安保理 非公式 協議
o	8.7(水)	午前	安保理 本會議 議題採擇
		午後	安保理 加入審査委 開催 決議案 草案 採擇
o	8.8(木)	午後	安保理 本會議 開催, 加入勸告 決議 採擇

2. 加入勸告 決議後 祝賀發言

o 安保理는 南北韓의 유엔加入 勸告決議 採擇後 全體 安保理 理事國을 代表하여 安保理 議長이 (駐유엔 에쿠아돌 大使) 南北韓의 加入을 祝賀하는 發言을 行함.

심의관:

공람	국제연합과	91년 8월 3일	담당	과장	국장	차관보	차관	장관
고재								

0016

3. 當部 措置事項

o 當部는 安保理 審議 通過에 즈음하여, 아래要旨의 外務長官名義 聲明發表 (同內容 別添)

- 安保理 通過에 滿足表明, 南北韓 加入申請 一括處理~~에 意味附與~~ 평가

- 加入契機, 國際社會 貢獻意志 및 南北韓 關係 改善努力 意志表明

- 友邦 및 全世界 平和愛好國에 대한 謝意表明

4. 今後處理 豫想日程

o 安保理의 加入勸告 決議는 곧바로 유엔事務總長에 의해 總會文書로 配布

o 南北韓의 加入은 제46차 유엔總會 開幕日인 91.9.17. 單一決議案 形態로 總會에서 處理豫想

* 總會에서의 南北韓 加入申請處理 關聯 節次問題 (共同提案國 問題等) 協議를 위해 南北韓 유엔駐在 大使間 協議를 北側에 再提議 豫定

- 끝 -

0017

유엔加入申請書 安保理 通過

1991. 8. 9.

外　務　部

> 91.8.8(木) 11:33(뉴욕 현지시각) 安全保障理事會는 南北韓의 유엔加入申請을 審議, 理事國 全員贊成으로 今秋 제46차 總會에 加入을 勸告하는 決議를 採擇한 바, 關聯事項을 아래 報告드립니다.
> * 서울시각 : 91.8.9(金) 00:33時

1. 處理經過 (뉴욕시간)

   o 8.6(火) 11:30 安保理 非公式 協議
   12:00 安保理 本會議 議題採擇
   15:30 安保理 加入審査委 開催
   決議案 草案 採擇

   o 8.8(木) 11:30 安保理 本會議 開催,
   加入勸告 決議 採擇

* 安保理 加入勸告 決議(要旨) : "安保理는 南北韓의 加入申請을 審査한 바, 南北韓의 加入을 總會에 勸告함."

0018

2. 加入勸告 決議後 祝賀發言

o 安保理 議長(駐유엔 에쿠아돌大使)은 南北韓의 유엔加入 勸告決議 採擇後 全體 安保理 理事國을 代表하여 南北韓의 加入을 祝賀하는 發言을 行함.

3. 當部 措置事項

o 當部는 安保理 加入勸告決議 採擇에 즈음하여, 아래要旨의 外務長官名義 聲明發表 (同內容 別添)

- 安保理 通過에 滿足表明, 南北韓 加入申請 一括處理 評價
- 유엔加入은 北方外交의 結實, 加入후 國際社會 貢獻 및 南北韓 關係改善 意志表明
- 友邦 및 全世界 平和愛好國에 대해 謝意表明

4. 今後處理 豫想日程

o 安保理의 加入勸告 決議는 곧바로 유엔事務總長에 의해 總會文書로 配布

o 南北韓의 加入은 제46차 유엔總會 開幕日인 91.9.17. 單一決議案 形態로 總會에서 處理豫想

* 總會에서의 南北韓 加入申請處理 節次問題 關聯 (共同提案國 問題等) 協議를 위해 南北韓 유엔駐在 大使間 協議를 北側에 再提議 豫定 - 끝 -

0013

관리 번호 91-4519

원 본

외 무 부

종 별 : 긴 급

번 호 : UNW-2051 일 시 : 91 0806 1830

수 신 : 장 관(국연,아동,기정,해기)

발 신 : 주 유엔 대사

제 목 : 남북한 가입신청서 안보리심의(1)

연:UNW-1987,2019,2031

1. 연호 예정대로 안보리는 금 8.6(화) 11:30-11:50 간 비공식협의(전체회의)를 가진데 이어 12:00-12:20 간 3 회의 안보리 공식회의를 연이어 개최하여, 남북한, 마이크로네시아 및 마샬군도의 가입신청에 관한 의제를 각각 채택후 이를 금일 오후 가입심사위 (15:30 개최)에서 검토키로 결정함. 또한 동 위원회의 검토보고서 심의채택을 위해 8.8. 안보리 공식회의를 개최하기로 결정함.

2. 금일 안보리 공식회의 심의 경과요지를 아래보고함.

가. 남북한 가입신청 심의 (12:00-12:11 제 2998 차 회의)

0. 신임의장(에쿠아돌)의 전임의장(쿠바대사)에 대한 치하

0. 의제채택

-별첨 남북한 가입신청 관련 잠정의제 (S/AGENDA/2998 : 별첨 1) 를 이의없이 채택

0. 안건심의 (의장 발언문 전문:별첨 2)

-북한의 7.2 자 가입신청서 제출사실 설명(S/22777 : 별첨 3)

-아국의 7.19 자 가입신청서 제출사실 설명 (S/22778 : 별첨 4)

-별도의 이견이 없으므로 남북한의 가입신청서를 가입심사위에 회부

-안보리 의사규칙 59 조 및 60 조에 규정된 가입심사위 및 안보리의 보고(권고)시한을 감안하여, 가입심사위를 금일 오후 3:30 개최, 남북한의 가입신청서를 검토하고 안보리앞 보고서를 준비토록함.

-가입심사위 보고서 심의채택을 위해 8.8 (목) 안보리 공식회의를 개최토록함.

-상기 의장 제의를 이의없이 채택함.

나. 마이크로네시아 와 마샬군도 가입신청 심의 (12:11-12:20 , 제 2999 차및

국기국 장관 차관 1차보 2차보 아주국 분석관 청와대 안기부 공보처

PAGE 1 91.08.07 08:52

외신 2과 통제관 BS

0020

3000 차 회의)

0. 의제채택

0. 가입신청서 (별첨 5,6)제출 사실을 각각 설명한후 금일 오후 가입심사위에서 심의, 8.8. 안보리 공식회의에서 처리키로결정

3. 본직은 상기 안보리회의 종료직후 CUELLAR 사무총장, LASSO 안보리 의장및 PICKERING 대사등 CG 및 우방국 대사들에게 그간의 지원과 협조에 재차 사의를 표명한바, 이들 모두 모든 일정이 순조롭게 진행되고 있음과 곧 한국의 유엔가입이 이루어 지게된것을 축하한다는 뜻을 전함.

4. 당관은 사전 사무국측과 협조, 아국의 가입신청서를 금일 안보리 회의 개최전 사전 배포되도록 요청한바, 동 문서가 금일 오전 일찍 안보리문서 (별첨 4) 로 배포되었음.

5. 금일 안보리회의에는 본직, 신대사, 문국장 및 당관 관계관 수명이 참관하였으며, 북한대표부에서는 박길연대사, 이성진 참사관, 김재헌 1 등서기관이 참관함.

6. 금일 안보리 공식회의관련 유엔 프레스릴리스를 별첨 송부함.

7. 한편 금일 오전 비공식회의 결과 요지를 아래보고함.

가. 안보리 의장이 남북한 가입신청서 처리일정 및 처리방식에 대한 설명을끝내자 마자 LI 중국대사가 먼저(PREEMPT 하듯이)발언권을 얻어 남북한 가입신청 관련 모든 절차(ARRANGEMENT)가 아주 잘 준비되었다고 말한후 중국으로서는이에 이의가 전혀 없음을 강한 어조로 말함. 이어 PICKERING 미국대사도 의장 제안 방식에 동의한다고 말함에 따라 여타 이사국의 추가 발언이 없이 비공식 협의를 끝냄.

(이상 HANNAY 영국대사 및 RUSSEL 담당관이 제보)

나. 한편, 안보리의장은 8.8 (목) 개최예정인 안보리회의에서 남북한 유엔가입권고 결의안 채택직후 행할 의장발표문(안)을 별첨(7)과 같이 배포함. 이와관련 아측의 특별한 의견이 있을경우 안보리 의장에게 직접 또는 우방국들을 통하여 이를 제시할수는 있을 것으로 보이는바, 본부의견 있으면 회시바람. 당관으로서는 안보리 이사국들의 합의를 도모한다는 측면에서 볼때 동문안이 대체로 만족스럽다고 보고있음.

첨부:상기문서 각 1 부:UNW(F)-392 끝

(대사 노창희-장관)

1. 예고:91.12.31. 일반

PAGE 3

0022

AUG.06 '91 17:24 KOREAN [redacted] ION

P.1

#별첨 UNW(F)-392 10806 18[redacted]

(국연. 아동. 기정. 해기) (첨부 1)

UNITED NATIONS

S

총1매

Security Council

PROVISIONAL

S/Agenda/2998
6 August 1991

ORIGINAL: ENGLISH

PROVISIONAL AGENDA FOR THE 2998TH MEETING OF THE SECURITY COUNCIL

To be held in the Security Council Chamber at Headquarters, on Tuesday, 6 August 1991 at

1. Adoption of the agenda

2. Admission of new members:

Letter dated 2 July 1991 from the Vice-Premier of the Administration Council and Minister for Foreign Affairs of the Democratic People's Republic of Korea addressed to the Secretary-General (S/22777)

Letter dated 19 July 1991 from the Minister for Foreign Affairs of the Republic of Korea addressed to the Secretary-General (S/22778)

3396E

19-1

0023

(첨부 2)

6 August 1991

PROCEDURAL BRIEF FOR THE 2998th MEETING OF THE SECURITY COUNCIL

1. Opening of the meeting

The President: The two thousand, nine hundred and ninety-eighth meeting of the Security Council is called to order.

2. Expression of thanks to the retiring President

The President: As this is the first meeting of the Security Council for the month of August, I should like to take this opportunity to pay tribute, on behalf of the Council, to His Excellency, Sr. Ricardo Alarcon de Quesada, Permanent Representative of Cuba to the United Nations, for his service as President of the Security Council for the month of July 1991. I am sure I speak for all members of the Security Council in expressing deep appreciation to Ambassador Ricardo Alarcon de Quesada for the great diplomatic skill and unfailing courtesy with which he conducted the Council's business last month.

3. Adoption of the agenda

The President: The provisional agenda for this meeting is before the Council in document S/Agenda/2998. Unless I hear any objection, I shall consider the agenda adopted.

.....

The agenda is adopted

19-2

0024

Consideration of item 2 of the agenda

The President: The Security Council will now begin its consideration of the item on its agenda.

In a letter dated 2 July 1991 addressed to the Secretary-General, the Vice-Premier of the Administration Council and Minister for Foreign Affairs of the Democratic People's Republic of Korea submitted the application of his country for membership in the United Nations. That letter has been circulated in document S/22777.

In a letter dated 19 July 1991 addressed to the Secretary-General, the Minister for Foreign Affairs of the Republic of Korea submitted the application of his country for membership in the United Nations. That letter is contained in document S/22778.

Under the provisions of rule 59 of the provisional rules of procedure of the Security Council, unless the Council decides otherwise applications for membership shall be referred by the President of the Council to the Committee on the Admission of New Members. Accordingly, unless I hear a proposal to the contrary, I shall refer the applications of the Democratic People's Republic of Korea and the Republic of Korea to the Committee on the Admission of New Members for examination and report.

19-3

The last sentence of rule 59 provides that the Committee shall report its conclusions to the Council not less than 35 days in advance of a regular session of the General Assembly. Moreover, the fourth paragraph of rule 60 stipulates that the Security Council should make its recommendation on the applications not less than 25 days in advance of a regular session of the General Assembly following the receipt of the applications, in order to ensure its consideration at the session.

In view of the fact that the forty-sixth session of the General Assembly is scheduled to convene on 17 September, and bearing in mind the time-limits, I propose that the Committee on the Admission of New Members meet this afternoon, 6 August at 3.30 p.m. in Conference Room 7 in order to examine the applications of the Democratic People's Republic of Korea and the Republic of Korea and prepare the Committee's report to the Council.

I further propose that the Security Council meet again on Thursday, 8 August to consider and take a decision on the report of the Committee.

As I hear no objection, it is so decided.

The meeting is adjourned.

19-4

(첨부 3)

A S

UNITED NATIONS

General Assembly Security Council

Distr.
GENERAL

A/46/295
S/22777
10 July 1991

ORIGINAL: ENGLISH

GENERAL ASSEMBLY
Forty-sixth session
Item 20 of the preliminary list*
ADMISSION OF NEW MEMBERS TO THE UNITED NATIONS

SECURITY COUNCIL
Forty-sixth year

Application of the Democratic People's Republic of Korea for admission to membership in the United Nations

Note by the Secretary-General

In accordance with rule 135 of the rules of procedure of the General Assembly and rule 59 of the provisional rules of procedure of the Security Council, the Secretary-General has the honour to circulate herewith the application of the Democratic People's Republic of Korea for admission to membership in the United Nations, contained in a letter dated 2 July 1991 from the Vice-Premier of the Administration Council and Minister for Foreign Affairs of the Democratic People's Republic of Korea to the Secretary-General.

* A/46/50.

91-22381 2677b (E)

/...

19-5

0027

A/46/295
S/22777
English
Page 2

Letter dated 2 July 1991 from the Vice-Premier of the Administration Council and Minister for Foreign Affairs of the Democratic People's Republic of Korea to the Secretary-General

On behalf of the Government of the Democratic People's Republic of Korea, I have the honour to inform you that the Democratic People's Republic of Korea hereby makes application for membership in the United Nations, in accordance with Article 4 of the Charter of the United Nations.

I attach a declaration made in pursuance of rule 58 of the provisional rules of procedure of the Security Council.

I would be grateful if this application could be submitted to the Security Council.

(*Signed*) KIM Yong Nam
Vice-Premier of the Administration Council
and
Minister for Foreign Affairs
Democratic People's Republic of Korea

19-6

/...

0028

Declaration

On behalf of the Government of the Democratic People's Republic of Korea, I solemnly declare that the Democratic People's Republic of Korea accepts the obligations contained in the Charter of the United Nations and undertakes to fulfil them.

(Signed) KIM Yong Nam
Vice-Premier of the Administration Council
and
Minister for Foreign Affairs
Democratic People's Republic of Korea

19-7

0029

(첨부 4)

A S

UNITED
NATIONS

General Assembly Security Council

Distr.
GENERAL

A/46/296
S/22778
5 August 1991

ORIGINAL: ENGLISH

GENERAL ASSEMBLY
Forty-sixth session
Item 20 of the provisional agenda*
ADMISSION OF NEW MEMBERS TO THE
UNITED NATIONS

SECURITY COUNCIL
Forty-sixth year

Application of the Republic of Korea for admission to membership in the United Nations

Note by the Secretary-General

In accordance with rule 135 of the rules of procedure of the General Assembly and rule 59 of the provisional rules of procedure of the Security Council, the Secretary-General has the honour to circulate herewith the application of the Republic of Korea for admission to membership in the United Nations, contained in a letter dated 19 July 1991 from the Minister for Foreign Affairs of the Republic of Korea to the Secretary-General.

* A/46/150.

91-25058 2484i (E) /...

19-8

0030

Letter dated 19 July 1991 from the Minister for Foreign Affairs of the Republic of Korea addressed to the Secretary-General of the United Nations

On behalf of the Government of the Republic of Korea, I have the honour to inform you that the Government of the Republic of Korea herewith applies for membership in the United Nations, in accordance with Article 4 of the Charter of the United Nations.

I have further the honour to attach herewith a declaration made in accordance with rule 58 of the provisional rules of procedure of the Security Council.

I should be grateful if you would place this application before the Security Council at the earliest opportunity.

(Signed) LEE Sang Ock
Minister for Foreign Affairs
of the Republic of Korea

19-9

/...

A/46/296
S/22778
English
Page 3

Declaration

On behalf of the Government of the Republic of Korea, I, Roh Tae Woo, in my capacity as Head of State, have the honour to solemnly declare that the Republic of Korea accepts the obligations contained in the Charter of the United Nations and undertakes to fulfil them.

(Signed) ROH Tae Woo
President of the Republic
of Korea

19-10

0032

(중복 5)

UNITED NATIONS

S

Security Council

PROVISIONAL

S/Agenda/2999
6 August 1991

ORIGINAL: ENGLISH

PROVISIONAL AGENDA FOR THE 2999TH MEETING OF THE SECURITY COUNCIL

To be held in the Security Council Chamber at Headquarters,
on Tuesday, 6 August 1991 at

1. Adoption of the agenda

2. Admission of new members:

Letter dated 17 July 1991 from the President of the Federated States of Micronesia addressed to the Secretary-General (S/22864)

2339E

19-11

0033

UNITED NATIONS

A S

General Assembly Security Council

Distr.
GENERAL

A/45/1045
S/22864
31 July 1991

ORIGINAL: ENGLISH

GENERAL ASSEMBLY
Forty-fifth session
Agenda item 19
ADMISSION OF NEW MEMBERS TO THE UNITED NATIONS

SECURITY COUNCIL
Forty-sixth year

Application of the Federated States of Micronesia for admission to membership in the United Nations

Note by the Secretary-General

In accordance with rule 135 of the rules of procedure of the General Assembly and rule 59 of the provisional rules of procedure of the Security Council, the Secretary-General has the honour to circulate herewith the application of the Federated States of Micronesia for admission to membership in the United Nations, contained in a letter dated 17 July 1991 from the President of the Federated States of Micronesia to the Secretary-General.

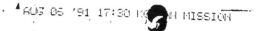

ANNEX

Letter dated 17 July 1991 from the President of the Federated States of Micronesia addressed to the Secretary-General

On behalf of the Government of the Federated States of Micronesia and in my capacity as President, I have the honour to inform you that the Federated States of Micronesia wishes herewith to make application for membership in the United Nations, with all the rights and duties attached thereto.

I would accordingly be grateful if you would arrange for this application to be placed before the Security Council and the General Assembly at their next meetings.

For this purpose, a declaration made pursuant to rule 58 of the provisional rules of procedure of the Security Council and rule 134 of the rules of procedure of the General Assembly is set out hereunder.

Declaration

In connection with the application by the Federated States of Micronesia for membership in the United Nations, I have the honour on behalf of the Federated States of Micronesia and in my capacity as Head of State, to declare that the Federated States of Micronesia accepts the obligations contained in the Charter of the United Nations and solemnly undertakes to fulfil them.

(Signed) Bailey OLTER
President
Federated States of Micronesia

-----

1 9- 13

0035

UNITED
NATIONS

(종부 6)

S

Security Council

PROVISIONAL

S/Agenda/3000
6 August 1991

ORIGINAL: ENGLISH

PROVISIONAL AGENDA FOR THE 3000TH MEETING OF THE SECURITY COUNCIL

To be held in the Security Council Chamber at Headquarters,
on Tuesday, 6 August 1991 at

1. Adoption of the agenda

2. Admission of new members:

   Letter dated 25 July 1991 from the President of the Republic of the Marshall Islands addressed to the Secretary-General (S/22865)

3401E

19-14

0036

UNITED NATIONS

A S

General Assembly Security Council

Distr.
GENERAL

A/45/1046
S/22865
31 July 1991

ORIGINAL: ENGLISH

GENERAL ASSEMBLY
Forty-fifth session
Agenda item 19
ADMISSION OF NEW MEMBERS TO THE UNITED NATIONS

SECURITY COUNCIL
Forty-sixth year

Application of the Republic of the Marshall Islands for admission to membership in the United Nations

Note by the Secretary-General

In accordance with rule 135 of the rules of procedure of the General Assembly and rule 59 of the provisional rules of procedure of the Security Council, the Secretary-General has the honour to circulate herewith the application of the Republic of the Marshall Islands for admission to membership in the United Nations, contained in a letter dated 25 July 1991 from the President of the Republic of the Marshall Islands to the Secretary-General.

91-24502 2414c (E) /...

19-15

0037

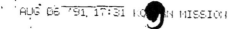

ANNEX

Letter dated 25 July 1991 from the President of the Republic of the Marshall Islands addressed to the Secretary-General

On behalf of the Government of the Republic of the Marshall Islands and in my capacity as its Chief of State and Government, I have the honour to make this application for membership in the United Nations.

I should accordingly be grateful if you would arrange for this application to be placed before the Security Council and the General Assembly at their next meetings.

To this end, a declaration made in pursuance of rule 58 of the provisional rules of procedure of the Security Council and rule 134 of the rules of procedure of the General Assembly is set out hereunder.

DECLARATION

In connection with the application by the Republic of the Marshall Islands for membership in the United Nations, I have the honour, on behalf of the Republic of the Marshall Islands, and in my capacity as President, to declare that the Republic of the Marshall Islands accepts the obligations contained in the Charter of the United Nations and solemnly undertakes to fulfil them.

(Signed) Amata KABUA
President

19-16

0038

(첨부 7)

91-25047/2514h -1-
Mo

Statement by the President of the Security Council following the the admission of the two Koreas to membership in the Organization

By adopting resolution ____ (1991), the Security Council has taken another step towards the completion of a political process in exercise of one of the most important functions entrusted to it under the Charter of the United Nations, namely, to make recommendations to the General Assembly regarding the admission of new members to the Organization.

The applications of the Democratic People's Republic of Korea and the Republic of Korea have been considered and unanimously adopted by the Security Council. The aspirations of the peoples and Governments of those two countries have harmoniously coincided. That is why the Security Council decided to consider and take a simultaneous decision on the admission of the two countries of the Korean Peninsula to membership in the world Organization.

This is a historic occasion for the Democratic People's Republic of Korea, the Republic of Korea, the Asian continent and the world community of nations.

There can be no doubt that the Security Council's recommendation to the General Assembly advances and underscores the Organization's goal of universality. I am certain that, as new members of our Organization, the two countries will contribute positively to efforts to enhance the effectiveness of the work of the United Nations and strengthen respect for its purposes and principles.

The admission of the two Koreas will also reduce tensions in the region, create a favourable atmosphere for and facilitate the promotion of confidence-building measures in the two countries' bilateral relations and provide them with an appropriate forum in which to consider the many things they have in common and to overcome the few remaining obstacles to their unification.

We have recently seen how countries that were once enemies have found the necessary strength to put aside their differences in favour of their shared interest in promoting the well-being of their peoples and of the world in general. We are living in an age in which mankind seems to be regaining its senses. We can begin the next millennium in a more optimistic spirit. In the positive atmosphere resulting from the end of the cold war, we note with great satisfaction a new manifestation of constructive understanding: the recommendation, adopted by the Security Council, that the two Koreas become members of the world Organization.

I wish to conclude by saying that, in my capacity as President of the Council and on behalf of all its members, I am on this historic occasion deeply honoured to address these words of congratulation to the Democratic People's Republic of Korea and to the Republic of Korea.

19-17

0039

(정부 8)

United Nations

Press Release

Department of Public Information • News Coverage Service • New York

Security Council
2998th Meeting (PM)

SC/5290
6 August 1991

SECURITY COUNCIL REFERS APPLICATION OF TWO KOREAS
TO COMMITTEE ON ADMISSION OF NEW MEMBERS

The Security Council this afternoon referred the applications of the Democratic People's Republic of Korea and of the Republic of Korea for membership in the United Nations to the Committee on the Admission of New Members for examination and report.

The Council acted in response to a letter dated 2 July addressed to the Secretary-General from the Vice Premier of the Administration Council and Minister for Foreign Affairs of the Democratic People's Republic of Korea (document S/22777), in which his Government applied for membership in the United Nations, in accordance with Article 4 of the Charter, as well as to a letter dated 19 July addressed to the Secretary-General from the Minister of Foreign Affairs of the Republic of Korea (document S/22778), in which his Government also applied for United Nations membership.

(Article 4 states that membership in the United Nations is open to all other peace-loving States which accept the obligations contained in the Charter and, in the judgement of the Organization, are able and willing to carry out those obligations. The admission of any such State will be effected by a decision of the General Assembly upon the recommendation of the Security Council.)

Attached to both letters were Declarations by the respective Governments that they accepted the obligations contained in the Charter and undertook to fulfil them.

The Committee on the Admission of New Members will meet at 3:30 p.m. today to examine the two applications and prepare its report to the Council.

At the outset of the meeting, at 12:03 p.m., Jose Ayala Lasso (Ecuador), the President of the Council, expressed appreciation to Ricardo Alarcon de Quesada (Cuba) for his service as Council President during the month of July.

The Security Council will meet again on Thursday, 8 August, to consider and take a decision on the report of the Committee on the Admission of New Members.

The meeting was adjourned at 12:09 p.m.

* *** *

3864P

19-18

For information media—not an official record

0040

United Nations

Press Release

Department of Public Information • News Coverage Service • New York

Security Council
2999th Meeting (PM)

SC/5291
6 August 1991

SECURITY COUNCIL REFERS APPLICATION OF FEDERATED STATES OF MICRONESIA TO COMMITTEE ON ADMISSION OF NEW MEMBERS

The Security Council this afternoon referred the application of the Federated States of Micronesia for membership in the United Nations to the Committee on the Admission of New Members for examination and report.

The Council took that action at the outset of the meeting, which began at 12:10 p.m., in response to a letter dated 17 July to the Secretary-General from the Federated States of Micronesia (document S/22864). The letter contained a declaration by President Bailey Olter pledging that his country would accept the obligations contained in the United Nations Charter and would undertake to fulfil them.

In accordance with the Council's rules of procedure, the Committee should report its conclusions to the Council not less than 35 days in advance of the regular session of the General Assembly, and the Council must make its recommendation not less than 25 days prior to the Assembly session. The Committee is expected to meet at 3:30 p.m. today.

The Security Council is expected to meet again on Thursday, 8 August, to take action on the Committee's report.

The meeting was adjourned at 12:12 p.m.

* *** *

3865P

19-19

For information media—not an official record

0041

관리 번호 91-4518

원 본

외 무 부

종 별 : 긴 급

번 호 : UNW-2052 일 시 : 91 0806 1830

수 신 : 장 관(국연,아동,기정,해기)

발 신 : 주 유엔 대사

제 목 : 남북한 가입신청서 가입심사위 (2)

연:UNW-2051

1. 금 8.6 15:50 안보리 가입심사위원회가 예정대로 개최되어 의장이 제출한 남북한의 가입신청에 관한 가입심사위 보고서(별전 FAX 송부)를 토론없이 만장일치로 채택함.(15:55 종료)

2. 동 가입심사위는 이어 15:55-16:05 간 회의를 갖고 FSM 및 MI 에 대한 보고서를 채택하였음.

첨부:상기보고서:UNW(F)-393

끝

(대사 노창희-장관)

19 . . 예고:91.12.31. 일반
19 에 일반문서로 재분류 됨

국기국	장관	차관	1차보	2차보	아주국	분석관	청와대	안기부
공보처								

PAGE 1

91.08.07 08:53

외신 2과 통제관 BS

0042

#별첨

UNW(F)-393 ―A06 1830
(국연. 아동소기정. 해기) 총1매

91-24735/2495f
cw

DRAFT REPORT OF THE COMMITTEE ON THE ADMISSION OF NEW MEMBERS CONCERNING THE APPLICATIONS OF THE DEMOCRATIC PEOPLE'S REPUBLIC OF KOREA AND OF THE REPUBLIC OF KOREA FOR ADMISSION TO MEMBERSHIP IN THE UNITED NATIONS

1. At the 2998th meeting on 6 August 1991, the Security Council had before it the applications of the Democratic People's Republic of Korea (S/22777) and of the Republic of Korea (S/22778) for admission to membership in the United Nations. In accordance with rule 59 of the provisional rules of procedure of the Security Council and in the absence of a proposal to the contrary, the President of the Council referred the applications to the Committee on the Admission of New Members for examination and report.

2. At its 74th meeting on 6 August 1991, the Committee considered the applications of the Democratic People's Republic of Korea and the Republic of Korea and unanimously decided to recommend to the Security Council that they should be admitted to membership in the United Nations.

3. Accordingly, the Committee recommends to the Security Council the adoption of the following draft resolution:

The Security Council,

Having examined separately the applications of the Democratic People's Republic of Korea (S/22777) and of the Republic of Korea (S/-) S/22778, for admission to the United Nations,

1. Recommends to the General Assembly that the Democratic People's Republic of Korea be admitted to membership in the United Nations;

2. Recommends to the General Assembly that the Republic of Korea be admitted to membership in the United Nations.

1-1

/...

0043

관리 번호	91-4545

	분류번호	보존기간

발 신 전 보

번 호 : WUN-2090 910807 1916 FO 종별 : 지급

수 신 : 주 유엔 대사. 총영사 (국연)

발 신 : 장 관

제 목 : 남북한 가입신청서 안보리 심의

대 : UNW-2051

대호, 안보리 의장이 남북한 가입결의 채택직후 행할 발표문 (안)에 대해 이견없음. 끝.

(장 관 이상옥)

19 . . . 에 예고문에 의거 예고 91.12.31. 일반

보안 통제	

앙 고 재	91년 8월 7일	유엔과	기안자 성명		과 장	심의관	국 장	차관보	차 관	장 관
			김성진							

외신과통제

0044

SUMMARY OF SCHEDULED MEETINGS

APERÇU DES SEANCES

U.N. Journal 1991/152 (8.7.)

Tuesday, 6 August 1991

SECURITY COUNCIL

2998th meeting

Admission of new members

Letter dated 2 July 1991 from the Vice-Premier of the Administration Council and Minister for Foreign Affairs of the Democratic People's Republic of Korea addressed to the Secretary-General (S/22777)

Letter dated 19 July 1991 from the Minister for Foreign Affairs of the Republic of Korea addressed to the Secretary-General (S/22778)

The agenda was adopted without objection.

The President, in accordance with the provisions of rule 59 of the Council's provisional rules of procedure, referred the application of the Democratic People's Democratic Republic (S/22777) and the application of the Republic of Korea (S/22778) to the Committee on the Admission of New Members for examination and report.

2999th meeting

Admission of new members

Letter dated 17 July 1991 from the President of the Federated States of Micronesia addressed to the Secretary-General (S/22864)

The agenda was adopted without objection.

The President, in accordance with the provisions of rule 59 of the Council's provisional rules of procedure, referred the application of the Federated States of Micronesia (S/22864) to the Committee on the Admission of New Members for examination and report.

3000th meeting

Admission of new members

Letter dated 25 July 1991 from the President of the Republic of the Marshall Islands addressed to the Secretary-General (S/22865)

The agenda was adopted without objection.

The President, in accordance with the provisions of rule 59 of the Council's provisional rules of procedure, referred the application of the Republic of the Marshall Islands (S/22865) to the Committee on the Admission of New Members for examination and report.

Mardi 6 août 1991

CONSEIL DE SECURITE

2998e séance

Admission de nouveaux membres

Lettre datée du 2 juillet 1991, adressée au Secrétaire général par le Vice-Premier Ministre au Conseil d'administration et Ministre des affaires étrangères de la République populaire démocratique de Corée (S/22777)

Lettre datée du 19 juillet 1991, adressée au Secrétaire général par le Ministre des affaires étrangères de la République de Corée (S/22778)

L'ordre du jour est adopté sans opposition.

Le Président, conformément aux dispositions de l'article 59 du règlement intérieur provisoire du Conseil, renvoie la demande d'admission de la République populaire de Corée (S/22777) et la demande d'admission de la République de Corée (S/22778) au Comité d'admission de nouveaux membres pour examen et rapport.

2999e séance

Admission de nouveaux membres

Lettre datée du 17 juillet 1991, adressée au Secrétaire général par le Président des Etats fédérés de Micronésie (S/22864)

L'ordre du jour est adopté sans opposition.

Le Président, conformément aux dispositions de l'article 59 du règlement intérieur provisoire du Conseil, renvoie la demande d'admission des Etats fédérés de Micronésie (S/22864) au Comité d'admission de nouveaux membres pour examen et rapport.

3000e séance

Admission de nouveaux membres

Lettre datée du 25 juillet 1991, adressée au Secrétaire général par le Président de la République des îles Marshall (S/22865)

L'ordre du jour est adopté sans opposition.

Le Président, conformément aux dispositions de l'article 59 du règlement intérieur provisoire du Conseil, renvoie la demande d'admission de la République des îles Marshall (S/22865) au Comité d'admission de nouveaux membres pour examen et rapport.

0045

8.6. (화) 안보리 회의 결과

1991. 8. 7.
국제연합과

뉴욕시각	서울시각	내 용
8.6.(화) 11:30-11:50	8.7.(수) 00:30-00:50	비공식회의
12:00-12:20	01:00-01:20	공식회의 - 의제채택 . 남북한 가입(단일안건) . 마이크로네시아 가입 . 마샬군도 가입 - 일정합의
15:30-16:05	04:30-05:05	가입심사위 개최 - 남북한 가입권고 단일 결의안을 안보리에 회부키로 결정 (마이크로네시아, 마샬군도 가입건도 처리)

금후 일정: 8.8.(목) 11:00 (서울 동일 24:00시)에 안보리 회의 소집, 남북한 가입 권고결의안 채택예정(마이크로네시아, 마샬건도 처리)

- 8.7.(수)에는 다른 의제(이락관련) 협의예정

0046

남북한 유엔가입 권고결의 직후 안보리의장 발표문(요지)

o 안보리는 결의 ---호를 채택, 유엔헌장상 부여된 신규회원국 가입에 관한 총회 권고절차를 취함.

o 안보리는 남북한 정부와 국민의 일치된 열망에 따라 양국의 가입신청서를 일괄심의하여 만장일치로 채택하였고, 양국의 유엔가입을 결정함.

o 이러한 남북한의 유엔가입결정은 남북한, 아시아 및 국제사회에 있어서 역사적 사건임.

o 금번 안보리의 결정은 유엔의 보편주의 목표를 증진, 강화시키는 것이며, 앞으로 양국은 신규회원국으로서 유엔의 목적과 원칙을 더욱 존중하고 유엔의 효과적인 활동수행 노력에 긍정적 기여를 할것으로 확신함.

o 남북한의 유엔가입은 한반도지역의 긴장을 완화시키고 양국간의 신뢰구축 조치 증진에 유리한 여건을 조성하고, 이를 촉진할 것이며, 양국이 상호 공통 관심사항에 대해 검토하고, 통일의 장애요인을 극복할 수 있는 적합한 장소를 제공하게 될것임.

o 최근 적대관계에 있던 국가들이 그들 국민과 세계전체의 복지증진을 위하여 상호불화를 제거하는 노력을 강화하고 있음. 냉전종식으로 조성된 긍정적 분위기속에서 취해진 금번 안보리의 남북한 유엔가입 권고는 건설적인 화합의 새로운 표상이 되었다고 평가함.

o 본인은 이와같은 역사적 순간에 안보리의장으로서 그리고 이사국 전체를 대표하여 대한민국과 북한에게 심심한 축하를 드리는 영광을 가짐. 끝.

0047

Statement by the President of the Security Council following the admission of the two Koreas to membership in the Organization

By adopting resolution ------ (1991), the Security Council has taken another step towards the completion of a political process in exercise of one of the most important functions entrusted to it under the Charter of the United Nations, namely, to make recommendations to the General Assembly regarding the admission of new members to the Organization.

The applications of the Democratic People's Republic of Korea and the Republic of Korea have been considered and unanimously adopted by the Security Council. The aspirations of the peoples and Governments of those two countries have harmoniously coincided. That is why the Security Council decided to consider and take a simultaneous decision on the admission of the two countries of the Korean Peninsula to membership in the world Organization.

This is a historic occasion for the Democratic People's Republic of Korea, the Republic of Korea, the Asian continent and the world community of nations.

There can be no doubt that the Security Council's recommendation to the General Assembly advances and underscores the Organization's goal of universality. I am certain that, as new members of our Organization, the two countries will contribute positively to efforts to enhance the effectiveness of the work of the United Nations and strengthen respect for its purposes and principles.

0048

The admission of the two Koreas will also reduce tensions in the region, create a favourable atmosphere for and facilitate the promotion of confidence-building measures in the two countries' bilateral relations and provide them with an appropriate forum in which to consider the many things they have in common and to overcome the few remaining obstacles to their unification.

We have recently seen how countries that were once enemies have found the necessary strength to put aside their differences in favour of their shared interest in promoting the well-being of their peoples and of the world in general. We are living in an age in which mankind seems to be regaining its senses. We can begin the next millennium in a more optimistic spirit. In the positive atmosphere resulting from the end of the cold war, we note with great satisfaction a new manifestation of constructive understanding: the recommendation, adopted by the Security Council, that the two Koreas become members of the world Organization.

I wish to conclude by saying that, in my capacity as President of the Council and on behalf of all its members, I am on this historic occasion deeply honoured to address these words of congratulation to the Democratic People's Republic of Korea and to the Republic of Korea.

0049

관리 번호	91-4563

원 본

외 무 부

종 별 : 지 급

번 호 : UNW-2070 일 시 : 91 0807 1830

수 신 : 장 관(국연,기정)

발 신 : 주 유엔 대사

제 목 : 안보리 가입문제 처리

8.8 개최예정인 안보리회의 관련 사무국으로부터 파악한 내용을 아래보고함.

1. 회의시작 시간은 11:00 로 공식발표됨. 다만 실제회의 시작은 통상적인 유엔관례에 비추어 다소 (15-30 분) 늦어질 가능성이 있음.

2. 사무국측은 남북한 가입문제안건처리 일정에 일단 30 분을 할애함.(이어진행될 FSM 및 MI 안건에 대하여도 각가 30 분씩을 할애함.)

3. 회의진행은 의제채택, 가입심사위 보고서 CONSENSUS 채택, 이사국을 대표하여 의장의 축하발언순으로 이어질 것인바, 대체로 15 분정도 소요될 것으로 예상됨. 끝

(대사 노창희-장관)

예고:91.12.31. 일반

국기국 장관 차관 1차보 분석관 청와대 안기부 안기부

PAGE 1

91.08.08 09:45

외신 2과 통제관 BS

0050

관리 번호 91-4561

원 본

외 무 부

종 별 : 지 급

번 호 : UNW-2077

일 시 : 91 0807 1945

수 신 : 장 관(국연)

발 신 : 주 유엔 대사

제 목 : 외무장관 성명

대:WUN-2027

대호, 장관 성명 확정문안(국, 영문)을 당관에 통보바람. 끝.

(대사 노창희-국장)

예고:91.12.31. 일반

국기국

PAGE 1

91.08.08 09:54

외신 2과 통제관 BS

0051

관리 번호	91 -4562

원 본

외 무 부

종 별 :

번 호 : UNW-2079 일 시 : 91 0807 1945

수 신 : 장 관(국연,아동,기정,해기)

발 신 : 주 유엔 대사

제 목 : 남북한 가입신청서 안보리심의

연:UNW-2051,2052

연호, 남북한 , 마이크로네시아 및 마샬군도 가입신청관련 안보리 토의요록(잠정) 및 의제를 별첨 FAX 송부함.

첨부:상기문서:UNW(F)-404. 끝.

(대사 노창희-국장)

예고:91.12.31. 일반

국기국 장관 차관 1차보 아주국 분석관 청와대 안기부 공보처

PAGE 1

91.08.08 09:58

외신 2과 통제관 BS

0052

뉴 별첨 UNW(F)-404 10807 1945
(국연. 아동. 기정. 해기) 총 13매

UNITED NATIONS

S

Security Council

Distr.
GENERAL

S/Agenda/2998
6 August 1991

ORIGINAL: ENGLISH

PROVISIONAL AGENDA FOR THE 2998TH MEETING OF THE SECURITY COUNCIL

To be held in the Security Council Chamber at Headquarters,
on Tuesday, 6 August 1991, at noon

1. Adoption of the agenda

2. Admission of new members:

   Letter dated 2 July 1991 from the Vice-Premier of the Administration Council and Minister for Foreign Affairs of the Democratic People's Republic of Korea addressed to the Secretary-General (S/22777)

   Letter dated 19 July 1991 from the Minister for Foreign Affairs of the Republic of Korea addressed to the Secretary-General (S/22778)

91-25142 2424c (E) 13-1

0053

UNITED
NATIONS

S

Security Council

Distr.
GENERAL

S/Agenda/2999
6 August 1991

ORIGINAL: ENGLISH

PROVISIONAL AGENDA FOR THE 2999TH MEETING OF THE SECURITY COUNCIL

To be held in the Security Council Chamber at Headquarters,
on Tuesday, 6 August 1991, at 12.10 p.m.

1. Adoption of the agenda

2. Admission of new members:

Letter dated 17 July 1991 from the President of the Federated States of Micronesia addressed to the Secretary-General (S/22864)

91-25148 2488i (E)

13-2

0054

UNITED NATIONS

S

Security Council

Distr.
GENERAL

S/Agenda/3000
6 August 1991

ORIGINAL: ENGLISH

PROVISIONAL AGENDA FOR THE 3000TH MEETING OF THE SECURITY COUNCIL

To be held in the Security Council Chamber at Headquarters,
on Tuesday, 6 August 1991, at 12.15 p.m.

1. Adoption of the agenda

2. Admission of new members:

Letter dated 25 July 1991 from the President of the Republic of the Marshall Islands addressed to the Secretary-General (S/22865)

13?-3

91-25154 2563e (E)

UNITED
NATIONS

S

Security Council

PROVISIONAL

S/PV.2998
6 August 1991

ENGLISH

PROVISIONAL VERBATIM RECORD OF THE TWO THOUSAND
NINE HUNDRED AND NINTY-NINTH MEETING

Held at Headquarters, New York,
on Tuesday, 6 August 1991, at 12.05 p.m.

President:	Mr. AYALA LASSO	(Ecuador)
Members:	Austria	Mr. HAJNOCZI
	Belgium	Mr. DAELE
	China	Mr. LI Daoyu
	Côte d'Ivoire	Mr. BECHIO
	Cuba	Mr. ALARCON de QUESADA
	France	Mr. ROCHEREAU DE LA SABLIERE
	India	Mr. GHAREKHAN
	Romania	Mr. FLOREAN
	Union of Soviet Socialist Republics	Mr. LOZINSKY
	United Kingdom of Great Britain and Northern Ireland	Sir David HANNAY
	United States	Mr. PICKERING
	Yemen	Mr. AL-ALFI
	Zaire	Mr. BAGBENI ADEITO NZENGEYA
	Zimbabwe	Mr. MUMBENGEGWI

This record contains the original text of speeches delivered in English and interpretations of speeches in the other languages. The final text will be printed in the Official Records of the Security Council.

Corrections should be submitted to original speeches only. They should be sent under the signature of a member of the delegation concerned, within one week, to the Chief, Official Records Editing Section, Department of Conference Services, room DC2-750, 2 United Nations Plaza, and incorporated in a copy of the record.

91-60987 5385V (E)

13-4

0056

The meeting was called to order at 12.05 p.m.

EXPRESSION OF THANKS TO THE RETIRING PRESIDENT

The PRESIDENT (interpretation from Spanish): As this is the first meeting of the Security Council for the month of August, I should like to take this opportunity to pay tribute, on behalf of the Council, to Mr. Ricardo Alarcon de Quesada, Permanent Representative of Cuba to the United Nations, for his service as President of the Security Council for the month of July 1991. I am sure I speak for all members of the Security Council in expressing deep appreciation to Ambassador Ricardo Alarcon de Quesada for the great diplomatic skill and unfailing courtesy with which he conducted the Council's business last month. We shall remember his leadership and his valuable initiatives to make the work of the Council well known to all the Members of the United Nations.

ADOPTION OF THE AGENDA

The agenda was adopted.

ADMISSION OF NEW MEMBERS

LETTER DATED 2 JULY 1991 FROM THE VICE-PREMIER OF THE ADMINISTRATION COUNCIL AND MINISTER FOR FOREIGN AFFAIRS OF THE DEMOCRATIC PEOPLE'S REPUBLIC OF KOREA ADDRESSED TO THE SECRETRARY-GENERAL (S/22777)

LETTER DATED 19 JULY 1991 FROM THE MINISTER FOR FOREIGN AFFAIRS OF THE REPUBLIC OF KOREA ADDRESSED TO THE SECRETARY-GENERAL (S/22778)

The PRESIDENT (interpretation from Spanish): The Security Council will now begin its consideration of the item on its agenda.

In a letter dated 2 July 1991 addressed to the Secretary-General, the Vice-Premier of the Administration Council and Minister for Foreign Affairs of the Democratic People's Republic of Korea submitted the application of his country for membership in the United Nations. That letter has been circulated in document S/22777.

13-5

(The President)

In a letter dated 19 July 1991 addressed to the Secretary-General, the Minister for Foreign Affairs of the Republic of Korea submitted the application of his country for membership in the United Nations. That letter is contained in document S/22778.

Under the provisions of rule 59 of the provisional rules of procedure of the Security Council, unless the Council decides otherwise applications for membership shall be referred by the President of the Council to the Committee on the Admission of New Members. Accordingly, unless I hear a proposal to the contrary, I shall refer the applications of the Democratic People's Republic of Korea and the Republic of Korea to the Committee on the Admission of New Members for examination and report.

The last sentence of rule 59 provides that the Committee shall report its conclusions to the Council not less than 35 days in advance of a regular session of the General Assembly. Moreover, the fourth paragraph of rule 60 stipulates that the Security Council should make its recommendation on the applications not less than 25 days in advance of a regular session of the General Assembly following the receipt of the applications, in order to ensure its consideration at the session.

In view of the fact that the forty-sixth session of the General Assembly is scheduled to convene on 17 September, and bearing in mind the time-limits, I propose that the Committee on the Admission of New Members meet this afternoon, 6 August, at 3.30 p.m. in Conference Room 7 in order to examine the applications of the Democratic People's Republic of Korea and the Republic of Korea and prepare the Committee's report to the Council. I further propose

13-6

0058

(The President)

that the Security Council meet again on Thursday, 8 August, to consider and take a decision on the report of the Committee.

As I hear no objection, it is so decided.

The meeting rose at 12.10 p.m.

13-7

0059

UNITED NATIONS

S

Security Council

PROVISIONAL

S/PV.2999
6 August 1991

ENGLISH

PROVISIONAL VERBATIM RECORD OF THE TWO THOUSAND NINE HUNDRED AND NINETY-NINTH MEETING

Held at Headquarters, New York,
on Tuesday, 6 August 1991, at 12.10 p.m.

President:	Mr. AYALA LASSO	(Ecuador)
Members:	Austria	Mr. HAJNOCZI
	Belgium	Mr. DAELE
	China	Mr. LI Daoyu
	Côte d'Ivoire	Mr. BECHIO
	Cuba	Mr. ALARCON de QUESADA
	France	Mr. ROCHEREAU DE LA SABLIERE
	India	Mr. GHAREKHAN
	Romania	Mr. FLOREAN
	Union of Soviet Socialist Republics	Mr. LOZINSKY
	United Kingdom of Great Britain and Northern Ireland	Sir David HANNAY
	United States	Mr. PICKERING
	Yemen	Mr. AL-ALFI
	Zaire	Mr. BAGBENI ADEITO NZENGEYA
	Zimbabwe	Mr. MUMBENGEGWI

This record contains the original text of speeches delivered in English and interpretations of speeches in the other languages. The final text will be printed in the Official Records of the Security Council.

Corrections should be submitted to original speeches only. They should be sent under the signature of a member of the delegation concerned, within one week, to the Chief, Official Records Editing Section, Department of Conference Services, room DC2-750, 2 United Nations Plaza, and incorporated in a copy of the record.

91-60993/A 5386V (E)

13-A

0060

The meeting was called to order at 12.10 p.m.

ADOPTION OF THE AGENDA

The agenda was adopted.

ADMISSION OF NEW MEMBERS

LETTER DATED 17 JULY 1991 FROM THE PRESIDENT OF THE FEDERATED STATES OF MICRONESIA ADDRESSED TO THE SECRETARY-GENERAL (S/22864)

The PRESIDENT (interpretation from Spanish): The Security Council will now begin its consideration of the item on its agenda.

In a letter dated 17 July 1991 addressed to the Secretary-General, the President of the Federated States of Micronesia submitted the application of his country for membership in the United Nations. That letter has been circulated in document S/22864. Under the provisions of rule 59 of the provisional rules of procedure of the Security Council, unless the Council decides otherwise applications for membership shall be referred by the President of the Council to the Committee on the Admission of New Members. Accordingly, unless I hear a proposal to the contrary, I shall refer the application of the Federated States of Micronesia to the Committee on the Admission of New Members for examination and report.

The last sentence of rule 59 provides that the Committee shall report its conclusions to the Council not less than 35 days in advance of a regular session of the General Assembly. Moreover, the fourth paragraph of rule 60 stipulates that the Security Council should make its recommendation on the application not less than 25 days in advance of a regular session of the General Assembly following the receipt of the application, in order to ensure its consideration at the session.

13-9

0061

(The President)

In view of the fact that the forty-sixth session of the General Assembly is scheduled to convene on 17 September, and bearing in mind the time-limits, I propose that the Committee on the Admission of New Members should meet this afternoon, 6 August, in Conference Room 7 in order to examine the application of the Federated States of Micronesia and prepare the Committee's report to the Council.

I further propose that the Security Council should meet again on Thursday, 8 August, to consider and take a decision on the report of the Committee.

As I hear no objection, it is so decided.

The meeting rose at 12.15 p.m.

13-10

0062

UNITED NATIONS

S

Security Council

PROVISIONAL

S/PV.3000
6 August 1991

ENGLISH

PROVISIONAL VERBATIM RECORD OF THE THREE THOUSANDTH MEETING

Held at Headquarters, New York,
on Tuesday, 6 August 1991, at 12.15 p.m.

President:	Mr. AYALA LASSO	(Ecuador)
Members:	Austria	Mr. HAJNOCZI
	Belgium	Mr. DAELE
	China	Mr. LI Daoyu
	Côte d'Ivoire	Mr. BECHIO
	Cuba	Mr. ALARCON de QUESADA
	France	Mr. ROCHEREAU DE LA SABLIERE
	India	Mr. GHAREKHAN
	Romania	Mr. FLOREAN
	Union of Soviet Socialist Republics	Mr. LOZINSKY
	United Kingdom of Great Britain and Northern Ireland	Sir David HANNAY
	United States	Mr. PICKERING
	Yemen	Mr. AL-ALFI
	Zaire	Mr. BAGBENI ADEITO NZENGEYA
	Zimbabwe	Mr. MUMBENGEGWI

This record contains the original text of speeches delivered in English and interpretations of speeches in the other languages. The final text will be printed in the Official Records of the Security Council.

Corrections should be submitted to original speeches only. They should be sent under the signature of a member of the delegation concerned, within one week, to the Chief, Official Records Editing Section, Department of Conference Services, room DC2-750, 2 United Nations Plaza, and incorporated in a copy of the record.

91-60999/A 5387V (E)

13-11

0063

The meeting was called to order at 12.15 p.m.

ADOPTION OF THE AGENDA

The agenda was adopted.

ADMISSION OF NEW MEMBERS

LETTER DATED 25 JULY 1991 FROM THE PRESIDENT OF THE REPUBLIC OF THE MARSHALL ISLANDS ADDRESSED TO THE SECRETARY-GENERAL (S/22865)

The PRESIDENT (interpretation from Spanish): The Security Council will now begin its consideration of the item on its agenda.

In a letter dated 25 July 1991 addressed to the Secretary-General, the President of the Republic of the Marshall Islands submitted the application of his country for membership in the United Nations. That letter has been circulated in document S/22865. Under the provisions of rule 59 of the provisional rules of procedure of the Security Council, unless the Council decides otherwise applications for membership shall be referred by the President of the Council to the Committee on the Admission of New Members. Accordingly, unless I hear a proposal to the contrary, I shall refer the application of the Republic of the Marshall Islands to the Committee on the Admission of New Members for examination and report.

The last sentence of rule 59 provides that the Committee shall report its conclusions to the Council not less than 35 days in advance of a regular session of the General Assembly. Moreover, the fourth paragraph of rule 60 stipulates that the Security Council should make its recommendation on the application not less than 25 days in advance of a regular session of the General Assembly following the receipt of the application, in order to ensure its consideration at the session.

17-12

0064

(The President)

In view of the fact that the forty-sixth session of the General Assembly is scheduled to convene on 17 September, and bearing in mind the time-limits, I propose that the Committee on the Admission of New Members should meet this afternoon, 6 August, in Conference Room 7 in order to examine the application of the Republic of the Marshall Islands and prepare the Committee's report to the Council.

I further propose that the Security Council should meet again on Thursday, 8 August, to consider and take a decision on the report of the Committee.

As I hear no objection, it is so decided.

I thank all members of the Council for having cooperated in the successful conclusion of this productive morning's business.

The meeting rose at 12.20 p.m.

13-13

관리 번호 91-4582

원 본

외 무 부

종 별 : 긴 급

번 호 : UNW-2085 일 시 : 91 0808 1540

수 신 : 장관(국연,아동,해기,기정) 사본:주미대사:직송필

발 신 : 주 유엔대사

제 목 : 남북한 가입신청서 안보리심의

연:UNW-2051,2052,2070,2079

대:WUN-2105

1. 연호, 안보리는 AYALA-LASSO 안보리의장 주재로 금 8.8(목) 11:30-40 간공식회의(3001 차)를 개최, 남북한의 유엔가입을 권고하는 가입심사위의 보고서를 심의하고 동보고서 3 항의 안보리의 남북한 유엔가입권고 결의안을 사전 합의된대로 표결없이 채택(안보리 결의 702)한바, 금일 회의 경과를 아래보고함.

2. 회의경과

가. 의제채택(첨부 1)

나. 가입심사위 보고서 심의(이해 의장 진행순서:첨부 2)

0. 가입심사위의 남북한 가입권고 결정성명(첨부 3)

0. 동 심사위 보고서 3 항에 포함된 가입권고 결의안을 비공식 협의시 사전양해된데 따라 표결없이 채택할것을 제의후, 이의가 없음에따라 결정

0. 동 결의안이 안보리 결의 702 호 (첨부 4)로 표결없이 채택되었음을 선언

0. 상기 결의를 총회회부를 위해 즉각 사무총장에 전달할것임을 설명

(동 서한문안 스페인어 본을 사전입수한바, 영문본 번역본 접수즉시 보고예정: 첨부 5)

다. 전 이사국을 대표한 의장의 축하발언 (첨부 6): 밑줄은 연호와 다른 부분

0. 남북한 정부와 국민의 여망에 따라 안보리가 양국의 가입을 함께결정 (SIMULTANEOUS DECISION) 하게된바 이는 남북한, 아시아 및 국제사회에 있어 역사적 순간임.

0. 동 결의는 유엔의 보편성원칙을 강화하는 것으로 , 남북한은 유엔활동 강화 노력에 기여 예상함.

국기국 공보처	장관	차관	1차보	아주국	상황실	분석관	청와대	안기부

PAGE 1

91.08.09 05:58

외신 2과 통제관 FM

0066

0. 남북한의 가입은 또한 (한반도 에 있어서의) 긴장완화와 신뢰구축에 기여하며 유엔은 남북한이 상호관심사 및 통일에 이르는 문제를 협의할수 있는 적절한 장소가 될것임.

0. 안보리의 남북한 유엔가입 권고는 냉전종식이라는 시대상황하에서 이룬 건설적 합의(UNDERSTANDING) 의 한 표현인 것임.

3. 상기 회의 종료직후 본직은 CUELLAR 사무총장, LASSO 안보리의장, PICKERING 대사등 대부분의 우방국 안보리 대사및 회의장에 나온 다수 유엔회원국 대사들과 감사 및 축하인사를 교환하였음.

4. 본직은 또한 본직바로 옆에 착석한 박길연 북한대사에게 악수를 청하면서 다 잘되었으니 앞으로도 잘해보자고 한바, 박대사는 특별한 반응은 없이 본직의 인사를 받았음. 금일 회의에는 당관에서 본직, 이병기 의전수석, 신대사, 문국장 및 당관 다수직원, 북측에서 박길연대사외 다수 실무자들이 참관하였으며 상호 가벼운 인사를 나눔.

5. 상기결의 702 호 채택에 따라 CUELLAR 사무총장은 금일 회의결과 및 축하의 뜻을 포함한 별첨전문 (첨부 7)을 금일중 외무장관앞으로 타전할것이라고 함. 대호에 따라 당관은 당지 아국특파원들에게 동 축전내용을 알려줌.

6. 당초 남북한 가입신청 심의에 이어 개최예정이던 마이크로네시아 와 마샬군도 가입권고를 위한 안보리회의는 금일오전 소련측 요청에 따라 일단 취소되었음. 금일회의 종료직후 개최된 비공식 협의에서 소련측은 소련의회에서 이들 양국의 가입에 대한 일부 이의가 제기되어 (국가 자격문제임을 시사)현재 본부로부터 훈령을 기다리고 있다고 함에따라 일단 명 8.9 오후 이문제에 관해 재차 비공식회의를 가질예정이며 이 결과에따라 공식회의 개최여부 (및 안보리의 가입승인 여부)가 결정될것임.이와관련 , 대다수의 안보리이사국들은 소련이 가입심사위 보고서 채택에 아무런 이의없이 동의한후 갑자기 문제를 제기하고 있는 것을 매우 "UNUSUAL " 하고 경우에 따라서는 바람직스럽지 못한 선례가 될것으로 보고있음. 소련은 발틱등 공화국들이 준독립국 지위를 갖게될 경우를 감안하여, 최종순간에 국내일각에서 이의가 제기된것으로 보임.동건진전사항 추보위계임.

7. 본직은 상기 회의직후 유엔에서 유엔출입외신, 아국특파원 및 KBS-TV 등과 간단한 인터뷰를 가짐.

첨부 FAX:UNW(F)-405 끝

(대사 노창희-국장대리)

19 의거 예고: 91.12.31. 일반

PAGE 3

0068

#별첨 UNW(F)-405 10808 1540 (청우 1)
(국연.아동.기정) 사본: 주미대사: 직송필함

UNITED NATIONS

S

총 13매

Security Council

Distr.
GENERAL

S/Agenda/3001
7 August 1991

ORIGINAL: ENGLISH

PROVISIONAL AGENDA FOR THE 3001ST MEETING OF THE SECURITY COUNCIL

To be held in the Security Council Chamber at Headquarters,
on Thursday, 8 August 1991, at 11 a.m.

1. Adoption of the agenda

2. Admission of new members

   Report of the Committee on the Admission of New Members concerning the applications of the Democratic People's Republic of Korea and the Republic of Korea for admission to membership in the United Nations (S/22895)

91-25387 2527h (E)

0069

13-1

(첨부 2)

8 August 1991

PROCEDURAL BRIEF FOR THE 3001ST MEETING OF THE SECURITY COUNCIL

1. <u>Opening of the meeting</u>

<u>The President</u>: The three thousand and first meeting of the Security Council is called to order.

2. <u>Adoption of the agenda</u>

<u>The President</u>: The provisional agenda for this meeting is before the Council in document S/Agenda/3001. Unless I hear any objection, I shall consider the agenda adopted.

.....

<u>The agenda is adopted</u>.

13-2

0070

P.2

AUG 08 '91 14:51 KOREAN MISSION

3. Consideration of item 2 of the agenda

The President: Under item 2 of the agenda, the Security Council will now begin its consideration of the report of the Committee on the Admission of New Members, document S/22895 concerning the application of the Democratic People's Republic of Korea and the application of the Republic of Korea for admission to membership in the United Nations which appear in documents (S/22777) and (S/22778) respectively.

In paragraph 3 of the report, the Committee recommends to the Security Council the adoption of a draft resolution on the application of the Democratic People's Republic of Korea for admission to membership in the United Nations and the application of the Republic of Korea for admission to membership in the United Nations. I should like to congratulate the Committee on its decision to recommend that the Democratic People's Republic of Korea and the Republic of Korea be admitted to membership in the United Nations.

In accordance with the understanding reached in prior consultations among Members of the Council, I propose that the Council adopt the draft resolution contained in paragraph 3 of the report of the Committee on the Admission of New Members without vote.

.....

0071

As I see no objection, it is so decided.

The President: I therefore declare that the draft resolution contained in paragraph 3 of the report of the Committee on the Admission of New Members (S/22895) has been adopted without vote as resolution 702 (1991).

I shall immediately convey the decision of the Security Council recommending the admission of the Democratic People's Republic of Korea and the Republic of Korea to membership in the United Nations to the Secretary-General for transmission to the General Assembly in accordance with the provisions of rule 60 of the provisional rules of procedure.

13-4

0072

AUG 08 '91 14:54 KOREAN MISSION P.1

The President: I will now make a statement, in my capacity as President of the Security Council, on behalf of the members of the Coun.

.....

"By adopting resolution 702 (1991), the Security Council has ta another step towards the completion of a political process in exa of one of the most important functions entrusted to it under the Charter of the United Nations, namely, to make recommendations to t General Assembly regarding the admission of new members to the Organization.

The applications of the Democratic People's Republic of Korea and the Republic of Korea have been considered and unanimously adopted by the Security Council. The aspirations of the peoples and Governments of the Democratic People's Republic of Korea and the Republic of Korea have harmoniously coincided. That is why the Security Council decided to consider and take a simultaneous decision on the admission of both parts of the Korean Peninsula to membership in the world organization.

This is a historic occasion for the Democratic People's Republic of Korea, the Republic of Korea, the Asian continent and the world community of nations.

0073

13-5

AUG 08 '91 14:51 KOREAN MISSION

P.1

There can be no doubt that the Security Council's recommendatio General Assembly advances and underscores the Organization's goal universality. I am certain that, as new members of our Organizati the Democratic People's Republic of Korea and the Republic of Korea will contribute positively to efforts to enhance the effectiveness of the work of the United Nations and strengthen respect for its purposes and principles.

The admission of the Democratic People's Republic of Korea and the Republic of Korea will also reduce tensions in the region, create a favourable atmosphere for and facilitate the promotion of confidence-building measures in ~~the two countries'~~ their bilateral relations and provide them with an appropriate forum in which to consider the many things they have in common and to overcome the few remaining obstacles to their unification.

We have recently seen how countries that were once ~~enemies~~ adversaries have found the necessary strength to put aside their differences in favour of their shared interest in promoting the well-being of their peoples and of the world in general. We are living in an age in which mankind seems to be regaining its senses. We can begin the next millennium in a more optimistic spirit. In the positive atmosphere resulting from the end of the cold war, we note with great satisfaction a new manifestation of

0074

13-6

constructive understanding: the recommendation, adopted by the Security Council, that the Democratic People's Republic of Korea and the Republic of Korea become members of the world Organization.

I wish to conclude by saying that, in my capacity as President of the Council and on behalf of all its members, I am on this historic occasion deeply honoured to address these words of congratulations to the Democratic People's Republic of Korea and to the Republic of Korea.

0075

13

Closure of the meeting

The President: There being no other speakers, I take it that the Council has concluded its consideration of the matter before it.

.....

The meeting is adjourned.

0076

13-0

(첨부 3)

UNITED
NATIONS

S

Security Council

Distr.
GENERAL

S/22895
7 August 1991
ENGLISH
ORIGINAL: SPANISH

REPORT OF THE COMMITTEE ON THE ADMISSION OF NEW MEMBERS CONCERNING THE APPLICATIONS OF THE DEMOCRATIC PEOPLE'S REPUBLIC OF KOREA AND OF THE REPUBLIC OF KOREA FOR ADMISSION TO MEMBERSHIP IN THE UNITED NATIONS

1. At the 2998th meeting on 6 August 1991, the Security Council had before it the applications of the Democratic People's Republic of Korea (S/22777) and of the Republic of Korea (S/22778) for admission to membership in the United Nations. In accordance with rule 59 of the provisional rules of procedure of the Security Council and in the absence of a proposal to the contrary, the President of the Council referred the applications to the Committee on the Admission of New Members for examination and report.

2. At its 74th meeting on 6 August 1991, the Committee considered the applications of the Democratic People's Republic of Korea and the Republic of Korea and unanimously decided to recommend to the Security Council that they should be admitted to membership in the United Nations.

3. Accordingly, the Committee recommends to the Security Council the adoption of the following draft resolution:

The Security Council,

Having examined separately the applications of the Democratic People's Republic of Korea 1/ and of the Republic of Korea, 2/ for admission to the United Nations,

1. Recommends to the General Assembly that the Democratic People's Republic of Korea be admitted to membership in the United Nations;

2. Recommends to the General Assembly that the Republic of Korea be admitted to membership in the United Nations.

1/ S/22777.

2/ S/22778.

91-25369 2604j (E)

13-9

0077

AUG 08 '91 15:06 KOREAN MISSION

P.1

(첨부 4)

Text No. I

" The Security Council,

" Having examined separately (S/22777) the applications of the Democratic (S/22778) People's Republic of Korea 1/ and of the Republic of Korea, 2/ for admission to the United Nations,

" 1. Recommends to the General Assembly that the Democratic People's Republic of Korea be admitted to membership in the United Nations;

" 2. Recommends to the General Assembly that the Republic of Korea be admitted to membership in the United Nations. "

13-10

0078

AUG 08 '91 15:06 KOREAN MISSION

P.2

(첨부 5)

UNITED NATIONS NATIONS UNIES

POSTAL ADDRESS—ADRESSE POSTALE: UNITED NATIONS, N.Y. 10017
CABLE ADDRESS—ADRESSE TELEGRAPHIQUE: UNATIONS NEWYORK

REFERENCE

8 de agosto de 1991

Excelentísimo Señor:

Tengo el honor de solicitarle que transmita a la Asamblea General, en su cuadragésimo sexto período ordinario de sesiones, la resolución siguiente (resolución 702 (1991)), relativa a la admisión de la República Popular Democrática de Corea y la República de Corea como Miembros de las Naciones Unidas, la que fue aprobada por el Consejo de Seguridad, sin someterla a votación, en su 3001a. sesión, celebrada el 8 de agosto de 1991:

"El Consejo de Seguridad,

Habiendo examinado por separado las solicitudes de admisión de la República Popular Democrática de Corea (S/22777) y de la República de Corea (S/22778) como Miembros de las Naciones Unidas,

1. Recomienda a la Asamblea General que admita a la República Popular Democrática de Corea como Miembro de las Naciones Unidas;

2. Recomienda a la Asamblea General que admita a la República de Corea como Miembro de las Naciones Unidas."

De conformidad con el segundo párrafo del artículo 60 del reglamento provisional del Consejo, le solicito también que transmita a la Asamblea General, en su cuadragésimo sexto período ordinario de sesiones, para su información, las actas literales de las sesiones 2998a. y 3001a. del Consejo de Seguridad, en las que se examinaron las solicitudes de la República Popular Democrática de Corea y de la República de Corea.

Aprovecho la oportunidad para reiterar a Vuestra Excelencia las seguridades de mi consideración más distinguida.

José Ayala Lasso
Presidente del Consejo de Seguridad

Excelentísimo Señor
Javier Pérez de Cuéllar
Secretario General de las Naciones Unidas
Nueva York

13-11

0079

AUG 08 '91 15:06 KOREAN MISSION P.3

(첨부 6)

Statement by the President of the Security Council following the admission of the Democratic People's Republic of Korea and the Republic of Korea to membership in the Organization

By adopting resolution 702 (1991), the Security Council has taken another step towards the completion of a political process in exercise of one of the most important functions entrusted to it under the Charter of the United Nations, namely, to make recommendations to the General Assembly regarding the admission of new members to the Organization.

The applications of the Democratic People's Republic of Korea and the Republic of Korea have been considered and unanimously ~~adopted~~ Approved by the Security Council. The aspirations of the peoples and Governments of the Democratic People's Republic of Korea and the Republic of Korea have harmoniously coincided. That is why the Security Council decided to consider and take a simultaneous decision on the admission of both parts of the Korean Peninsula to membership in the world Organization.

This is a historic occasion for the Democratic People's Republic of Korea, the Republic of Korea, the Asian continent and the world community of nations.

There can be no doubt that the Security Council's recommendation to the General Assembly advances and underscores the Organization's goal of universality. I am certain that, as new members of our Organization, the Democratic People's Republic of Korea and the Republic of Korea will contribute positively to efforts to enhance the effectiveness of the work of the United Nations and strengthen respect for its purposes and principles.

The admission of the Democratic People's Republic of Korea and the Republic of Korea will also reduce tensions in the region, create a favourable atmosphere for and facilitate the promotion of confidence-building measures in ~~the two countries'~~ their bilateral relations and provide them with an appropriate forum in which to consider the many things they have in common and to overcome the few remaining obstacles to their unification.

We have recently seen how countries that were once ~~enemies~~ adversaries have found the necessary strength to put aside their differences in favour of their shared interest in promoting the well-being of their peoples and of the world in general. We are living in an age in which mankind seems to be regaining its senses. We can begin the next millennium in a more optimistic spirit. In the positive atmosphere resulting from the end of the cold war, we note with great satisfaction a new manifestation of constructive understanding: the recommendation, adopted by the Security Council, that the Democratic People's Republic of Korea and the Republic of Korea become members of the world Organization.

I wish to conclude by saying that, in my capacity as President of the Council and on behalf of all its members, I am on this historic occasion deeply honoured to address these words of congratulation to the Democratic People's Republic of Korea and to the Republic of Korea.

3411B

13-12

0080

P.4

AUG 08 '91 15:07 KOREAN MISSION

(총97)

HIS EXCELLENCY
MR. LEE SANG OCK
MINISTER FOR FOREIGN AFFAIRS
OF THE REPUBLIC OF KOREA
SEOUL

DO NOT TYPE BEYOND THE MARGINS - SEE INSTRUCTION ON THE REVERSE SIDE — N'INSCRIVEZ RIEN DANS LES MARGES - VOYEZ LES INSTRUCTIONS AU VERSO

ETATPRIORITE

I HAVE THE HONOUR TO INFORM YOU THAT AT ITS 3001ST MEETING TODAY, 8 AUGUST 1991, THE SECURITY COUNCIL ADOPTED WITHOUT VOTE RESOLUTION 702 (1991), RECOMMENDING TO THE GENERAL ASSEMBLY THE ADMISSION OF THE REPUBLIC OF KOREA TO MEMBERSHIP IN THE UNITED NATIONS.

[QUOTE ATTACHED TEXT I]

I SHOULD LIKE ON THIS OCCASION TO EXTEND MY PERSONAL CONGRATULATIONS TO YOUR GOVERNMENT AND TO TRANSMIT THE STATEMENT MADE BY THE PRESIDENT OF THE SECURITY COUNCIL ON BEHALF OF ITS MEMBERS.

[QUOTE ATTACHED TEXT II]

HIGHEST CONSIDERATION

JAVIER PEREZ DE CUELLAR
SECRETARY-GENERAL

LAST LINE OF TEXT DERNIERE LIGNE DU TEXTE

13-13

0081

AUG 08 '91 15:08 KOREAN MISSION P.5

관리 번호	91-4560

	분류번호	보존기간

발 신 전 보

번 호 : WUN-2113 910808 1825 FO 종별 :

수 신 : 주 유엔 대사. ~~총영사~~

발 신 : 장 관 (국연)

제 목 : 가입신청서 처리

대 : UNW-2051

대호 남북한의 가입신청은 제46차 총회문서(A/46/296 및 295)로, 마이크로네시아 및 마샬군도의 가입신청은 제45차 총회문서(A/45/1045 및 1046)로 기재되어 있는 바, 동 경위등에 관해 가능한한 파악 보고바람. 끝.

(국기조약국장 대리)

19 의거 예고문에 의거 일반문서로 재분류 91.12.31. 일반

보안 통제	(서명)

앙 고 재	91년 8월 8일	유엔과	기안자 성명		과 장	심의관	국 장		차 관	장 관
			(서명)		(서명)	(서명)				

외신과통제

0082

관리 번호	91 -4572

원 본

외 무 부

종 별 :

번 호 : UNW-2087　　　　일 시 : 91 0808 1600

수 신 : 장관(국연)

발 신 : 주 유엔 대사

제 목 : 가입신청서 처리

대:WUN-2113

연:UNW-2051

대호 사무국에 확인한바 45 차 총회 문서번호가 기재된것은 사무착오로서 별첨과같이 46 차 총회문서로 시정되었음.

첨부:상기문서:UNW(F)-406. 끝

(대사 노창희-국장대리)

예고:91.12.31. 일반

국기국

PAGE 1

91.08.09 06:16

외신 2과 통제관 DO

0083

UNITED NATIONS UNW(F)-406 108081600 첨부물 (국연) 총4매 A S

General Assembly Security Council

Distr.
GENERAL

A/45/1045/Corr.1
S/22864/Corr.1
6 August 1991

ORIGINAL: ENGLISH

GENERAL ASSEMBLY
Forty-fifth session
Agenda item 19
ADMISSION OF NEW MEMBERS TO THE UNITED NATIONS

SECURITY COUNCIL
Forty-sixth year

Application of the Federated States of Micronesia for admission to membership in the United Nations

Note by the Secretary-General

Corrigendum

Document A/45/1045-S/22864 is hereby replaced by document A/46/342-S/22864.

91-25215 2498f (E)

4-1

0084

UNITED NATIONS

A

General Assembly Security Council

Distr.
GENERAL

A/46/342
S/22864
6 August 1991

ORIGINAL: ENGLISH

GENERAL ASSEMBLY
Forty-sixth session
Item 20 of the provisional agenda*
ADMISSION OF NEW MEMBERS TO THE UNITED NATIONS

SECURITY COUNCIL
Forty-sixth year

Application of the Federated States of Micronesia for admission to membership in the United Nations

Note by the Secretary-General

In accordance with rule 135 of the rules of procedure of the General Assembly and rule 59 of the provisional rules of procedure of the Security Council, the Secretary-General has the honour to circulate herewith the application of the Federated States of Micronesia for admission to membership in the United Nations, contained in a letter dated 17 July 1991 from the President of the Federated States of Micronesia to the Secretary-General.

---

* A/46/150.

91-25203 2621d (E) /...

4-2 0085

UNITED NATIONS **A S**

General Assembly — Security Council

Distr.
GENERAL

A/45/1046/Corr.1
S/22865/Corr.1
6 August 1991

ORIGINAL: ENGLISH

GENERAL ASSEMBLY
Forty-fifth session
Agenda item 19
ADMISSION OF NEW MEMBERS TO THE UNITED NATIONS

SECURITY COUNCIL
Forty-sixth year

Application of the Republic of the Marshall Islands for admission to membership in the United Nations

Note by the Secretary-General

Corrigendum

Document A/45/1046-S/22865 is hereby replaced by document A/46/343-S/22865.

91-25221 2744b (E)

4-3

0086

A S

UNITED NATIONS

General Assembly Security Council

Distr.
GENERAL

A/46/343
S/22865
6 August 1991

ORIGINAL: ENGLISH

GENERAL ASSEMBLY
Forty-sixth session
Item 20 of the provisional agenda*
ADMISSION OF NEW MEMBERS TO THE UNITED NATIONS

SECURITY COUNCIL
Forty-sixth year

Application of the Republic of the Marshall Islands for admission to membership in the United Nations

Note by the Secretary-General

In accordance with rule 135 of the rules of procedure of the General Assembly and rule 59 of the provisional rules of procedure of the Security Council, the Secretary-General has the honour to circulate herewith the application of the Republic of the Marshall Islands for admission to membership in the United Nations, contained in a letter dated 25 July 1991 from the President of the Republic of the Marshall Islands to the Secretary-General.

---

* A/46/150.

91-25209 2600j (E) /...

4-4

0087

관리 번호	91 —4571

원 본

외 무 부

종 별 :

번 호 : UNW-2090 일 시 : 91 0808 1600

수 신 : 장관(국연,기정)

발 신 : 주 유엔 대사

제 목 : 안보리심의

연:UNW-2085

연호 첨부 5 관련, 안보리의장의 사무총장앞 서한 영문본을 CHAN 안보리 담당관으로 부터 입수, 별첨 FAX 송부함.

첨부:상기서한:UNW(F)-408 끝

(대사 노창희-국장대리)

예고:91.12.31. 일반

국기국 장관 차관 1차보 아주국 분석관 청와대 안기부 공보처

PAGE 1

91.08.09 06:19

외신 2과 통제관 DO

0088

UNW(FT)-40의 10808 1600
#별첨 (국연.기전) 판-017

FROM UN SECURITY COUNCILB (THU)08.08.'91 15:48 NO.20 PAGE.1

(첨부) To: Counsellor Suh

UNITED NATIONS NATION

POSTAL ADDRESS—ADRESSE POSTALE: UNITED NATIONS, N.Y. 10017
CABLE ADDRESS—ADRESSE TELEGRAPHIQUE: UNATIONS NEWYORK

REFERENCE:

8 August 1991

Sir,

I have the honour to request you to transmit to the forty-sixth regular session of the General Assembly the following resolution (resolution 702 (1991)) on the admission of the Democratic People's Republic of Korea and the Republic of Korea to membership in the United Nations adopted without vote by the Security Council at its 3001st meeting on 8 August 1991:

"The Security Council,

"Having examined separately the applications of the Democratic People's Republic of Korea (S/22777) and of the Republic of Korea (S/22778) for admission to the United Nations,

"1. Recommends to the General Assembly that the Democratic People's Republic of Korea be admitted to membership in the United Nations;

"2. Recommends to the General Assembly that the Republic of Korea be admitted to membership in the United Nations."

In accordance with rule 60, paragraph 2, of the Council's provisional rules of procedure, I also request you to transmit to the forty-sixth regular session of the General Assembly, for its information, the verbatim records of the 2998th and 3001st meetings of the Security Council, at which the applications of the Democratic People's Republic of Korea and the Republic of Korea were discussed.

Accept, Sir, the assurances of my highest consideration.

José Ayala Lasso
President of the Security Council

His Excellency Mr. Javier Pérez de Cuéllar
Secretary-General of the United Nations
New York

1-1

AUG 08 '91 15:43 KOREAN MISSION P.1

0083

Text No. I

" The Security Council,

" Having examined separately the applications of the Democratic People's Republic of Korea 1/ and of the Republic of Korea, 2/ for admission to the United Nations,

(S/22777) (S/22778)

" 1. Recommends to the General Assembly that the Democratic People's Republic of Korea be admitted to membership in the United Nations;

" 2. Recommends to the General Assembly that the Republic of Korea be admitted to membership in the United Nations. "

0090

UNITED NATIONS NATIONS UNIES

POSTAL ADDRESS—ADRESSE POSTALE UNITED NATIONS, N.Y. 10017
CABLE ADDRESS—ADRESSE TELEGRAPHIQUE UNATIONS NEWYORK

REFERENCE

8 de agosto de 1991

Excelentísimo Señor:

Tengo el honor de solicitarle que transmita a la Asamblea General, en su cuadragésimo sexto período ordinario de sesiones, la resolución siguiente (resolución 702 (1991)), relativa a la admisión de la República Popular Democrática de Corea y la República de Corea como Miembros de las Naciones Unidas, la que fue aprobada por el Consejo de Seguridad, sin someterla a votación, en su 3001a. sesión, celebrada el 8 de agosto de 1991:

"El Consejo de Seguridad,

Habiendo examinado por separado las solicitudes de admisión de la República Popular Democrática de Corea (S/22777) y de la República de Corea (S/22778) como Miembros de las Naciones Unidas,

1. Recomienda a la Asamblea General que admita a la República Popular Democrática de Corea como Miembro de las Naciones Unidas;

2. Recomienda a la Asamblea General que admita a la República de Corea como Miembro de las Naciones Unidas."

De conformidad con el segundo párrafo del artículo 60 del reglamento provisional del Consejo, le solicito también que transmita a la Asamblea General, en su cuadragésimo sexto período ordinario de sesiones, para su información, las actas literales de las sesiones 2998a. y 3001a. del Consejo de Seguridad, en las que se examinaron las solicitudes de la República Popular Democrática de Corea y de la República de Corea.

Aprovecho la oportunidad para reiterar a Vuestra Excelencia las seguridades de mi consideración más distinguida.

José Ayala Lasso
Presidente del Consejo de Seguridad

Excelentísimo Señor
Javier Pérez de Cuéllar
Secretario General de las Naciones Unidas
Nueva York

0091

관리 번호	91-4548

	분류번호	보존기간

발 신 전 보

번 호 : WUN-2105 910808 1136 FG 종별 : 지급

수 신 : 주 유엔 대사. ~~총영사~~

발 신 : 장 관 (국연)

제 목 : 사무총장 축전

대 : UNW-1821, 2007

연 : WUN-2040

대호 사무총장 축전관련, 축전발송 시점, 전달경로등에 관해 조사 보고바라며 귀관에서 동 축전 접수시에는 국내 순환홍보될 수 있도록 ~~적극 대처~~ 조치 바람. 끝.

(장 관)

19 예고 일반 1991.12.31. 일반

보안 통제	

앙 고 재	91년 8월 8일	유엔과	기안자 성명		과 장	심의관	국 장		차 관	장 관

외신과통제

0092

관리 번호	91 -1574

	분류번호	보존기간

발 신 전 보

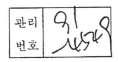

번 호 : WUN-2108 910808 1602 FO 종별 : 지급

수 신 : 주 유엔 대사. 총영사

발 신 : 장 관 (국연)

제 목 : 외무장관 성명

대 : UNW-2077

대호자료(국.영문) 하기 통보함.

안보리 가입권고 결의안 채택에 즈음한 외무부장관 성명

o 정부는 91.8.8(목) 오전 (뉴욕현지시간) 유엔안전보장이사회가 우리의 유엔가입 신청을 이사국 전원의 찬성으로 총회에 권고키로 한것을 기쁘게 생각하며, 특히 남북한의 유엔가입신청이 안보이사회에서 일괄처리된 것을 매우 뜻깊게 생각합니다.

o 우리의 오랜 숙원과제였던 유엔가입이 드디어 실현될 수 있게 된것은 그동안 정부가 꾸준히 추진해 온 북방외교의 결실로서 우리는 유엔회원국이 됨을 계기로 국제평화와 안전의 유지 및 인류의 번영을 위한 유엔의 고귀한 목표달성에 더욱 기여하고자 하며, 유엔에서의 상호 협력증진을 통해 남북한간의 공존공영과 궁극적인 평화통일을 촉진하기 위한 노력을 더욱 강화해 나가고자 합니다.

/계속/

보안 통제	(서명)

앙 고 재	91년 8월 8일	유엔 과	기안자 성명		과 장	심의관	국 장		차 관	장 관
			(서명)		(서명)	(서명)				

외신과통제

0093

o 정부는 온국민과 더불어 오는 9.17. 제46차 유엔총회가 개막되면 국제 사회의 축복속에서 정식으로 유엔회원국이 될 것을 기대하면서, 그간 우리의 유엔가입노력에 제반지원과 협조를 아끼지 않은 전세계 평화 애호국들에게 감사를 표하는 바입니다.

Foreign Minister's Statement on the occasion of the Security Council's Adoption of a Resolution for ROK's UN Membership

o The Government of the Republic of Korea is pleased to note that the Security Council unanimously adopted a resolution recommending ROK's admission to the United Nations at 00:00 on 8 August local time(at 00:00 on 9 August Seoul time). In particular, the Government of the Republic of Korea attaches great significance to the fact that both North and South Korea's applications for UN membership were settled under a single resolution by the Security Council.

o The Government of the Republic of Korea considers its eventual entry into the UN, a long-cherished wish of the Korean people, the result of Northern Diplomacy that the Republic of Korea has pursued unremittingly. As the Republic of Korea joins the UN, we intend to contribute as much as we can towards the United Nations' lofty ideals of international peace and security as well as human development and ~~common~~ prosperity. We also intend to redouble our efforts to enhance cooperation with North Korea within the United Nations system so that both Koreas can improve inter-Korean relations and accelerate the process towards peaceful reunification of our homeland.

o The Government of the Republic of Korea, together with all ~~the~~ Korean people, looks forward to becoming a full-fledged member of the UN at the beginning of the 46th General Assembly with the blessings of the whole international community. We are deeply grateful to all peace-loving countries in the world for the staunch support and assistance they gave to our campaign for UN membership. 끝.

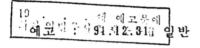

(국제기구조약국장대리)

19 . . . 에 예고문에 의거 일반문서로 재분류 91.12.31 일반

- 3 -

0095

관리 번호	

	분류번호	보존기간

발 신 전 보

번 호 : AM-0167 910809 0102 FL 종별 :

수 신 : 주 AM 대사. [redacted]

발 신 : 장 관 (국연)

제 목 : 유엔가입신청서 안보리 통과

연 : AM-0158

1. 유엔 안전보장이사회는 91.8.~~X. 00:00~~ 8(목) 11:33 시 (뉴욕현지시각) 남북한의 가입신청에 대해 전원찬성으로 [redacted] 가입권고 결의안을 채택함.

2. 이로써 우리의 가입신청은 91.9.17(화) 제46차 유엔총회 개막일에 총회 결의에 의해 최종 확정될 예정인 바, 참고바람. 끝.

(국제기구조약국장 문동석)

보안 통제	(서명)

앙 고 재	91년 8월 1일	유엔 과	기안자 성명		과 장	심의관	국 장		차 관	장 관
			(서명)		(서명)	(서명)	(서명)			

외신과통제

0096

보 도 자 료

외 무 부

제 91-188 호 문의전화 : 720－2408～10 보도일시 : 안보리결의 채택이후 : 시

제 목 : 安保理 加入勸告 決議案 採擇에 즈음한 外務部長官 聲明

ㅇ 政府는 91.8.8(목) 오전 (뉴욕現地時間) 유엔安全保障理事會가 우리의 유엔加入 申請을 理事國 全員의 贊成으로 總會에 勸告키로 한것을 기쁘게 생각하며, 특히 南北韓의 유엔加入申請이 安保理事會에서 一括處理된 것을 매우 뜻깊게 생각합니다.

ㅇ 우리의 오랜 宿願課題였던 유엔加入이 드디어 實現될 수 있게 된것은 그동안 政府가 꾸준히 추진해 온 北方外交의 結實로서 우리는 유엔會員國이 됨을 契機로 國際平和와 安全의 維持 및 人類의 繁榮을 위한 유엔의 고귀한 目標達成에 더욱 寄與하고자 하며, 유엔에서의 相互 協力增進을 통해 南北韓間의 共存共榮과 窮極的인 平和統一을 促進하기 위한 努力을 더욱 强化해 나가고자 합니다.

ㅇ 政府는 온국민과 더불어 오는 9.17. 제46차 유엔總會가 開幕되면 國際社會의 축복속에서 정식으로 유엔會員國이 될 것을 期待하면서, 그간 우리의 유엔加入努力에 諸般支援과 協調를 아끼지 않은 全世界 平和愛好國들에게 感謝를 表하는 바입니다. 끝.

0097

관리 번호	91-45P2

	분류번호	보존기간

발 신 전 보

번 호 : WUN-2127 910809 1803 FJ 종별 : 지급

수 신 : 주 유엔 대사. ~~총영사~~ (국연)

발 신 : 장 관

제 목 : 아국 유엔가입[redacted]

1. 우리의 유엔가입신청이 안보리 심의를 통과, 이제 유엔 가입을 눈앞에 내다볼 수 있게 된데 대하여 그간 애써온 귀직 및 귀공관원들의 노고를 [redacted] 치하함. [redacted].

2. 앞으로 총회의 가입승인도 차질없이 완료될수 있도록 계속 노력 바람. 끝.

(장 관 이상옥)

예고 1991.12.31. 일반.

보안 통제	(서명)

앙고재	91년 8월 9일	유엔과	기안자 성명		과 장	심의관	국 장	1차보	차 관	장 관
			(서명)		(서명)	(서명)	(서명)	(서명)	(서명)	(서명)

외신과통제

0098

관리 번호	91 -4605

원 본

외 무 부

종 별 :

번 호 : UNW-2111 일 시 : 91 0809 1900

수 신 : 장관(국연)

발 신 : 주 유엔 대사

제 목 : 아국 유엔가입

대:WUN-2127

장관님의 지도하에 금번 안보리에서 가입결정이 순조롭게 이루어진것을 축하드리며 장관님의 격려와 치하의 말씀에 대하여 대표부 직원일동을 대표하여 감사드립니다. 앞으로 남은 절차도 성공적으로 마무리 짓도록 계속 최선을 다하고자 합니다. 끝.

(주유엔대사 노창희)

국기국 장관

PAGE 1

91.08.10 09:22

외신 2과 통제관 DO

0099

IIX2504701-6921(UNNY:WUCA6921)
TXU689 78724651
WUCA6921 NYKU320 UNNY WUCA6921
TLXCAB
78724651 WOIM
.

— 언론 발표
— 청와대 보고

WUCA6921 MCX0599
SS MSGKS
.NEWYORK (UNNY) 08 1608Z
TLX 78724651 WOIMUBU K 24651
- HIS EXCELLENCY
- MR. LEE SANG OCK
- MINISTER FOR FOREIGN AFFAIRS
- OF THE REPUBLIC OF KOREA
- SEOUL (REPUBLIC OF KOREA)
BT
36428-08 ETATPRIORITE (CORRECTED COPY)

I HAVE THE HONOUR TO INFORM YOU THAT AT ITS 3001ST MEETING TODAY, 8 AUGUST 1991, THE SECURITY COUNCIL ADOPTED WITHOUT VOTE RESOLUTION 702 (1991), RECOMMENDING TO THE GENERAL ASSEMBLY THE ADMISSION OF THE REPUBLIC OF KOREA TO MEMBERSHIP IN THE UNITED NATIONS.

QUOTE

TEXT NO. I

THE SECURITY COUNCIL,

HAVING EXAMINED SEPARATELY THE APPLICATIONS OF THE DEMOCRATIC PEOPLE'S REPUBLIC OF KOREA (S/22777)/ AND OF THE REPUBLIC OF KOREA, (S/22778)/ FOR ADMISSION TO THE UNITED NATIONS,

1. RECOMMENDS TO THE GENERAL ASSEMBLY THAT THE DEMOCRATIC PEOPLE'S REPUBLIC OF KOREA BE ADMITTED TO MEMBERSHIP IN THE UNITED NATIONS.,

2. RECOMMENDS TO THE GENERAL ASSEMBLY THAT THE REPUBLIC OF KOREA BE ADMITTED TO MEMBERSHIP IN THE UNITED NATIONS.
UNQUOTE

0100

I SHOULD LIKE ON THIS OCCASION TO EXTEN[illegible] MY PERSONAL CONGRATULATI [illegible] TO YOUR GOVERNMENT AND [illegible] TRANSMIT THE STATEMENT MADE BY THE PRESIDENT OF THE SECURITY COUNCIL ON BEHALF OF ITS MEMBERS.

QUOTE

TEXT NO. II

BY ADOPTING RESOLUTION 702 (1991), THE SECURITY COUNCIL HAS TAKEN ANOTHER STEP TOWARDS THE COMPLETION OF A POLITICAL PROCESS IN EXCERCISE OF ONE OF THE MOST IMPORTANT FUNCTIONS ENTRUSTED TO IT UNDER THE CHARTER OF THE UNITED NATIONS, NAMELY, TO MAKE RECOMMENDATIONS TO THE GENERAL ASSEMBLY REGARDING THE ADMISSION OF NEW MEMBERS TO THE ORGANIZATION.

THE APPLICATIONS OF THE DEMOCRATIC PEOPLE'S REPUBLIC OF KOREA AND THE REPUBLIC OF KOREA HAVE BEEN CONSIDERED AND UNANIMOUSLY ADOPTED BY THE SECURITY COUNCIL. THE ASPIRATIONS OF THE PEOPLES AND GOVERNMENTS OF THE DEMOCRATIC PEOPLE'S REPUBLIC OF KOREA AND THE REPUBLIC OF KOREA HAVE HARMONIOUSLY COINCIDED. THAT IS WHY THE SECURITY COUNCIL DECIDED TO CONSIDER AND TAKE A SIMULTANEOUS DECISION ON THE ADMISSION OF BOTH PARTS OF THE KOREAN PENINSULA TO MEMBERSHIP IN THE WORLD ORGANIZATION.

THIS IS A HISTORIC OCCASION FOR THE DEMOCRATIC PEOPLE'S REPUBLIC OF KOREA, THE REPUBLIC OF KOREA, THE ASIAN CONTINENT AND THE WORLD COMMUNITY OF NATIONS.

THERE CAN BE NO DOUBT THAT THE SECURITY COUNCIL'S RECOMMENDATION TO THE GENERAL ASSEMBLY ADVANCES AND UNDERSCORES THE ORGANIZATION'S GOAL OF UNIVERSALITY. I AM CERTAIN THAT, AS NEW MEMBERS OF OUR ORGANIZATION, THE DEMOCRATIC PEOPLE'S REPUBLIC OF KOREA AND THE REPUBLIC OF KOREA WILL CONTRIBUTE POSITIVELY TO EFFORTS TO ENHANCE THE EFFECTIVENESS OF THE WORK OF THE UNITED NATIONS AND STRENGTHEN RESPECT FOR ITS PURPOSES AND PRINCIPLES.

THE ADMISSION OF THE DEMOCRATIC PEOPLE'S REPUBLIC OF KOREA AND THE REPUBLIC OF KOREA WILL ALSO REDUCE TENSIONS IN THE REGION, CREATE A FAVOURABLE ATMOSPHERE FOR AND FACILITATE THE PROMOTION OF CONFIDENCE-BUILDING MEASURES IN THEIR BILATERAL RELATIONS AND PROVIDE THEM WITH AN APPROPRIATE FORUM IN WHICH TO CONSIDER THE MANY THINGS THEY HAVE IN COMMON AND TO OVERCOME THE FEW REMAINING OBSTACLES TO THEIR UNIFICATION.

0101

WE HAVE RECENTLY SEEN HOW COUNTRIES THAT WERE ONCE ADVERSARIES HAVE FOUND THE NECES[illegible]Y STRENGTH TO PUT ASIDE [illegible]IR DIFFERENCES IN FAVOUR OF THEIR SHAR[illegible] INTEREST IN PROMOTING THE WELL-BEING OF THEIR PEOPLES AND OF THE WORLD IN GENERAL. WE ARE LIVING IN AN AGE IN WHICH MANKIND SEEMS TO BE REGAINING ITS SENSES. WE CAN BEGIN THE NEXT MILLENNIUM IN A MORE OPTIMISTIC SPIRIT. IN THE POSITIVE ATMOSPHERE RESULTING FROM THE END OF THE COLD WAR, WE NOTE WITH GREAT SATISFACTION A NEW MANIFESTATION OF CONSTRUCTIVE UNDERSTANDING: THE RECOMMENDATION, ADOPTED BY THE SECURITY COUNCIL, THAT THE DEMOCRATIC PEOPLE'S REPUBLIC OF KOREA AND THE REPUBLIC OF KOREA BECOME MEMBERS OF THE WORLD ORGANIZATION.

I WISH TO CONCLUDE BY SAYING THAT, IN MY CAPACITY AS PRESIDENT OF THE COUNCIL AND ON BEHALF OF ALL ITS MEMBERS, I AM ON THIS HISTORIC OCCASION DEEPLY HONOURED TO ADDRESS THESE WORDS OF CONGRATULATION TO THE DEMOCRATIC PEOPLE'S REPUBLIC OF KOREA AND TO THE REPUBLIC OF KOREA.

UNQUOTE

HIGHEST CONSIDERATION

JAVIER PEREZ DE CUELLAR
SECRETARY-GENERAL

COL CKD M2053
SCHLITTLER 3520A NAK

0102

유엔 事務總長 祝電 接受

1991. 8. 9.

外 務 部

8.9. 유엔事務總長은 우리의 유엔加入申請이 安保理를 通過한 것을 祝賀하는 電文을 外務長官 앞으로 直接 發送해온 바, 關聯事項을 아래 報告드립니다.

1. 祝電內容(要旨)

   ㅇ 유엔安保理는 91.8.8. 開催 第 ~~30001~~ 3001次 會議에서 韓國의 유엔加入을 總會에 推薦키로 滿場一致로 議決(決議番號 702號) 하였음을 알려드림.

   ㅇ 安保理 決定에 제하여 韓國政府에 本人의 格別한 祝意를 傳達코자 함.

2. 當部 措置事項

   ㅇ 事務總長 祝電 接受事實이 言論에 의해 弘報될수 있도록 措置

   ※ 事務總長의 祝電에 대하여는 答信치 않는 것이 유엔의 慣例임.

~~添附 : 事務總長 祝電寫本~~

\- 끝 -

91 8 9

0103

유엔 事務總長 祝電 接受

1991. 8. 9.
外 務 部

8.9. 유엔事務總長은 우리의 유엔加入申請이 安保理를 通過한 것을 祝賀하는 電文을 外務長官 앞으로 直接 發送해온 바, 關聯事項을 아래 報告드립니다.

1. 祝電內容(要旨)

   o 유엔安保理는 91.8.8. 開催 第 3001次 會議에서 韓國의 유엔加入을 總會에 推薦키로 滿場一致로 議決(決議番號 702號) 하였음을 알려드림.

   o 安保理 決定에 제하여 韓國政府에 本人의 格別한 祝意를 傳達코자 함.

2. 當部 措置事項

   o 事務總長 祝電 接受事實이 言論에 의해 弘報될수 있도록 措置

   ※ 事務總長의 祝電에 대하여는 答信치 않는 것이 유엔의 慣例임.

- 끝 -

0104

관리 번호	

	분류번호	보존기간

발 신 전 보

번 호 : AM-0168 910809 1203 FN 종별 :

수 신 : 주 AM 대사. ~~총영사~~ (국연)

발 신 : 장 관

제 목 : 외무장관 성명

연 : AM-0167

연호 관련, 본직은 8.9. ~~하기~~ 성명을 발표하였으니 적의 활용바람.

안보리 가입권고 결의안 채택에 즈음한 외무부장관 성명

o 정부는 91.8.8. 11:33시(뉴욕현지시각 : 서울시각은 8.9. 00:33시) 유엔안전보장이사회가 우리의 유엔가입 신청을 이사국 전원의 찬성으로 총회에 권고키로 한 것을 기쁘게 생각하며, 특히 남북한의 유엔가입 신청이 안보이사회에서 일괄처리된 것을 매우 뜻깊게 생각합니다.

o 우리의 오랜 숙원과제였던 유엔가입이 드디어 실현될 수 있게 된것은 그동안 정부가 꾸준히 추진해 온 북방외교의 결실로서 우리는 유엔회원국이 됨을 계기로 국제평화와 안전의 유지 및 인류의 번영을 위한 유엔의 고귀한 목표달성에 더욱 기여하고자 하며, 유엔에서의 상호 협력증진을 통해 남북한간의 공존공영과 궁극적인 평화통일을 촉진하기 위한 노력을 더욱 강화해 나가고자 합니다.

/ 계속 /

보안 통제	

앙 고 재	91년 8월 9일	유엔과	기안자 성명		과 장	심의관	국 장		차 관	장 관

외신과통제

0105

o 정부는 온국민과 더불어 오는 9.17. 제46차 유엔총회가 개막되면 국제사회의 축복속에서 정식으로 유엔회원국이 될 것을 기대 하면서, 그간 우리의 유엔가입노력에 제반지원과 협조를 아끼지 않은 전세계 평화애호국들에게 감사를 표하는 바입니다.

Foreign Minister's Statement on the occasion of the Security Council's Adoption of a Resolution for ROK's UN Membership

o The Government of the Republic of Korea is pleased to note that the Security Council unanimously adopted a resolution recommending ROK's admission to the United Nations at 11:33 AM on 8 August local time (at 00:33 AM on 9 August Seoul time). In particular, the Government of the Republic of Korea attaches great significance to the fact that both North and South Korea's applications for UN membership were settled under a single resolution by the Security Council.

o The Government of the Republic of Korea considers its eventual entry into the UN, a long-cherished wish of the Korean people, the result of Northern Diplomacy that the Republic of Korea has pursued unremittingly. As the Republic of Korea joins the UN, we intend to contribute as much as we can towards the United Nations' lofty ideals of international peace and security as well as human development and prosperity. We also intend to redouble our efforts to enhance cooperation with North Korea within the United Nations system so that both Koreas can improve inter-Korean relations and accelerate the process towards peaceful reunification of our homeland.

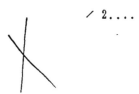

/ 2....

0106

o The Government of the Republic of Korea, together with all Korean people, looks forward to becoming a full-fledged member of the UN at the beginning of the 46th General Assembly with the blessings of the whole international community. We are deeply grateful to all peace-loving countries in the world for the staunch support and assistance they gave to our campaign for UN membership.

(국제기구조약국장대리)

0107

관리 번호	91 -4604

원 본

외 무 부

종 별 :

번 호 : UNW-2106 일 시 : 91 0809 1900

수 신 : 장관(국연,미이,기정)

발 신 : 주 유엔 대사

제 목 : 한.미 유엔대사 오찬

연:UNW-2105

대:WUN-2112

1. PICKERING 대사는 안보리의 아국유엔가입 권고결의 채택을 축하하고 동인의 방한에따른 제반 관심사를 협의하고자 8.14(수) 본직을 오찬에 초청하였음. 동 오찬시 아측은 연호 총회결의안 발의방식,46 차 총회대책, 유엔사(중감위)문제, 기타 동인의 방한(및 방중) 관련사항등을 협의코자 하는바, 동 오찬시 본부에서 협의키를 희망하는 사항이 있으면 지시바람.

2. 대호관련, 총회결의안 발의 방식문제 협의를 위한 남북한대사 회담제의는 일단 동 오찬협의결과등을 본후 추후 조치코자함. 끝

(대사 노창희-장관)

예고:91.12.31. 일반

국기국 장관 차관 1차보 미주국 청와대 안기부

PAGE 1

91.08.10 09:17

외신 2과 통제관 DO

0108

관리번호	91-4603

원 본

외 무 부

종 별 :

번 호 : UNW-2107 일 시 : 91 0809 1900

수 신 : 장관(국연,기정)

발 신 : 주 유엔 대사

제 목 : 남북한 유엔가입 심의관련 안보리문서

연:UNW-2051 (1), 2052 (2), 2079 (3), 2085 (4)

1. 연호, 안보리 심의관련 기 FAX 로 송부한 표제문서를 금 8.9 발 당관 정파편 송부함.

2. 작 8.8 안보리 심의(연호 4) 관련, 금 8.9 추가 배포된 문서를 별첨 FAX 송부함.

첨부:상기문서:UNW(F)-413 끝

(대사 노창희-국장)

예고:91.12.31. 일반

국기국 장관 차관 1차보 2차보 분석관 청와대 안기부

PAGE 1

91.08.10 09:26

외신 2과 통제관 DO

0109

#벽첩 UNW(F)-413 10809 900
(국연. 기정) 총12매

UNITED NATIONS

S

Security Council

Distr.
GENERAL

S/22911
8 August 1991
ENGLISH
ORIGINAL: SPANISH

NOTE BY THE PRESIDENT OF THE SECURITY COUNCIL

At the 3001st meeting of the Security Council, held on 8 August 1991, in connection with the Council's consideration of the item "Admission of new Members", the President of the Security Council made the following statement on behalf of the members:

By adopting resolution 702 (1991), the Security Council has taken another step towards the completion of a political process in exercise of one of the most important functions entrusted to it under the Charter of the United Nations, namely, to make recommendations to the General Assembly regarding the admission of new members to the Organization.

The applications of the Democratic People's Republic of Korea and the Republic of Korea have been considered and unanimously approved by the Security Council. The aspirations of the peoples and Governments of the Democratic People's Republic of Korea and the Republic of Korea have harmoniously coincided. That is why the Security Council decided to consider and take a simultaneous decision on the admission of both parts of the Korean Peninsula to membership in the world Organization.

This is a historic occasion for the Democratic People's Republic of Korea, the Republic of Korea, the Asian continent and the world community of nations.

There can be no doubt that the Security Council's recommendation to the General Assembly advances and underscores the Organization's goal of universality. I am certain that, as new members of our Organization, the Democratic People's Republic of Korea and the Republic of Korea will contribute positively to efforts to enhance the effectiveness of the work of the United Nations and strengthen respect for its purposes and principles.

The admission of the Democratic People's Republic of Korea and the Republic of Korea will also reduce tensions in the region, create a favourable atmosphere for and facilitate the promotion of confidence-building measures in their bilateral relations and provide them with an appropriate forum in which to consider the many things they have in common and to overcome the few remaining obstacles to their unification.

12-1

91-25547 2528h (E) /...

P.1

AUG 09 '91 17:11 KOREAN MISSION

0110

We have recently seen how countries that were once adversaries have found the necessary strength to put aside their differences in favour of their shared interest in promoting the well-being of their peoples and of the world in general. We are living in an age in which mankind seems to be regaining its senses. We can begin the next millennium in a more optimistic spirit. In the positive atmosphere resulting from the end of the cold war, we note with great satisfaction a new manifestation of constructive understanding: the recommendation, adopted by the Security Council, that the Democratic People's Republic of Korea and the Republic of Korea become members of the world Organization.

I wish to conclude by saying that, in my capacity as President of the Council and on behalf of all its members, I am on this historic occasion deeply honoured to address these words of congratulation to the Democratic People's Republic of Korea and to the Republic of Korea.

12-2

United Nations

Press Release

Department of Public Information • News Coverage Service • New York

Security Council
3001st Meeting (AM)

SC/5294
8 August 1991

SECURITY COUNCIL UNANIMOUSLY RECOMMENDS TWO KOREAS FOR UNITED NATIONS MEMBERSHIP

The Security Council this morning unanimously recommended that the Democratic People's Republic of Korea and the Republic of Korea be admitted to United Nations membership.

In a statement on behalf of the Council, its President, JOSE AYALA LASSO (Ecuador) said that admission of the "both parts of the Korean Peninsula" to United Nations membership would reduce tensions in the region and provide an appropriate forum for them to consider and overcome "the few remaining obstacles to their unification".

Following the vote, Mr. Ayala Lasso made the following statement on behalf of the Council:

"By adopting resolution 702 (1991), the Security Council has taken another step towards the completion of a political process in exercise of one of the most important functions entrusted to it under the Charter of the United Nations, namely, to make recommendations to the General Assembly regarding the admission of new members to the Organization.

"The applications of the Democratic People's Republic of Korea and the Republic of Korea have been considered and unanimously adopted by the Security Council. The aspirations of the peoples and Governments of the Democratic People's Republic of Korea and the Republic of Korea have harmoniously coincided. That is why the Security Council decided to consider and take a simultaneous decision on the admission of both parts of the Korean Peninsula to membership in the world Organization.

"This is a historic occasion for the Democratic People's Republic of Korea, the Republic of Korea, the Asian continent and the world community of nations.

"There can be no doubt that the Security Council's recommendation to the General Assembly advances and underscores the Organization's goal of universality. I am certain that, as new members of our Organization, the

(more)

12-3

3895P

For information media--not an official record

P.2

AUG 09 '91 17:12 KOREAN MISSION

0112

Democratic People's Republic of Korea and the Republic of Korea will contribute positively to efforts to enhance the effectiveness of the work of the United Nations and strengthen respect for its purposes and principles.

"The admission of the Democratic People's Republic of Korea and the Republic of Korea will also reduce tensions in the region, create a favourable atmosphere for and facilitate the promotion of confidence-building measures in their bilateral relations and provide them with an appropriate forum in which to consider the many things they have in common and to overcome the few remaining obstacles to their unification.

"We have recently seen how countries that were once adversaries have found the necessary strength to put aside their differences in favour of their shared interest in promoting the well-being of their peoples and of the world in general. We are living in an age in which mankind seems to be regaining its senses. We can begin the next millennium in a more optimistic spirit. In the positive atmosphere resulting from the end of the cold war, we note with great satisfaction a new manifestation of constructive understanding: the recommendation, adopted by the Security Council, that the Democratic People's Republic of Korea and the Republic of Korea become members of the world Organization.

"I wish to conclude by saying that, in my capacity as President of the Council and on behalf of all its members, I am on this historic occasion deeply honoured to address these words of congratulation to the Democratic People's Republic of Korea and the Republic of Korea."

The Council began considering the applications for membership of the Democratic People's Republic of Korea and of the Republic of Korea on Tuesday, 6 August, and according to its provisional rules of procedure, referred the matter to its Committee on the Admission of New Members. Today's action by the Council was taken in response to the Committee's report (document S/22895).

Membership in the Organization is granted to States by the General Assembly on the recommendation of the Security Council. It is expected that the Council's recommendation will be taken up by the General Assembly on 17 September, the opening day of its forty-sixth session.

* *** *

12-4

3895P

P.3

AUG 08 '91 17:13 KOREAN MISSION

0113

UNITED
NATIONS

S

Security Council

PROVISIONAL

S/PV.3001
8 August 1991

ENGLISH

PROVISIONAL VERBATIM RECORD OF THE THREE THOUSAND AND FIRST MEETING

Held at Headquarters, New York,
on Thursday, 8 August 1991, at 11 a.m.

President:	Mr. AYALA LASSO	(Ecuador)
Members:	Austria	Mr. HAJNOCZI
	Belgium	Mr. van DAELE
	China	Mr. LI Daoyu
	Côte d'Ivoire	Mr. BECHIO
	Cuba	Mr. ALARCON de QUESADA
	France	Mr. ROCHEREAU DE LA SABLIERE
	India	Mr. GHAREKHAN
	Romania	Mr. MUNTEANU
	Union of Soviet Socialist Republics	Mr. LOZINSKY
	United Kingdom of Great Britain and Northern Ireland	Sir David HANNAY
	United States	Mr. PICKERING
	Yemen	Mr. AL-ALFI
	Zaire	Mr. LUKABU KHABOUJI N'ZAJI
	Zimbabwe	Mr. MUMBENGEGWI

This record contains the original text of speeches delivered in English and interpretations of speeches in the other languages. The final text will be printed in the Official Records of the Security Council.

Corrections should be submitted to original speeches only. They should be sent under the signature of a member of the delegation concerned, within one week, to the Chief, Official Records Editing Section, Department of Conference Services, room DC2-750, 2 United Nations Plaza, and incorporated in a copy of the record.

91-61017/A 5420V (E)

12-5

P.4

AUG 09 '91 17:14 KOREAN MISSION

0114

The meeting was called to order at 11.30 a.m.

ADOPTION OF THE AGENDA

The agenda was adopted.

ADMISSION OF NEW MEMBERS

REPORT OF THE COMMITTEE ON THE ADMISSION OF NEW MEMBERS CONCERNING THE APPLICATIONS OF THE DEMOCRATIC PEOPLE'S REPUBLIC OF KOREA AND THE REPUBLIC OF KOREA FOR ADMISSION TO MEMBERSHIP IN THE UNITED NATIONS (S/22895)

The PRESIDENT (interpretation from Spanish): The Security Council will now begin its consideration of the report (S/22895) of the Committee on the Admission of New Members concerning the application of the Democratic People's Republic of Korea and the application of the Republic of Korea for admission to membership in the United Nations. Those applications appear in documents S/22777 and S/22778, respectively.

In paragraph 3 of the report, the Committee recommends to the Security Council the adoption of a draft resolution on the application of the Democratic People's Republic of Korea for admission to membership in the United Nations and the application of the Republic of Korea for admission to membership in the United Nations. I should like to congratulate the Committee on its decision to recommend that the Democratic People's Republic of Korea and the Republic of Korea be admitted to membership in the United Nations.

In accordance with the understanding reached in prior consultations among members of the Council, I propose that the Council adopt without a vote the draft resolution contained in paragraph 3 of the report of the Committee on the Admission of New Members.

As I hear no objection, it is so decided.

12-6

(The President)

I therefore declare that the draft resolution contained in paragraph 3 of the report (S/22895) of the Committee on the Admission of New Members has been adopted without a vote as resolution 702 (1991).

I shall immediately convey the decision of the Security Council recommending the admission of the Democratic People's Republic of Korea and the Republic of Korea to membership in the United Nations to the Secretary-General for transmission to the General Assembly in accordance with the provisions of rule 60 of the provisional rules of procedure.

I shall now make a statement, in my capacity as President of the Security Council, on behalf of the members of the Council:

"By adopting resolution 702 (1991), the Security Council has taken another step towards the completion of a political process in exercise of one of the most important functions entrusted to it under the Charter of the United Nations, namely, to make recommendations to the General Assembly regarding the admission of new Members to the Organization.

"The applications of the Democratic People's Republic of Korea and the Republic of Korea have been considered and unanimously adopted by the Security Council. The aspirations of the peoples and Governments of the Democratic People's Republic of Korea and the Republic of Korea have harmoniously coincided. That is why the Security Council decided to consider and take a simultaneous decision on the admission of both parts of the Korean Peninsula to membership in the world Organization.

"This is a historic occasion for the Democratic People's Republic of Korea, the Republic of Korea, the Asian continent and the world community of nations.

12-7

P.6 AUG 09 '91 17:15 KOREAN MISSION

0116

(The President)

"There can be no doubt that the Security Council's recommendation to the General Assembly advances and underscores the Organization's goal of universality. I am certain that, as new Members of our Organization, the Democratic People's Republic of Korea and the Republic of Korea will contribute positively to efforts to enhance the effectiveness of the work of the United Nations and strengthen respect for its purposes and principles.

"The admission of the Democratic People's Republic of Korea and the Republic of Korea will also reduce tensions in the region, create a favourable atmosphere for and facilitate the promotion of confidence-building measures in their bilateral relations and provide them with an appropriate forum in which to consider the many things they have in common and to overcome the few remaining obstacles to their unification.

"We have recently seen how countries that were once adversaries have found the necessary strength to put aside their differences in favour of their shared interest in promoting the well-being of their peoples and of the world in general. We are living in an age in which mankind seems to be regaining its senses. We can begin the next millennium in a more optimistic spirit. In the positive atmosphere resulting from the end of the cold war, we note with great satisfaction a new manifestation of constructive understanding: the recommendation, adopted by the Security Council, that the Democratic People's Republic of Korea and the Republic of Korea become Members of the world Organization.

12-8

(The President)

"I wish to conclude by saying that, in my capacity as President of the Council and on behalf of all its members, I am on this historic occasion deeply honoured to address these words of congratulation to the Democratic People's Republic of Korea and to the Republic of Korea."

There being no other speakers, I take it that the Council has concluded its consideration of the matter before it.

The meeting rose at 11.35 a.m.

12-9

AUG 09 '91 17:16 KOREAN MISSION P.8

0118

UNITED
NATIONS

A S

General Assembly Security Council

Distr.
GENERAL

A/46/296*
S/22778*
7 August 1991

ORIGINAL: ENGLISH

GENERAL ASSEMBLY
Forty-sixth session
Item 20 of the provisional agenda**
ADMISSION OF NEW MEMBERS TO THE UNITED NATIONS

SECURITY COUNCIL
Forty-sixth year

Application of the Republic of Korea for admission to membership in the United Nations

Note by the Secretary-General

In accordance with rule 135 of the rules of procedure of the General Assembly and rule 59 of the provisional rules of procedure of the Security Council, the Secretary-General has the honour to circulate herewith the application of the Republic of Korea for admission to membership in the United Nations, contained in a letter dated 19 July 1991 from the Minister for Foreign Affairs of the Republic of Korea to the Secretary-General.

---

* Reissued for technical reasons.

** A/46/150.

91-25416 2504g (E)

/...

12-10

AUG 09 '91 17:16 KOREAN MISSION P.9

0113

Letter dated 19 July 1991 from the Minister for Foreign Affairs of the Republic of Korea addressed to the Secretary-General of the United Nations

On behalf of the Government of the Republic of Korea, I have the honour to inform you that the Government of the Republic of Korea herewith applies for membership of the Republic of Korea in the United Nations.

I have further the honour to attach herewith a declaration made in accordance with rule 58 of the provisional rules of procedure of the Security Council.

I should be grateful if you would place this application before the Security Council at the earliest opportunity.

(Signed) LEE Sang Ock
Minister for Foreign Affairs
of the Republic of Korea

12-11

/...

P.18

AUG 09 '91 17:16 KOREAN MISSION

0120

Declaration

On behalf of the Government of the Republic of Korea, I, Roh Tae Woo, in my capacity as Head of State, have the honour to solemnly declare that the Republic of Korea accepts the obligations contained in the Charter of the United Nations and undertakes to fulfil them.

(Signed) ROH Tae Woo
President of the Republic
of Korea

12-12

0121

관리 번호 91 -900

원 본

외 무 부

종 별 :

번 호 : UNW-2127 일 시 : 91 0812 1830

수 신 : 장 관(국연,아동,기정)

발 신 : 주 유엔 대사

제 목 : 남북한, 마이크로네시아,마샬군도 유엔가입

연:UNW-2085,2107,2108

연호, 안보리의 남북한 유엔가입 권고결의및 FSM (703)과 마샬군도(704) 가입권고 결의가 각각 8.8 및 8.9 자 안보리 문서로작성, 금 8.12 배포된바 이를 별첨송부함.

첨부:상기문서:UNW(F)-420 끝

(대사 노창희-국장)

예고:91.12.31. 까지

국기국 장관 차관 1차보 2차보 아주국 구주국 분석관 청와대 안기부

PAGE 1

91.08.13 08:07

외신 2과 통제관 BS

0122

UNITED
NATIONS

#변첩

UNW(F)-420 10812-1830
(국연. 아동. 기정)

S

Security Council

Distr.
GENERAL

S/RES/702 (1991)
8 August 1991

RESOLUTION 702 (1991)

Adopted by the Security Council at its 3001st meeting,
on 8 August 1991

The Security Council,

Having examined separately the applications of the Democratic People's Republic of Korea 1/ and of the Republic of Korea, 2/ for admission to the United Nations,

1. Recommends to the General Assembly that the Democratic People's Republic of Korea be admitted to membership in the United Nations;

2. Recommends to the General Assembly that the Republic of Korea be admitted to membership in the United Nations.

1/ S/22777.

2/ S/22778.

91-25553 3561Z (E)

#

3-1

AUG 12 '91 17:22 KOREAN MISSION

P.1

0123

UNITED
NATIONS

S

Security Council

Distr.
GENERAL

S/Agenda/2998
6 August 1991

ORIGINAL: ENGLISH

PROVISIONAL AGENDA FOR THE 2998TH MEETING OF THE SECURITY COUNCIL

To be held in the Security Council Chamber at Headquarters,
on Tuesday, 6 August 1991, at noon

1. Adoption of the agenda

2. Admission of new members:

Letter dated 2 July 1991 from the Vice-Premier of the Administration Council and Minister for Foreign Affairs of the Democratic People's Republic of Korea addressed to the Secretary-General (S/22777)

Letter dated 19 July 1991 from the Minister for Foreign Affairs of the Republic of Korea addressed to the Secretary-General (S/22778)

91-25142 2424c (E)

0124

UNITED
NATIONS

S

Security Council

PROVISIONAL

S/PV.2998
6 August 1991

ENGLISH

PROVISIONAL VERBATIM RECORD OF THE TWO THOUSAND
NINE HUNDRED AND NINTY-NINTH MEETING

Held at Headquarters, New York,
on Tuesday, 6 August 1991, at 12.05 p.m.

President:	Mr. AYALA LASSO	(Ecuador)
Members:	Austria	Mr. HAJNOCZI
	Belgium	Mr. DAELE
	China	Mr. LI Daoyu
	Côte d'Ivoire	Mr. BECHIO
	Cuba	Mr. ALARCON de QUESADA
	France	Mr. ROCHEREAU DE LA SABLIERE
	India	Mr. GHAREKHAN
	Romania	Mr. FLOREAN
	Union of Soviet Socialist Republics	Mr. LOZINSKY
	United Kingdom of Great Britain and Northern Ireland	Sir David HANNAY
	United States	Mr. PICKERING
	Yemen	Mr. AL-ALFI
	Zaire	Mr. BAGBENI ADEITO NZENGEYA
	Zimbabwe	Mr. MUMBENGEGWI

This record contains the original text of speeches delivered in English and interpretations of speeches in the other languages. The final text will be printed in the Official Records of the Security Council.

Corrections should be submitted to original speeches only. They should be sent under the signature of a member of the delegation concerned, within one week, to the Chief, Official Records Editing Section, Department of Conference Services, room DC2-750, 2 United Nations Plaza, and incorporated in a copy of the record.

The meeting was called to order at 12.05 p.m.

EXPRESSION OF THANKS TO THE RETIRING PRESIDENT

The PRESIDENT (interpretation from Spanish): As this is the first meeting of the Security Council for the month of August, I should like to take this opportunity to pay tribute, on behalf of the Council, to Mr. Ricardo Alarcon de Quesada, Permanent Representative of Cuba to the United Nations, for his service as President of the Security Council for the month of July 1991. I am sure I speak for all members of the Security Council in expressing deep appreciation to Ambassador Ricardo Alarcon de Quesada for the great diplomatic skill and unfailing courtesy with which he conducted the Council's business last month. We shall remember his leadership and his valuable initiatives to make the work of the Council well known to all the Members of the United Nations.

ADOPTION OF THE AGENDA

The agenda was adopted.

ADMISSION OF NEW MEMBERS

LETTER DATED 2 JULY 1991 FROM THE VICE-PREMIER OF THE ADMINISTRATION COUNCIL AND MINISTER FOR FOREIGN AFFAIRS OF THE DEMOCRATIC PEOPLE'S REPUBLIC OF KOREA ADDRESSED TO THE SECRETRARY-GENERAL (S/22777)

LETTER DATED 19 JULY 1991 FROM THE MINISTER FOR FOREIGN AFFAIRS OF THE REPUBLIC OF KOREA ADDRESSED TO THE SECRETARY-GENERAL (S/22778)

The PRESIDENT (interpretation from Spanish): The Security Council will now begin its consideration of the item on its agenda.

In a letter dated 2 July 1991 addressed to the Secretary-General, the Vice-Premier of the Administration Council and Minister for Foreign Affairs of the Democratic People's Republic of Korea submitted the application of his country for membership in the United Nations. That letter has been circulated in document S/22777.

0126

(The President)

In a letter dated 19 July 1991 addressed to the Secretary-General, the Minister for Foreign Affairs of the Republic of Korea submitted the application of his country for membership in the United Nations. That letter is contained in document S/22778.

Under the provisions of rule 59 of the provisional rules of procedure of the Security Council, unless the Council decides otherwise applications for membership shall be referred by the President of the Council to the Committee on the Admission of New Members. Accordingly, unless I hear a proposal to the contrary, I shall refer the applications of the Democratic People's Republic of Korea and the Republic of Korea to the Committee on the Admission of New Members for examination and report.

The last sentence of rule 59 provides that the Committee shall report its conclusions to the Council not less than 35 days in advance of a regular session of the General Assembly. Moreover, the fourth paragraph of rule 60 stipulates that the Security Council should make its recommendation on the applications not less than 25 days in advance of a regular session of the General Assembly following the receipt of the applications, in order to ensure its consideration at the session.

In view of the fact that the forty-sixth session of the General Assembly is scheduled to convene on 17 September, and bearing in mind the time-limits, I propose that the Committee on the Admission of New Members meet this afternoon, 6 August, at 3.30 p.m. in Conference Room 7 in order to examine the applications of the Democratic People's Republic of Korea and the Republic of Korea and prepare the Committee's report to the Council. I further propose

(<u>The President</u>)

that the Security Council meet again on Thursday, 8 August, to consider and take a decision on the report of the Committee.

As I hear no objection, it is so decided.

<u>The meeting rose at 12.10 p.m.</u>

0128

UNITED NATIONS

A S

General Assembly **Security Council**

Distr.
GENERAL

A/46/296*
S/22778*
7 August 1991

ORIGINAL: ENGLISH

GENERAL ASSEMBLY
Forty-sixth session
Item 20 of the provisional agenda**
ADMISSION OF NEW MEMBERS TO THE UNITED NATIONS

SECURITY COUNCIL
Forty-sixth year

Application of the Republic of Korea for admission to membership in the United Nations

Note by the Secretary-General

In accordance with rule 135 of the rules of procedure of the General Assembly and rule 59 of the provisional rules of procedure of the Security Council, the Secretary-General has the honour to circulate herewith the application of the Republic of Korea for admission to membership in the United Nations, contained in a letter dated 19 July 1991 from the Minister for Foreign Affairs of the Republic of Korea to the Secretary-General.

* Reissued for technical reasons.

** A/46/150.

91-25416 2504g (E)

/...

0129

Letter dated 19 July 1991 from the Minister for Foreign Affairs of the Republic of Korea addressed to the Secretary-General of the United Nations

On behalf of the Government of the Republic of Korea, I have the honour to inform you that the Government of the Republic of Korea herewith applies for membership of the Republic of Korea in the United Nations.

I have further the honour to attach herewith a declaration made in accordance with rule 58 of the provisional rules of procedure of the Security Council.

I should be grateful if you would place this application before the Security Council at the earliest opportunity.

(Signed) LEE Sang Ock
Minister for Foreign Affairs
of the Republic of Korea

/...

Declaration

On behalf of the Government of the Republic of Korea, I, Roh Tae Woo, in my capacity as Head of State, have the honour to solemnly declare that the Republic of Korea accepts the obligations contained in the Charter of the United Nations and undertakes to fulfil them.

(Signed) ROH Tae Woo
President of the Republic
of Korea

0131

UNITED
NATIONS

S

Security Council

Distr.
GENERAL

S/Agenda/3001
7 August 1991

ORIGINAL: ENGLISH

PROVISIONAL AGENDA FOR THE 3001ST MEETING OF THE SECURITY COUNCIL

To be held in the Security Council Chamber at Headquarters,
on Thursday, 8 August 1991, at 11 a.m.

1. Adoption of the agenda

2. Admission of new members

Report of the Committee on the Admission of New Members concerning the applications of the Democratic People's Republic of Korea and the Republic of Korea for admission to membership in the United Nations (S/22895)

91-25387 2527h (E)

0132

UNITED
NATIONS

S

Security Council

Distr.
GENERAL

S/22895
7 August 1991
ENGLISH
ORIGINAL: SPANISH

REPORT OF THE COMMITTEE ON THE ADMISSION OF NEW MEMBERS CONCERNING THE APPLICATIONS OF THE DEMOCRATIC PEOPLE'S REPUBLIC OF KOREA AND OF THE REPUBLIC OF KOREA FOR ADMISSION TO MEMBERSHIP IN THE UNITED NATIONS

1. At the 2998th meeting on 6 August 1991, the Security Council had before it the applications of the Democratic People's Republic of Korea (S/22777) and of the Republic of Korea (S/22778) for admission to membership in the United Nations. In accordance with rule 59 of the provisional rules of procedure of the Security Council and in the absence of a proposal to the contrary, the President of the Council referred the applications to the Committee on the Admission of New Members for examination and report.

2. At its 74th meeting on 6 August 1991, the Committee considered the applications of the Democratic People's Republic of Korea and the Republic of Korea and unanimously decided to recommend to the Security Council that they should be admitted to membership in the United Nations.

3. Accordingly, the Committee recommends to the Security Council the adoption of the following draft resolution:

The Security Council,

Having examined separately the applications of the Democratic People's Republic of Korea 1/ and of the Republic of Korea, 2/ for admission to the United Nations,

1. *Recommends* to the General Assembly that the Democratic People's Republic of Korea be admitted to membership in the United Nations;

2. *Recommends* to the General Assembly that the Republic of Korea be admitted to membership in the United Nations.

1/ S/22777.

2/ S/22778.

UNITED
NATIONS

S

Security Council

PROVISIONAL

S/PV.3001
8 August 1991

ENGLISH

PROVISIONAL VERBATIM RECORD OF THE THREE THOUSAND AND FIRST MEETING

Held at Headquarters, New York,
on Thursday, 8 August 1991, at 11 a.m.

President:	Mr. AYALA LASSO	(Ecuador)
Members:	Austria	Mr. HAJNOCZI
	Belgium	Mr. van DAELE
	China	Mr. LI Daoyu
	Côte d'Ivoire	Mr. BECHIO
	Cuba	Mr. ALARCON de QUESADA
	France	Mr. ROCHEREAU DE LA SABLIERE
	India	Mr. GHAREKHAN
	Romania	Mr. MUNTEANU
	Union of Soviet Socialist Republics	Mr. LOZINSKY
	United Kingdom of Great Britain and Northern Ireland	Sir David HANNAY
	United States	Mr. PICKERING
	Yemen	Mr. AL-ALFI
	Zaire	Mr. LUKABU KHABOUJI N'ZAJI
	Zimbabwe	Mr. MUMBENGEGWI

This record contains the original text of speeches delivered in English and interpretations of speeches in the other languages. The final text will be printed in the Official Records of the Security Council.

Corrections should be submitted to original speeches only. They should be sent under the signature of a member of the delegation concerned, within one week, to the Chief, Official Records Editing Section, Department of Conference Services, room DC2-750, 2 United Nations Plaza, and incorporated in a copy of the record.

91-61017/A 5420V (E)

The meeting was called to order at 11.30 a.m.

ADOPTION OF THE AGENDA

The agenda was adopted.

ADMISSION OF NEW MEMBERS

REPORT OF THE COMMITTEE ON THE ADMISSION OF NEW MEMBERS CONCERNING THE APPLICATIONS OF THE DEMOCRATIC PEOPLE'S REPUBLIC OF KOREA AND THE REPUBLIC OF KOREA FOR ADMISSION TO MEMBERSHIP IN THE UNITED NATIONS (S/22895)

The PRESIDENT (interpretation from Spanish): The Security Council will now begin its consideration of the report (S/22895) of the Committee on the Admission of New Members concerning the application of the Democratic People's Republic of Korea and the application of the Republic of Korea for admission to membership in the United Nations. Those applications appear in documents S/22777 and S/22778, respectively.

In paragraph 3 of the report, the Committee recommends to the Security Council the adoption of a draft resolution on the application of the Democratic People's Republic of Korea for admission to membership in the United Nations and the application of the Republic of Korea for admission to membership in the United Nations. I should like to congratulate the Committee on its decision to recommend that the Democratic People's Republic of Korea and the Republic of Korea be admitted to membership in the United Nations.

In accordance with the understanding reached in prior consultations among members of the Council, I propose that the Council adopt without a vote the draft resolution contained in paragraph 3 of the report of the Committee on the Admission of New Members.

As I hear no objection, it is so decided.

(The President)

I therefore declare that the draft resolution contained in paragraph 3 of the report (S/22895) of the Committee on the Admission of New Members has been adopted without a vote as resolution 702 (1991).

I shall immediately convey the decision of the Security Council recommending the admission of the Democratic People's Republic of Korea and the Republic of Korea to membership in the United Nations to the Secretary-General for transmission to the General Assembly in accordance with the provisions of rule 60 of the provisional rules of procedure.

I shall now make a statement, in my capacity as President of the Security Council, on behalf of the members of the Council:

"By adopting resolution 702 (1991), the Security Council has taken another step towards the completion of a political process in exercise of one of the most important functions entrusted to it under the Charter of the United Nations, namely, to make recommendations to the General Assembly regarding the admission of new Members to the Organization.

"The applications of the Democratic People's Republic of Korea and the Republic of Korea have been considered and unanimously adopted by the Security Council. The aspirations of the peoples and Governments of the Democratic People's Republic of Korea and the Republic of Korea have harmoniously coincided. That is why the Security Council decided to consider and take a simultaneous decision on the admission of both parts of the Korean Peninsula to membership in the world Organization.

"This is a historic occasion for the Democratic People's Republic of Korea, the Republic of Korea, the Asian continent and the world community of nations.

0136

(The President)

"There can be no doubt that the Security Council's recommendation to the General Assembly advances and underscores the Organization's goal of universality. I am certain that, as new Members of our Organization, the Democratic People's Republic of Korea and the Republic of Korea will contribute positively to efforts to enhance the effectiveness of the work of the United Nations and strengthen respect for its purposes and principles.

"The admission of the Democratic People's Republic of Korea and the Republic of Korea will also reduce tensions in the region, create a favourable atmosphere for and facilitate the promotion of confidence-building measures in their bilateral relations and provide them with an appropriate forum in which to consider the many things they have in common and to overcome the few remaining obstacles to their unification.

"We have recently seen how countries that were once adversaries have found the necessary strength to put aside their differences in favour of their shared interest in promoting the well-being of their peoples and of the world in general. We are living in an age in which mankind seems to be regaining its senses. We can begin the next millennium in a more optimistic spirit. In the positive atmosphere resulting from the end of the cold war, we note with great satisfaction a new manifestation of constructive understanding: the recommendation, adopted by the Security Council, that the Democratic People's Republic of Korea and the Republic of Korea become Members of the world Organization.

(The President)

"I wish to conclude by saying that, in my capacity as President of the Council and on behalf of all its members, I am on this historic occasion deeply honoured to address these words of congratulation to the Democratic People's Republic of Korea and to the Republic of Korea."

There being no other speakers, I take it that the Council has concluded its consideration of the matter before it.

The meeting rose at 11.35 a.m.

0138

UNITED
NATIONS

S

Security Council

Distr.
GENERAL

S/22911
8 August 1991
ENGLISH
ORIGINAL: SPANISH

NOTE BY THE PRESIDENT OF THE SECURITY COUNCIL

At the 3001st meeting of the Security Council, held on 8 August 1991, in connection with the Council's consideration of the item "Admission of new Members", the President of the Security Council made the following statement on behalf of the members:

By adopting resolution 702 (1991), the Security Council has taken another step towards the completion of a political process in exercise of one of the most important functions entrusted to it under the Charter of the United Nations, namely, to make recommendations to the General Assembly regarding the admission of new members to the Organization.

The applications of the Democratic People's Republic of Korea and the Republic of Korea have been considered and unanimously approved by the Security Council. The aspirations of the peoples and Governments of the Democratic People's Republic of Korea and the Republic of Korea have harmoniously coincided. That is why the Security Council decided to consider and take a simultaneous decision on the admission of both parts of the Korean Peninsula to membership in the world Organization.

This is a historic occasion for the Democratic People's Republic of Korea, the Republic of Korea, the Asian continent and the world community of nations.

There can be no doubt that the Security Council's recommendation to the General Assembly advances and underscores the Organization's goal of universality. I am certain that, as new members of our Organization, the Democratic People's Republic of Korea and the Republic of Korea will contribute positively to efforts to enhance the effectiveness of the work of the United Nations and strengthen respect for its purposes and principles.

The admission of the Democratic People's Republic of Korea and the Republic of Korea will also reduce tensions in the region, create a favourable atmosphere for and facilitate the promotion of confidence-building measures in their bilateral relations and provide them with an appropriate forum in which to consider the many things they have in common and to overcome the few remaining obstacles to their unification.

We have recently seen how countries that were once adversaries have found the necessary strength to put aside their differences in favour of their shared interest in promoting the well-being of their peoples and of the world in general. We are living in an age in which mankind seems to be regaining its senses. We can begin the next millennium in a more optimistic spirit. In the positive atmosphere resulting from the end of the cold war, we note with great satisfaction a new manifestation of constructive understanding: the recommendation, adopted by the Security Council, that the Democratic People's Republic of Korea and the Republic of Korea become members of the world Organization.

I wish to conclude by saying that, in my capacity as President of the Council and on behalf of all its members, I am on this historic occasion deeply honoured to address these words of congratulation to the Democratic People's Republic of Korea and to the Republic of Korea.

0140

HIS EXCELLENCY
MR. LEE SANG OCK
MINISTER FOR FOREIGN AFFAIRS
OF THE REPUBLIC OF KOREA
SEOUL

ETATPRIORITE

I HAVE THE HONOUR TO INFORM YOU THAT AT ITS 3001ST MEETING TODAY, 8 AUGUST 1991, THE SECURITY COUNCIL ADOPTED WITHOUT VOTE RESOLUTION 702 (1991), RECOMMENDING TO THE GENERAL ASSEMBLY THE ADMISSION OF THE REPUBLIC OF KOREA TO MEMBERSHIP IN THE UNITED NATIONS.

[QUOTE ATTACHED TEXT I]

I SHOULD LIKE ON THIS OCCASION TO EXTEND MY PERSONAL CONGRATULATIONS TO YOUR GOVERNMENT AND TO TRANSMIT THE STATEMENT MADE BY THE PRESIDENT OF THE SECURITY COUNCIL ON BEHALF OF ITS MEMBERS.

[QUOTE ATTACHED TEXT II]

HIGHEST CONSIDERATION

JAVIER PEREZ DE CUELLAR
SECRETARY-GENERAL

DO NOT TYPE BEYOND THE MARGINS – SEE INSTRUCTION ON THE REVERSE SIDE

N'INSCRIVEZ RIEN DANS LES MARGES – VOYEZ LES INSTRUCTIONS AU VERSO

LAST LINE OF TEXT DERNIERE LIGNE DU TEXTE

12 PITCH - 65/12 → 10 PITCH - 65/10 →

0141

8 August 1991

PROCEDURAL BRIEF FOR THE 3001ST MEETING OF THE SECURITY COUNCIL

1. Opening of the meeting

The President: The three thousand and first meeting of the Security Council is called to order.

2. Adoption of the agenda

The President: The provisional agenda for this meeting is before the Council in document S/Agenda/3001. Unless I hear any objection, I shall consider the agenda adopted.

.....

The agenda is adopted.

0142

3. <u>Consideration of item 2 of the agenda</u>

<u>The President</u>: Under item 2 of the agenda, the Security Council will now begin its consideration of the report of the Committee on the Admission of New Members, document S/22895 concerning the application of the Democratic People's Republic of Korea and the application of the Republic of Korea for admission to membership in the United Nations which appear in documents (S/22777) and (S/22778) respectively.

In paragraph 3 of the report, the Committee recommends to the Security Council the adoption of a draft resolution on the application of the Democratic People's Republic of Korea for admission to membership in the United Nations and the application of the Republic of Korea for admission to membership in the United Nations. I should like to congratulate the Committee on its decision to recommend that the Democratic People's Republic of Korea and the Republic of Korea be admitted to membership in the United Nations.

In accordance with the understanding reached in prior consultations among Members of the Council, I propose that the Council adopt the draft resolution contained in paragraph 3 of the report of the Committee on the Admission of New Members without vote.

.....

As I see no objection, <u>it is so decided</u>. 0143

The President: I therefore declare that the draft resolution contained in paragraph 3 of the report of the Committee on the Admission of New Members (S/22895) has been adopted without vote as resolution 702 (1991).

I shall immediately convey the decision of the Security Council recommending the admission of the Democratic People's Republic of Korea and the Republic of Korea to membership in the United Nations to the Secretary-General for transmission to the General Assembly in accordance with the provisions of rule 60 of the provisional rules of procedure.

0144

The President: I will now make a statement, in my capacity as President of the Security Council, on behalf of the members of the Coun

.....

"By adopting resolution 702 (1991), the Security Council has ta another step towards the completion of a political process in ex of one of the most important functions entrusted to it under the Charter of the United Nations, namely, to make recommendations to t General Assembly regarding the admission of new members to the Organization.

The applications of the Democratic People's Republic of Korea and the Republic of Korea have been considered and unanimously adopted by the Security Council. The aspirations of the peoples and Governments of the Democratic People's Republic of Korea and the Republic of Korea have harmoniously coincided. That is why the Security Council decided to consider and take a simultaneous decision on the admission of both parts of the Korean Peninsula to membership in the world organization.

This is a historic occasion for the Democratic People's Republic of Korea, the Republic of Korea, the Asian continent and the world community of nations.

0145

There can be no doubt that the Security Council's recommendatio
General Assembly advances and underscores the Organization's goal
universality. I am certain that, as new members of our Organizati
the Democratic People's Republic of Korea and the Republic of Korea
will contribute positively to efforts to enhance the effectiveness of
the work of the United Nations and
strengthen respect for its purposes and principles.

The admission of the Democratic People's Republic of Korea and the Republic of Korea will also reduce tensions in the region, create a favourable atmosphere for and facilitate the promotion of confidence-building measures in the two countries' bilateral relations and provide them with an appropriate forum in which to consider the many things they have in common and to overcome the few remaining obstacles to their unification.

We have recently seen how countries that were once enemies have found the necessary strength to put aside their differences in favour of their shared interest in promoting the well-being of their peoples and of the world in general. We are living in an age in which mankind seems to be regaining its senses. We can begin the next millennium in a more optimistic spirit. In the positive atmosphere resulting from the end of the cold war, we note with great satisfaction a new manifestation of

0146

constructive understanding: the recommendation, adopted by the Security Council, that the Democratic People's Republic of Korea and the Republic of Korea become members of the world Organization.

I wish to conclude by saying that, in my capacity as President of the Council and on behalf of all its members, I am on this historic occasion deeply honoured to address these words of congratulations to the Democratic People's Republic of Korea and to the Republic of Korea.

0147

Closure of the meeting

The President: There being no other speakers, I take it that the Council has concluded its consideration of the matter before it.

.....

The meeting is adjourned.

0148

2. 각국 언론반응

0149

유엔과 v 2

유엔加入申請 契機 外信綜合

海外公報館 91.8.7

회유럽사무관(8.9. 18:00 통화)
⇒ 담당 박용규사무관
(해외공보관 외신과
⇒ 720-2748
720-2396

1. 總括

- 4대통신: 9회
- 일본신문: 6매체 17회
- 구미계 등 기타신문: 6매체 6회

2. 槪要

- 4대통신은 8.5-8.6일중 일제이 한국의 유엔가입신청 사실과 안보리에서 이의없이 8.8일 가입 권고안을 채택하고 9.17일 총회에서 남북한 가입신청이 승인될 것이라고 보도하면서, 남북동시가입은 남북관계개선에 도움이 될 것이라고 전망함.

- 일본 주요일간지는 8.4-8.6일중 한국의 유엔가입신청과 관련하여 남북의 유엔동시가입을 환영하며, 이는 한반도가 대립으로부터 공존시대로 나아가고 있음을 의미한다고 보도하고, 북한의 대외정책변화에 따라 일본정부는 대북교섭에 성의를 보여야 한다고 촉구.

- 미국의 CSM지는 Doug Bandow의 "북한이 나아오고 있다" 제하의 기고문에서 남북한 유엔가입과 관련하여 미국은 북한의 최근 외교정책 변화에 주목하고, 북한의 국제사회 합류화 노력을 도와야 하며, 이 기회를 이용하여야 한다고 주장.

- 기타 Financal Time및 USA Today지에서 8.6일 각각 한국의 유엔가입신청 사실을 단신 보도함.

3. 媒體別 報道要旨

가. 4大通信

- 한국은 5일 유엔가입을 정식으로 신청했으며, 이 신청은 북한의 가입신청과 함께 오는 9월17일 승인 받을 것으로 보임.

  노창희 대사는 남북한 유엔동시가입은 유엔의 보편성 원칙의 실질적인 이행이며 냉전의 종식을 의미하는 것이라고 말했음.

  남북한 대표가 뉴욕에서 상례적으로 접촉함으로써 관계개선에 도움이 될 것이며 주요의제는 경제협력이 될 것임. (AP, Reuter, AFP, UPI, 8.5, 뉴욕)

0150

o 유엔안전보장이사회에 6일 남북한과 미크로 네시아연방및 마샬군도 공화국이 제출한 유엔가입신청을 위원회에 넘겼으며, 안보리는 이들 4개국의 가입신청을 지지할 것으로 보임. (AP, 8.6, 유엔본부)

o 장만순 정치담당 외무차관보는 "남북한은 유엔에서 양측간에 또는 다자간에 관계되는 여러문제를 다루는데 있어 협력을 하지 않으며 안되게 될 것이며, 교류도 더 증대될 것이다"라고 외신기자들에 대한 월례브리핑에서 말했음.

북한이 한반도의 분단고착화 운운하며 남북한의 개별유엔 가입에 반대하다가 이를 철회했으므로, 남북한의 유엔가입은 한국의 외교적 성공으로 간주되고 있음. (AFP, 8.6, 서울)

나. 日本新聞

o "공존의 시대"로 접어든 한반도 (아사히, 8.7조간, 사설)

아시아에 남아 있는 "냉전의 화석"으로 일컬어지던 한반도에 커다란 '전기가 도래했다고 보겠으나 일거에 구체적인 움직임이 대두되고 한반도 전체가 "평화적 공존"의 시대로 들어간다고는 아직 낙관할 수 없음.

o 남북한의 UN가입을 환영한다 (마이니찌, 8.7조간, 사설)

남북한의 UN동시가입이, 북한이 우려하는 것처럼 분단고정화로 이어 진다고는 생각할 수 없으며 민족의 염원이 이로 인하여 무산되어 버릴리도 없을 것임.

o UN의 場에서 통일 진전을 (닛께이, 8.7조간, 사설)

UN가입에도 불구하고 남북한 관계는 아직 극히 과도적이며 금후의 진전은 UN을 무대로한 남북한의 움직임, 특히 북한이 현실을 얼마나 용인하는가에 달려있음.

o 한반도, 대립으로부터 공존에 (닛께이, 8.7조간, 3면5단톱)

한반도는 "UN가입으로 남북공존시대"의 첫걸음을 내디딘 것임. 남북 공존체제의 시작은 쌍방 체제내의 "현실파"들의 묵시적 호흡일치로 시작되었다고 할 수 있음. 그러나 어떠한 돌발사건이 있을 경우, 이 "묵시적 합의"는 붕괴되어 버릴지도 모름.

o 남북공존시대 열려 (아사히, 8.6석간, 2면3단)

아시아의 냉전종결을 상징하는 "사건"이라 할 수 있으며 동아시아의 정치, 경제구조에 커다란 변화를 초래할 계기라고도 할 수 있음.

0151

o "교차승인"을 가속 (마이니찌, 8.6석간, 2면5단)

남북한의 UN 동시가입으로 "교차승인"노선이 가속화 될 것이며 남북한 쌍방의 주장이 접점을 찾게될 지도 모른다는 기대감이 고조되고 있음. 그러나 자신들의 주장을 고집하고 상대방이 그에 반발하는 패턴이 형성되어 남북의 대립이 오히려 첨예화할 우려가 있다는 비관적 견해도 있음.

o 對中國敎 全力 (산께이, 8.6석간, 2면4단)

남북한의 UN 동시가입은 한국외교의 일대성과이며 한국은 그 여세를 몰아 다음 목표인 중국과의 국교수립을 위해 전력을 경주할 태세임.
북한의 최대 현안은 일본과의 국교수립임. 그러나 UN이라는 국제무대에 등장하는 북한의 외교는 당연히 국제적인 상식이 요구됨.

다. 歐美界 新聞

o NYT (8.6, Jerry Gray, 국제판)

40여년동안 북한은 한국의 유엔에 가입하려는 시도를 소련및 중국의 안보리 거부권으로 방해해 왔음. 그러나 한국과 두 거대한 공산국과의 외교관계의 개선은 모스크바와 북경이 더 이상 한국의 가입시도를 반대하지 못하도록 하는 결과를 초래했음. 동서간의 분쟁은 한국으로 하여금 유엔가입을 불가능하게 하였음.

o CSM (8.5, Doug Bandow기)

"북한이 나아오고 있다" 제하에 남북한 유엔가입과 관련하여 북한의 변화와 이에 따른 미국의 대북한 외교정책을 분석 보도.

-북한의 잠재적인 군사위협이 상존하지만 해빙의 징조가 있으며, 완전한 고립으로부터 벗어나기 위해 북한도 가입 신청을 한 것임.

-북한에 중요한 변화가 일어나고 있음. - 일본과의 국교교섭, 미국과의 관계 개선 시도

-미국은 북한의 국제사회 합류화 노력을 도와야 함.
. 북한으로의 개인여행, 비전략적 교역 제한 해제
. 최근 북경에서의 북한과의 회담을 공고히
. 한국의 자체 방어력을 인정, 전술핵무기부터 시작하여 주한 미군을 점차 철수시키는 방안을 강구.
. 한.미양국은 DMZ의 군대철수, 무장보병부대 해산, 군축회담을 시작함으로써 북한의 핵사찰 동의를 촉구할 수 있음.
. 북한이 나타낸 신호는 희미하지만 여전히 적극적임. 미국은 이 기회를 이용하여야 함.

0152

o Chicago Tribune (8.6, 뉴욕)

"한국은 월요일 유엔에 가입신청하였으며 오는 9.17 총회에서 남북한 동시 가입이 성사될 것이며, 남북한의 유엔가입은 냉전종식을 상징하는 것"이라는 한국 대사의 발언을 인용보도.

라. 성도일보 (8.6, 사설)

"중공은 월남과 한국을 끌어들여 '자국을 보호하려고 함" 제하의 한국의 유엔 가입과 관련한 사설을 게재.

마. 放送報道

o 매체명: NHK (CH1)

o 프로명: 뉴스해설 (오후 2시:15분간)

o 담당: 시오지마 도시오 해설위원

o 내용요지

- 남북의 유엔가입신청, 73년 동서독의 경우처럼 동시에 처리하게 될 것임.

- 북한은 UN가입을 위해 IAEA와 핵비확산 조약에 조인한다고 약속했으나, 실제로 핵사찰을 최종적으로 수락할 것인지는 미지수.

- 북한은 사실상 한반도에 두개의 국가를 인정하게 됨.

- 유엔을 무대로 남북대화가 진전될 듯.

- 일북교섭의 전제인 핵사찰 수락의사와 유엔동시가입으로 상황이 호전되었으나 교섭이 바로 진전된다고 볼 수는 없음.

0153

원 본

암호수신

외 무 부

종 별 :

번 호 : FUW-0315 일 시 : 91 0807 2045

수 신 : 장관(국연,아일)

발 신 : 주 후쿠오카 총영사

제 목 : 남.북 유엔가입 관련 사설 보고(자료응신:38호)

1. 당지 니시니혼 신문(91.8.7 자)은 남북 유엔가입에 관한 사설을 게재하였는바, 요지 아래 보고함.

-한국의 8.5. 유엔 가입 신청으로 9.17. 남. 북 유엔 개별 동시 가입이 실현 되게된바, 이는 직접적, 적극적 형태라기 보다는 간접적 소극적 형태 이지만, 남북한이 상호 상대방을 인정함으로써 평화공존의 일보를 내딛게 되었으며, 유럽에서 시작된 냉전구조의 붕괴가 이제 아시아도 오고 있으며, 캄보디아 문제의 정치적 해결의 진전등 동아시아에 새로운 기대가 온것을 환영함.

-그러나 낙관만은 할 수 없는바, 북한의 대유엔 정책 전환을 자발적인 것이라기 보다는 한국 외교의 성공에 압도 당한 결과이며, 북한의 일시적 난국 타개책의 일환 이라고도 말할 수 있음.

-북조선 헌법및 노동당 규약은 북조선을 남한 해방 기지로 규정하고 있는바, 한국을 공식 인정하는 것은 노동당이 견지해온 정책기반을 붕괴 시키는 결과가 됨.

-김일성 정권의 종전 일관된 대남 전략 전환 여부는 의문이며, 이러한 측면에서 금번 북한의 대 유엔정책 전환은 전략적이라기 보다 전술적 의미가 내포되어 있다고 볼 수 있음. 북한이 일시적 조치라고 말하더라도 실제 문제로서 원점으로 회귀하는 것은 불가능 한바, 북한은 부득이 종전 하나의 조선에서 2 개의 조선이라는 현실을 인정하지 않을 수 없게 될것임.

-남. 북 유엔 동시 가입은 무력에 의한 베트남형의 통일이 아닌 독일형 통일 형태를 취하고 있다는 점에서 평가하며, 한국도 북한과의 교류에 장애가 되고있는 국가 보안법을 개정, 새로운 관계를 모색 하여야 할것임.

-차제에 일본도 북한과의 국교 정상화에 있어 새로운 시야를 가져야 할 필요가 있음.

국기국 차관 1차보 아주국 외정실 분석관 청와대 안기부

PAGE 1

91.08.07 22:52

외신 2과 통제관 CF

0154

(총영사 최용찬-국장)

외 무 부

종 별 :

번 호 : GEW-1572 일 시 : 91 0808 1400

수 신 : 장관(해신,문홍,구일,정보,국연,기정동문)

발 신 : 주독대사

제 목 : 유엔가입관련기사

주재국 DIE WELT 지는 8.8.자 5면 3단 '남북한,유엔가입 원해' 제하의 동지 동경특파원 FREDLA TROBE 의 기명기사를 통해 남북한의 유엔분리 가입을 아국의 중요한외교적 성과로 평가하는 기사를 게재하였는바 동기 요약 별첨 보고함.

(대사-해공관장)

별첨: GEW(F)-030

공보처 1차보 구주국 국기국 문협국 외정실 안기부

PAGE 1

91.08.08 22:59 DN

외신 1과 통제관

0156

주 독 일 대 사 관

GEW(F) - 030 10808 1400

수 신 : 장 관 (해신. 동총, 구일. 정오. 국연. 기정동본)

발 신 : 주 독 대 사

제 목 : GEW-1572의 별첨

(표지 포함 총 3 매)

1

0157

"남북한, 유엔가입 원해"

(Die Welt, 8.8일, 5면 3단, Fred la Trobe 기고)

지금까지 계속 남북한이 하나의 의석으로 유엔에 가입해야한다고 주장해 오던 북한은 2개월전 갑작스럽 방향전환을 해서, 각각 유엔의 회원이 되는대 동의했다. 한국이 유엔가입신청을 했으며, 유엔총회는 9월중순 남북한 양국을 공히 유엔의 회원국으로 맞게될 것이다.

한국정부는 남북한이 유엔에 분리되어 가입하는 것을 중요한 외교적 성과로 평가하고 있는데, 그 이유는 분리가입을 하게 됨으로써 한국을 불법국가라고 주장해오던 북한의 주장이 모순임이 증명되는 것이고, 어떻게든 한국을 공산화하려는 평양정권의 노력이 힘들어질 것이기 때문이다. 한국정부는 몇년전부터 남북한의 분리가입을 주장해 왔으며, 북한이 끝까지 이를 반대한다면 단독으로 유엔에 가입하겠다는 의지를 보인 바 있다.

북한외교부는 자신들의 방향전환의 이유로 "남한이 단독으로 가입하게되면, 한반도 전체에 관련되는 문제가 국제기구에서 논의될때 좋지 않은 영향을 끼치게 된다"는 점을 들고 있다. 그러나 사실 북한이 방향선회를 한 것은 한국의 유엔 단독가입을 어느 누구도 막을 수 없다는 것이 자명하게 되었기 때문이라고 하겠다.

0158

1990년 한국과 외교관계를 수립한 소련은 한국의 유엔가입지지를 약속한 바 있고, 한국정부와 무역사무소를 교환하고 있는 중국도 안보리에서 한국가입에 대한 거부권을 행사하려고 하지 않았었다. 또한 한.중국간의 외교관계는 단지 시간문제일 뿐이다. 한편 북한으로서는 자신의 핵시설에 대한 국제기구의 조사 수락과 테러행위를 않겠다는 서약을 하지 않는 한 미국과 일본과의 외교관계 수립 전망이 어두운 형편이다.

0159

원 본

외 무 부

종 별 :

번 호 : SUW-0173 일 시 : 91 0808 1530

수 신 : 장 관(국연,문홍,미중)

발 신 : 주 수리남 대사

제 목 : 아국 유엔가입 관련 뉴스방영

1.8.7.주재국 STVS 에서는 저녁뉴스시간에 유엔안보리 남.북한 유엔가입 신청안 채택과 관련하여 노대통령 한.쏘정상회담 광경, 남북고위급회담 광경 및 판문점 회담, 북한 군인사열 모습을 방영하고 남북한이 함께 동시에 유엔에 가입하게 될것이라고 보도하였음을 보고함.끝.

(대사 김교식-국제기국국장)

국기국 1차보 미주국 문협국 외정실 안기부

PAGE 1

91.08.09 09:07 WG

외신 1과 통제관

0160

安保理, 南北韓 유엔가입신청안 채택

내일 전체회의서 가입 권고 매듭

(뉴욕=聯合) 盧政善특파원 = 유엔 안전보장 이사회는 6일 상.하오에 걸쳐 유엔본부내 소회의실 및 안보리회의실에서 비공개와 공개전체회의 및 가입심사위원회를 잇달아 열어 南北韓의 유엔가입신청안을 이의없이 채택하고 8일 다시 전체회의에서 남북한의 유엔가입문제를 매듭짓기로 했다.

8일 상오 안보리 회의실서 열릴 전체회의에서는 남북한의 유엔가입 권고결의안이 채택돼 총회에 보내질 것이 확실하다.

6일의 비공개 및 공개전체회의에서는 남북한의 유엔가입신청에 대한 아말라 리소 안보리의장의 설명을 들은 다음 남북한 가입신청안을 토론, 표결없이 의제로 채택했으며 이날 하오 3시30분(미국동부표준시간. 한국시간 7일 상오4시30분)부터 열린 가입심사위원회에서는 남북한의 유엔가입신청안에 하자가 없음을 확인함으로써 8일 안보리 전체회의에서 남북한의 유엔가입권고결의안이 정식 채택될 것이 분명해졌다.

안보리의 한 회의 참석자는 이날 상오 11시30분부터 25분간 열린 안보리 비공개회의에서 라소의장이 남북한의 유엔가입신청사실을 알린뒤 "남북한의 유엔가입신청을 받아들이는데 이의가 있느냐"고 묻자 李都機 중국대표가 먼저 "이의없다"고 답변했고 토마스 피커링 미국대표가 이어 "이의없다"고 대답, 토론과 표결없이 남북한의 유엔가입신청안이 안보리에서 받아들여졌다고 전했다.

이제 남북한의 유엔가입은 8일의 안보리 가입권고 결의, 9월17일의 총회의결이라는 절차만을 남겨놓고 있다.

이날 안보리회의 및 가입심사위원회회의에는 5개 상임이사국 및 10개 비상임이사국 모두가 참석한 것으로 회의 참석자들은 밝혔다.(끝)

"남북한 신속한 유엔가입 위해 노력"

美국무부 한국 신청 환영 공식 논평

(워싱턴=聯合)박성신 특파원=美 국무부는 6일 남북한의 신속한 유엔가입을 위해 미국 정부가 안보리와 총회에서 노력할 것이라고 밝혔다.

국무부는 이날 한국의 유엔가입 신청과 관련한 공식 논평을 통해 "부시대통령이 제45차 유엔총회 연설에서 밝힌 대로 미국은 한국의 유엔가입을 전폭 지지한다"고 말했다.

0161

이 논평은 유엔 안보리가 이번주 북한의 가입신청과 함께 한국의 신청을 검토할 것이며 남북한의 가입신청은 오는 9월17일 개회되는 제46차 총회에 안보리의 권고문과 함께 상정될 것이라고 말하고 "우리는 안보리와 총회에서 남북한의 신속한 가입 1

외 무 부

종 별 :

번 호 : UKW-1610 일 시 : 91 0808 1600

수 신 : 장관(해기,국연,구일,정총)

발 신 : 주영대사(공)

제 목 : 유엔가입 계기 영국정부 논평

대: 기획 35260-1883

유엔안보리의 남북한 가입 추천과 관련, 남북한 유엔가입에 관한 영국 외무성의공식논평을 아래와 같이 보고함. 동 내용 당지 KBS,MBC,동아일보, 파리 연합통신 특파원에게도 알렸음.

WE WELCOME THE ENTRY OF THE TWO KOREAS INTO THE UNITEDNATIONS.

WE WELCOME ANY STEP THAT IMPROVES THE CHANCES OF THE PEACEFULREUNIFICATION OF THE KOREAN PENINSULA.

WE HOPE THAT NORTH AND SOUTH KOREAN ENTRY INTO THE UNITEDNATIONS WILL CONTRIBUTE TO THIS PROCESS.끝

(대사 이홍구-국장)

공보처 1차보 구주국 국기국 외정실 분석관 안기부

PAGE 1

91.08.09 06:30 DN

외신 1과 통제관

0162

8.8 동북아1과
미서 장관
보고필

남.북한 유엔가입에 대한 일외무성 논평

('91.8.8. 발표)

동북아1과

1. 현지시간 8일 유엔 안전보장이사회는 남북한의 유엔가입에 관한 권고결의를 채택하였음. 이 권고를 받아 9월 17일에 개원되는 제46차 유엔 총회에서 양국의 가입이 승인될 전망임.

2. 남.북한의 정식 가입을 향한 절차가 크게 진전하였다는 것은 극히 기쁜일 일이며, 일본정부로서도 환영하고 있음. 금후 남.북한 동시가입이 실현되어 한반도 정세에 일층 긴장완화가 초래되어 이 지역의 평화와 안정에 크게 기여할 것을 기대하고 있음.

3. 또한 일.북한 국교정상화 교섭과의 관계에서는 5월의 3차회담에 있어서도 북한에 대하여 남.북한 유엔동시가입이 바람직하다는 뜻을 전한적도 있으며 이번 남.북한 동시가입이 실현되게 된 것은, 금년초부터 중단상태였던 남북 총리회담이 8월말에 재개되게 된 것과 더불어 일.북한 국교정상화 교섭의 촉진에 좋은 재료가 될 것으로 생각됨.

0163

〔注： 国連安保理において南北朝鮮の国連加盟に
関する勧告決議が採択された後使用のこと。〕

南北朝鮮国連加盟問題
（外務省コメント）

平成３年８月８日
北東アジア課
国連政策課

１．現地時間８日、国連安全保障理事会は南北朝鮮の国連加盟に関する勧告決議を採択した。右勧告を受け、９月１７日に開会する第４６回国連総会において両国の加盟が承認される見込み。

２．南北朝鮮の正式加盟に向けての手続きが大きく前進したことは、非常に喜ばしいことであり、日本政府としても歓迎している。今後、南北同時加盟が実現し、朝鮮半島情勢に一層の緊張緩和がもたらされ、同地域の平和と安定とに大きく寄与することを期待している。

３．なお、国交正常化交渉との関係では、５月の第３回会談においても、北朝鮮側に対し、南北両朝鮮の国連同時加盟が望ましい旨働きかけてきたところでもあり、今般南北同時加盟が実現の見通しとなったことは、本年初めより中断状態であった南北総理会談が８月末に再開される運びとなったこととも相まって、日朝国交正常化交渉の促進にとりプラス材料となるものと考える。

0164

원 본

외 무 부

종 별 :

번 호 : UNW-2102 일 시 : 91 0808 2100

수 신 : 장 관(국연)

발 신 : 주 유엔 대사

제 목 : 사무총장 동정(남북한 유엔가입)

금 8.8 유엔사무총장은 남북한 유엔가입 권고결의안 채택을 위한 안보리회의 참석에 앞서 남북한 가입에 관한 기자질문에 다음과같이 답변하였음.

Q: WAHT DO YOU SAY TO THE IMPROVEMENT OF THE NORTH/SOUTH KOREAN RELATION SHIP IN CONNECTION WITH THE JOINT MEMBERSHIP OF THE UNITED NATIONS ?

S-G:I THINK THAT THE FACT BOTH WILL BE FULL MEMBER OF THE UNITED NATIONS WILL PROVIDE THEM WITH THE PROPER FRAMEWORKFOR CONTINUING THEIR DISCUSSIONS TO TRY TO SOLVE THEIR PROBLEMS. THE FACT THAT THE TWO KOREAS WILL BE MEMBERS OF THE UNITED NATIONS HELPS TO FURTHER THE UNIVERSALIZATION OF THE ORGANIZATION. WE ARE VERY GLAD AND THIS IS A VERYPOSITIVE DEVELOPMENT. 끝

(대사 노창희-국장대리)

국기국 1차보 청와대 안기부 외정실 분석관

PAGE 1

91.08.09 10:11 WG

외신 1과 통제관

0165

안보리 남.북한 유엔가입권고 결의채택 관련 각국정부 입장(요지)

91. 8. 9

1. 유엔사무총장 (8.8. 안보리 결의채택 직후 기자회견시 언급)

o 남북한의 유엔가입이 남북간 문제해결을 위한 계속적인 협의를 위한 적절한 틀을 마련해 줄 것으로 생각하며, 이는 유엔의 보편성을 증진시키는데에도 도움이 될 것임.

2. 일 본 (8.8자)

o 금번 남북한 유엔가입을 향한 절차가 크게 진전된데 대해 환영함.

o 남.북한 동시가입 실현은 한반도의 긴장을 완화하고, 이지역의 평화와 안정에 크게 기여할 것으로 기대함.

o 남북한 동시가입은 8월말 재개될 남북총리회담과 더불어 일.북한 국교정상화 교섭 촉진에 도움이 될 것으로 봄.

3. 영 국 (8.8자)

o 남북한의 유엔가입을 환영하며, 한반도의 평화적 통일을 촉진시키는 모든 조치를 환영함.

o 남북한의 유엔가입이 이러한 평화적 통일과정에 기여할 수 있기를 기대함.

0166

원 본

외 무 부

암호수신

종 별 : 지 급

번 호 : JAW-4562 일 시 : 91 0809 1156

수 신 : 장관(국연,아일)

발 신 : 주 일 대사(일정)

제 목 : 유엔가입 결의안

1. 유엔 안전보장이사회가 8.8 남북한의 유엔가입을 총회에 권고하는 결의안을 채택한것과 관련, 카이후 총리는 작 8 일 기자 인터뷰에서 '동시가입을 환영한다. 일본으로서도 북한의 자세가 변하도록 하고 있으며, 아시아의 안정을 위해서도 하나의 좋은 재료다. 남북의 고위회담이 빈번히 행해져 긍정적인 변화가 일어날것을 기대한다'고 언급함.

2. 본건관련 외무성측 공식 코멘트는 FAX 기송부함. 끝

(대사 오재희-국장)

국기국	장관	차관	1차보	2차보	아주국	분석관	청와대	안기부

PAGE 1

91.08.09 13:02

외신 2과 통제관 CA

0167

원 본

외 무 부

종 별 :

번 호 : MXW-0967 일 시 : 91 0809 1200

수 신 : 장 관(국연,정보,미중)

발 신 : 주 멕시코 대사

제 목 : 유엔가입신청서 안보리 통과기사

대:AM-0167

1. 대호 유엔가입 신청 안보리 통과 관련 금8.9(금)자 주재국 각일간지는 UN발 UPI, AFP, EFP등 외신인용, 남북한의 유엔 가입신청 권고결의안이 안보리에서 만장일치로 통과되었으며 동 결의안에는 남.북한간 현안문제 해결등 관계개선을 요구하는 권고조항이 삽입되었다고 보도함.

2. 당관은 장관성명을 NOTE로 외무성관계관에 송부함.

(대사이복형-국장)

국기국 1차보 미주국 외정실 안기부

PAGE 1

91.08.10 08:10 WH

외신 1과 통제관

0168

원 본

외 무 부

종 별 :

번 호 : CPW-1967 일 시 : 91 0809 1530

수 신 : 장 관(국연,아이,정보)

발 신 : 주 북경 대표

제 목 : 유엔가입 보도

1. 주재국 중앙 라디오는 금 12시 뉴스에 유엔안보리가 남북한 유엔가입 권고안을 만장일치로 통과시켰다고 보도함.

2. 아울러 동 방송은 과거 남북한의 유엔가입 신청안은 각각 미국 또는 쏘련 때문에 실현될 수 없었다고 언급하고, 금번 유엔가입이 한반도 긴장 완화에 기여할 것이라고 보도함.끝.

(대사 노재원-국장)

국기국 1차보 아주국 외정실 분석관 안기부

PAGE 1

91.08.09 16:44 WG

외신 1과 통제관

0169

원 본

외 무 부

종 별 :

번 호 : SDW-0639 일 시 : 91 0809 1735

수 신 : 장 관(국연,구이,홍보)

발 신 : 주 스웨덴 대사

제 목 : 유엔가입관련 신문사설보고

1.주재국 일간지 SVENSKA DAGBLADET 및 DAGENSNYHETER지는 8.9일자 국제면에 UNSC가남북한 유엔 가입권고안을 가결하였음을 AFP통신을 인용, 2단 및 1단기사로 각각 보도함.

2.특히 동일자 SVENSKA DAGBLADET지는 'THE TWOKOREAS IN THE UN'제하, 아래요지 사설을 게재하였음.

- 남북한의 유엔가입은 2년전에 유럽의 전체주의 정권을 무너뜨리고 냉전을 종식케한 바람이 아시아에 까지도 미치게 하였음을 확인케하는 것임.

- 빈곤한 스탈린주의의 북한과 번영하는 한국간의 대립은 전쟁이 끝난지 40년이지난 지금까지도 계속되고 있지만 앞으로 유엔회원국으로서 양국간에 새로운 교신통로를 가지게 된 것은 여타국가들과 함께 환영하는 바임.

- 북한은 최후순간까지 그들이 UN에서 전체 한국을 대표해야 한다고 고집하다가, 한국과 수교한 쏘련의 반대와 중국까지도 믿을수 없는 상황이 되자 금일의 현실에 굴복하게 된것임.

- 앞으로 점진적으로 관계가 정상화될 가능성도 있겠지만 평양의 독재자가 분단 된 조국을 무력으로 그들의 뜻대로 통일시키겠다는 생각을 버리지 않을수도 있으므로 불행히도 양국이 유엔가입을 통해 가까운 장래에 평화적인 통일의 길을 찾을것 같지 않으며 휴전선 일대에서의 긴장은 당분간 계속될 것으로 보임.

- 북한은 아직도 극동평화에의 위협으로 간주되고 있으며 북한의 핵무기개발에대해 세계가 우려하는 데에는 충분한 이유가 있는 바, 전문가들은 90년대 중반에는북한이 핵무기를 생산할 수 있을 것으로 보고 있으며, 북한은 핵비확산 조약에는 가입하였으며 IAEA와 핵안전협정 체결에 는 동의하였으나 실제로 원자력 시설에 대한사찰을 수락할지는 의문으로 남아있음.

국기국 1차보 구주국 문협국 외정실 안기부

PAGE 1

91.08.10 07:54 WH

외신 1과 통제관

0170

- 사담 후세인은 핵감시 기관을 속이는 일이 얼마나 쉬운일인 지를 우리에게 보 여주고 있는 바, 김일성은 바그다드의 독재자보다 예측이 보다 더 어려운 인물임.끝.

(대사 최동진- 국장)

외 무 부

종 별 :

번 호 : JAW-4577 일 시 : 91 0809 1810

수 신 : 장관(해신,문홍)

발 신 : 주일대사(일공)

제 목 : 유엔가입관련 홍보

1. 당관은 남.북한 유엔 동시가입과 관련,주재국 일간지의 편집국 간부 논설위원,한반도담당 데스크등을 접촉, 배경설명 및 기사밸류를 설명한바, 8.9.자 조간에 6대지에 모두1면 톱기사 및 해설, 특집등을 게재했음.

0 아사히

-1면톱: 대결에서 공존으로

-3면 -시시각각- 란: 남, 환영분위기, 북,눈에띠지 않도록 노력

-6면 전면: 북한, 대일관계에 역점, 현실외교박차, 체제유지 어려움 가중

-7면 5단 톱: 한국, 남.북간 새로운전개 기대,-국가연합- 구상, 정치.경제 구체방안 서둘러

0 요미우리

-1면톱: 대일.대중 국교수립에 박차, 대결에서공존으로

-2면 전면: 동북아정세에 전기

-사설: 유엔에 가입하는 -두개의 한국-

-3면 1/2면: 통일실현 난관, 지금부터 신뢰관계 구축이 관건

0 마이니찌

-1면 톱: 분단 40년, 새로운 시대로

-9면 횡5단: 남.북한, 국제신문대, 외교공세강화

0 상께이

-1면톱: 남.북 유엔동시가입, 실질결정

-2면 4단: 남.북대화에 탄력

-4면 5단: 쏘련, 북의 유연성을 평가

-4면 2단: 북한, 냉담하게 받아들여

공보처 문협국 1차보 외정실 분석관 안기부 국기간약국

PAGE 1 91.08.09 20:39 ED

외신 1과 통제관

0172

0 닛께이

-1면톱: 안보리 결의안 채택

-1면 8단 박스: 통일향한 제3의길 모색

-8면 5단톱: 북한, 개방으로 난국타개

-8면 3단: 한국, 공존에 의한 안정추구, 북에대한 의식변화

-9면 5단: 남.북대화, 교류가속, 불가침등이 초점

0 동경

-1면톱: 공존.공영, 역사적 일보

-3면 -핵심- 란: 유엔 동시가입의 파문

- 6면 1/2면: 남.북한 국력비교, 경제력, 군사력

-7면 1/3면: 동북아 안정의 전기, 우선 전후처리부터

2. 신문별 요지

0 아사히

-한국은 TV 생중계를 하는등 유엔가입을 환영하는 분위기인데 반해 북한은 이를숨기려는 모습이 역력함.

-한국정부 소식통은 북한의 정책전환에 시간이 걸리기 때문에 통일은 곡절을 겪게 되겠지만,-남.북한 국가연합- 은 4-5년 이내에 가능하다는 기대를 하고있음.

0 요미우리

-유엔가입은 남.북관계 뿐만 아니라 금후 한.중,일.북, 미.북간의 국교수립 문제에 커다란 탄력을 띄게되어 한반도를 둘러싼 긴장완화등에공헌할 것으로 기대됨.

-남.북의 유엔동시 가입을 둘러싼 -로비외교- 에서 한국의 -주도면밀- 자세와북한의 -외부세계에 대해 의심- 하는 자세가 대조적으로 부각됨.

-사설: 유엔에 가입하는 -두개의 한국-

북한의 국제환경의 변화에 적응하지 않을수 없었기 때문에 자세를 급전시켜 -두개의 한국-을 인정, 유엔에 가입함. 북한측이 주장한 유엔가입과 두개의 한국이 왜통일에 장애가 되는지 알수가 없었음.

남.북이 국가로서 대화를 진전시키면 핵문제 및군축문제 진전도 기대할수 있음.양국은 유엔을 비난 대립의 장으로 해서는 안됨.

0 마이니찌

-국제무대에 -2개의 한국- 이 정식으로 탄생,양국은 민족의 비원인 통일을

향한신시대로 돌입하게 되었음.

0 상께이

-지금까지 -한개의 한국- 이라는 명북하에 한국에 대한 파괴와 도발의 혁명적 노선을 전개해온 평양과의 평화 개막시대가 개막되지 않을까 하는 기대를 한국은 갖고있음. 만약 북한이-2개의 한국- 용인등, 대외정책의 변화를 대남 및 대내 정책에반영한다면 한국민이 염원하는 평화공존과 남.북 교류를 거쳐 -남.북통일- 이라는전망도 열릴 것임.

0 닛께이

-남.북은 상호의 존재를 공식으로 인정하고 이를 계기로 쌍방의 이익이 되는 테마를 시작으로 대화와 교류를 심화해 나갈것임.

또한 경제교류라는 명목으로 한국의 대북한 경제원조가 본격화될 공산도 큼.

0 동경

-국제사회가 2개의 한국을 인정, 체제를 초월한 크로스 승인에의 움직임이 가속화 되어 동북아 안정, 신질서구축을 촉진시키는 계기가 될것임.평화공존을 위하여는 우선 6.25 전쟁의 전후처리부터 시작해야만 함.

3. 이미 사설을 게재한 아사히, 마이니찌, 요미우리,닛께이 이외 상께이등 2대지도 곧 사설을 게재키로한바, 6대신문 사설요지는 추후 보고 위계임.끝

(공사정형수-관장)

원 본

외 무 부

암 호 수 신

종 별 :

번 호 : FUW-0321 일 시 : 91 0809 2030

수 신 : 장 관(국연,아일)

발 신 : 주 후쿠오카 총영사

제 목 : 남.북 유엔 가입 관련 언론 보도

(자료응신 제 39 호)

1. 당지 니시니혼 신문 8.9. 자는 남. 북 유엔 가입 권고 결의안 체택과 관련 보도하였는바, 요지 아래 보고함.

-금번 유엔 안보리의 남. 북한 유엔 도시 가깁 권고 결의안 체택으로 제 2 차 대전 냉전후 전쟁까지 경험한 남.북한은 대립관계에서 평화통일을 향한 공존공영의 역사적 일보를 내딛게됨. 한편, 금번 유엔 동시 가입의 사실상 확정은 남.북한이라는 2 개의 국가가 공식 인정됨으로서 분단이 고정화될 우려도 강함.

-남. 북 유엔 동시 가입은 북한이 지난 5.17. 종전 단일 의석 노선 정책 변경을 발표한 이래 가속화 되었으며, 확실한 경제력을 배경으로 한 한국측의 북방외교로 인해 북한은 방어적 자세로 종전 유엔 동시 가입 정책을 포기한 것임.

-상기 북한의 유엔 정책 변경과 관련, 북측의 역공세에 대한 한국 외교 소식통은 경계하고 있는바, 예로서 북한이 한반도 비핵화 제안은 한국과 주한미군에 혼란을 야기하기 위한 것으로 보는 견해도 있음. 이러한 측면에서 금후 남. 북한은 여러가지 형태의 평화 공세를 강화, 남북대화의 주도권 확보를 위해 "경합적 남북 공존"에 돌입할 것임.

-한국 내부에는 당초 남북한 유엔 동시 가입과 관련된 조기 통일이라는 기대가 컸지만, 동.서독 예를 보고, 통일 시기 보다는 통일의 방법론이 중요하다는넌중론이 부상되고 있는등, 현실적 인식이 확산되고 있음. 한국측은 금후 정치대화 체널을 확대해 나가면서 스포츠, 문화, 경제교류의 착실한 촉진을 통하여신뢰 관계를 구축 통일의 실마리와 타이밍을 모색해 나갈 것임.

-북한의 유엔 가입이 일.조 국교 정상화에 PLUS 가 될 것이라는 것이 일반적 견해이지만, 단시일내 국교 정상화 교섭이 진전될 만큼 IMPACT 는 될 수 없다는 것이 한국

국기국 장관 차관 1차보 2차보 아주국 외연원 외정실 분석관
청와대 안기부

91.08.09 22:49
외신 2과 통제관 BS

0175

외교가의 관측임. 관심의 촛점은 제 4 차 일.조 국교 교섭 일정 결정과 북한이 교섭에 어떻게 임하는가 하는 것이며, 남북 수상 회담 직후인 금 8월말, 북경에서 개최 될 것으로 전망하고 있음. 그러나, 제 4 차 회담 일정이 결정 되더라도 핵사찰, 배상청구권등 난제가 많아 조기 결론은 용이치 않으며, 금후 한국측의 대일견제, 북한. 소련, 한. 중 관계 개선을 보아 가면서 모색 상태가 계속 될 것임.끝.

(총영사 최용찬-국장)

PAGE 2

0176

원 본

외 무 부

종 별 :

번 호 : YMW-0439　　　　일 시 : 91 0810 1400

수 신 : 장 관(국연,문홍,중동일)

발 신 : 주 예멘 대사

제 목 : 유엔 가입관련 아국 기사

1. 당지 AL-THAWRA지(8.9일자)는 4면 2단 기사로 아국이 유엔 안보리에서 만장일치로 유엔 가입권고 결의안이 채택되었음을 보도하고,9.17 유엔총회에서도 전원일치로 아국의 유엔 가입안이 가결 될 것으로 전망하였음.

2. 아울러 아국은 국제 사회의 평화와 한반도 평화통일을 위해 남.북관계 개선 노력을 배가 할것이며,아국의 유엔 가입 노력에 협조해준 모든 국가에게 사의를 표한다는 이상옥 장관님의 성명서 내용을 요약 보도하였음.

3. 당지 여타의 언론도 유사한 요지의 보도가 있었음을 참고 바람.끝.

(대사 류 지호-국장)

국기국　1차보　중아국　문협국　청와대　안기부

PAGE 1

91.08.11　18:43 DU

외신 1과　통제관

0177

원 본

외 무 부

종 별 :

번 호 : CPW-1978　　　　일 시 : 91 0810 1050

수 신 : 장관(국연,아이,정보)

발 신 : 주북경대표

제 목 : 남북한 유엔가입(언론반응)

1. 금 8.10자 인민일보는 안보리의 남북한 유엔가입 권고 결의안 통과 사실을 안보리 회의장면과 함께 국제란 3단으로 사실 보도하였음.

2. 영문 CHINA DAILY 는 1면 1단으로 보도함.끝.

(대사 노재원-국장)

국기국 1차보 아주국 외정실

PAGE 1

91.08.10 22:59 DQ

외신 1과 통제관

0178

외 무 부

종 별 :

번 호 : HKW-2763 일 시 : 91 0810 1300

수 신 : 장관(해신,아이,국련,기정)

발 신 : ~~주홍콩총~~영사

제 목 : 유엔가입관련 언론반응

대: AO-22

1. 당지 중국계 대공보는 8.10 고정컬럼'종횡담'에 '남북한 유엔가입' 제하 유엔가입신청 안보리 통관 관련 컬럼을 게재함

2.동지는 남북한 유엔동시가입이 한반도 평화유지에 크게 기여할것임을 전망하고북한의 단일의석 포기이유는 소련의 대북 지원중단,아국의 대소 국교 수립, 한.중무역 대표부 교환개설, 아국의 경제발전및 북한의 단일의석 주장이 국제사회에서 지지를 못받았기 때문이라고 분석하였음(원문및 번역문 해공팩스 송부)

3. 여타지 보도상황

0 성도일보(3면3단):안보리 남북한 가입 본회의 건의(사진 1단)

//(3면3단) 남한은 북한과 협력강화 의사 표시

0 문회보(4면3단):안보리 쌍방 가입신청 추천

0 동방일보(2면1단): 남북한 동시가입 안보리 통과.끝

(총영사 정민길-외보부장)

공람	국제기구국	년 월 일	담 당	과 장	심의관	국 장	차관보	차 관	장 관

공보처 1차보 아주국 국기국 외정실 분석관 안기부

PAGE 1

91.08.10 23:36 DQ

외신 1과 통제관

0179

외 무 부

종 별 :

번 호 : HKW-2762　　　　일 시 : 91 0810 1900

수 신 : 장관(아이,국련),기정

발 신 : 주홍콩총영사

제 목 : 남북한 유엔가입관련 중국계 언론 반응

1. 당지 중국계 언론 대공보는 8.10 사설을 통해 남북한 유엔가입 결의안 안보리통과사실을 보도하면서 금후 남북한 유엔가입이 한반도 평화와 아세아 정세안정에 크게 기여할것으로 높이 평가하는 동시 최근 북한 정책변화 배경등에 대해 아래 요지보도함

0 북조선이 과거 단일의석 유엔가입 입장을 바꾸게 된것은 소련의 무력화와 군사경제지원 곤란, 소련및 동구의 남조선과의 관계발전, 중국과 남조선과의 무역대표부설치 등 현실 변화에 순응한것으로 계속 기존 주장을 고집할경우 국제지지를 받지 못함을 물론 더욱 국제고립에 빠질 가능성이 있기 때문임

0 특히 경제면에 있어 남북조선간의 격차가 심화되고(북조선의 국민총생산 규모는 남조선와 10분의1) 소련의 원조없이는 그 곤란이 더욱 가중될것으로 예상되는 가운데 중국의 대외개방및 경제 상황변화도 북한 태도 변화에 큰 영향을 미친것으로 보임

0 지난달 김일성이 평양에서 '일조 우호 촉진 의원 연방방문단 접견시 '금후 조선은 지구가 도는것과 함께 따라 돌것' 이라고 표명한것은 이런 변화를 보여주는것임

0 남북조선 동시 유엔가입이 평양에 미칠 긍정적 요인은 금후 국제무대의 공개 활동을 통해 먼저 일본과 수교하고 대미관계 정상화를 발전시키는 동시 아세안및 이씨와의 경제관계를 촉진시킨다는 점을 들수 있음

0 한편 남북조선의 유엔가입후 미군의 남조선 주둔명분은 상실하게 될것이며, 정전협정도 남북조선이 주체가 된 평화협정으로 변경되고 적절시기에 대다수 조선인이필요하다고 생각할경우 평화통일을 달성할수도 있을것임

0 북조선이 그간 가장 우려하는 바는 남조선이 그 유리한 경제우세를 이용한 서독식 흡수통일이었는바, 금후 북조선이 정치 경제 개혁을 통해 경제발전을

이주국　1차보　국기국　외정실　분석관　안기부

91.08.10 23:36 DQ

외신 1과 통제관

0180

이룩한다면이를 저지할수 있을것이며, 북조선의 유엔가입은 이에 도움이 될것임

2. 한편 신만보는 8.8자 사설을 통해 남북한 유엔가입을 위요한 최근 핵사찰문제에 언급하면서 북한에 대한 요구와 함께 주한미국및 핵무기의 조기철수가 동시에 이루어져야 조선반도의 진정한 안정이 이루어질것이라고 강조함.끝

(총영사 정민길-국장)

수신: 외무부 UN과

발신: 해외공보관 외신과

총 1매

0182

RECEIVED FROM 82 02 733 2237 1991.08.12 09:26 P. 1

安保理 加入勸告決議案 決議契機 美,日,中,소 言論報道

海外公報館 '91.8.9

미국언론

o NYT(8.9일 가판)

- UN가입을 앞둔 남북한

남북한은 유엔 안보리가 이들 양국의 분리 가입안을 만장 일치로 승인함에 따라 유엔 가입을 위한 수십년간의 노력의 마지막 장애물을 제거했음.

남북한은 1945년이래 유엔에서 옵서버 자격으로 있어왔으며, 이들 양국의 이제까지의 유엔 가입시도는 동서 냉전 속에서 좌절되어왔음.

일본언론

o 보도 (8.9일 조간, 각 1면를 취급)

- 아사히 : 대결에서 공존으로

- 요미우리 : 대일.대중, 국교수립에 박차

- 마이니찌 : 분단 40년 새로운 시대로

o 요미우리 社說

남북한 유엔 동시가입은 한반도에 두개의 국가가 존재하는 현실을 유엔이 인지한다는것을 의미함. 이는 한.중 국교를 위한 좋은 계기가 될것이며 북한측으로서도 일.북교섭, 미.북교섭등에서 볼때 나쁜것은 아님. 통일에의 과정으로서 국가연합을 생각하는 한국에게는 커다란 성과임. 주한 유엔사령부 해체, 휴전 협정의 평화협정으로의 전환, 핵문제, 군축 문제 까지도 진전될 것이 기대됨.

o 일본 정부의 환영논평을 요미우리, 마이니찌, 상께이가 각 보도

0183

중국언론

o 홍콩 신만보 (8.8일 칼럼)

- 안보리 금일 남북한 가입안 논의

유엔가입후 평양이 국제핵사찰에 응할지는 확실하지 않음. 평양은 한반도를 비핵지대화 하는것을 정식으로 요구하고 있으며 미국,쏘련 중국이 보증하기를 원하고 있음.

남한내 미군핵을 철수시켜야만 한반도를 비핵화하고 평화안정을 보장하게될 것임.

쏘련언론

o 프라우다 (8.8일, 브세볼로드 오보치니 꼬프記)

- 언제 얼음이 풀릴 것인가

남북한 UN동시가입은 평양의 신축성있는 정책의 결과라고 할수 있음. 이는 북한으로 하여금 미국, 일본과의 관계를 정상화 할수 있는 계기를 줄 것임. 남북한의 국제공동체 가입은 한반도 통일에 도움이 될 것이고 한반도를 비핵지대화 하는데도 역시 기여할 것임.

1992년末까지 조인하기로 제의된 한반도 비핵화 공동선언에 따르면 1년내에 비핵지대화에 위배되는 일체요소들을 척결, 이에대한 미국, 소련, 중국의 보장이 필요할 것임.

국제적 또는 지역적 상황의 변화가 한반도에도 그 영향을 미치고 있는바 남북한간의 대화가 하루속히 해동되길 바람.

0184

南北韓 유엔加入 勸告決議 關聯 外信報道

海外公報館 '91. 8. 10

1. 總括

- 세계 주요 언론은 금번 남북한 유엔 가입이 한반도 긴장완화와 통일에의 전기가 될 것으로 기대
- 남북한 동시 가입결과는 한국의 외교적 성과인 반면, 북한측의 부득이한 상황변화에 대한 굴복으로 평가
- 금번 동시가입이 한반도 정치, 군사 면에서의 주요 이슈에 대한 해결실마리를 제공할 것이며 이에따라 남북한 교차승인으로 발전될 것이 기대되고 있다는 분석
- 한편, 금번계기가 남북한 "대결"에서 "공존"으로의 전환이 당연시된다는 낙관론에 대한 일부, 경계 논평도 있음.

2. 報道現況

4대통신

- 뉴욕 UN본부發 기사 : 아얄라 랏소 안보리의장 성명인용, 남북한 양측 국민과 정부의 열망이 조화롭게 일치된 결과로서, 남북양측은 물론 세계 공동체 사회의 역사적 경사로 언급, 남북한 긴장완화와 통일의 전기로 기대 (AP, AFP, UPI, Reuter, 8.8자)
- 서울發 기사 : 한국민과 한국언론의 환영동정 보도 및 정부성명 인용, 남북한 교류 확대 예견(AP, AFP, UPI, 8.9자)
- 동경發 기사 : 일정부의 환영 성명을 인용, 한반도 평화정착과 남북대화 활성화, 일.북한 수교회담의 진척에 기여할 것으로 분석(AP, AFP, Reuter, 8.9자).

0185

RECEIVED FROM 82 02 733 2237 1991.08.12 09:29 P. 4

국별 언론반응

o 일본

- 보도

. 주요언론은 1면톱으로 일제이 한반도 정치상황이 남북 "대결"의 시대에서 "공존"의 시대로 접어들었다고 평가

- 사설

. 한반도내 두개의 국가가 존재하는 현실을 유엔이 수용한 것으로 주변강대국의 교차승인과 핵문제, 군축, 휴전협정의 평화협정으로 전환 등 현안잇슈해결의 전기가 되길 희망(요미우리, 8.9조간)

. 북한측이 격변한 국제 환경에 굴복한 것으로 남북관계 진전에 대한 낙관론 경계(산께이 8.10조간)

. 남북 공존시대를 여는 역사적 전환의 계기로서 북한은 핵문제의 해결을 통한 북한의 미.일수교를 서두를 것임(도꾜, 8.10조간)

- 해설 : 중.소, 대만 및 남북한 반응분석 (마이니찌, 8.9석간)

. 중국 : 중국의 대한국관계 정상화를 위한 환경정리 기대

. 소련 : 극동개발 진척에 기대

. 대만 : 국제적 고립가속 우려

. 남북한 : 한국-통일의 진일보계기로 크게환영, 북한-냉정한 분위기

o 미국

- 동서냉전 속에 좌절되어 왔던 남북한 양측의 유엔가입이 현실로 닥아옴 (NYT, 8.9자)

- 안보리 결의계기 한국대사의 남북한 통일에의 진일보 언급 인용 환영 보도 (CNN, 8.9자 자정보도)

- 기타 Washington Times(8.9), Chicago Sun Times (8.9), Chicago Tribune등 사실보도

0186

o 영국

- 남북한 양측의 정상적 외교관계의 장애물이 해결된 것으로 평가 (The Economist 8.10-16자판)

- 기타 Financial Times (8.9), The Daily Telegraph(8.9)등 사실보도

o 독일

- 남북한 유엔동시 가입은 한국의 외교적 성과에 대한 북한측 굴복으로 평가. 북한의 대미.일 수교는 북한측의 핵시설 사찰수락과 테러행위 포기 선언 전제하에 가능분석 (Die Welt, 8.8자)

o 중국

- 한반도 평화를 위해 미군핵은 철수 되야함. 한반도 비핵화 문제는 미.소.중국의 보증이 필요함 (홍콩 중국계 신만보 8.8자 컬럼)

o 쏘련

- 남북한 동시 가입은 평양측의 신축성 있는 정책의 산물. 북한의 대미.일 관계정상화 계기희망. 실질적 남북대화 진전 요망(푸라우다 8.8자)

0187

원 본

FAX 정리필

외 무 부

종 별 :

번 호 : SVW(F)-90 일 시 : 9ㅏ

수 신 : 장 관(국연,동구일,정보,사본:주유엔대사 : 중계필)

발 신 : 주 쏘 대사

제 목 : UN가입에관한 TASS논평

TWO KOREAS TO ENTER UN --TASS COMMENT.

9/8 TASS 79

MOSCOW AUGUST 9 TASS-BY TASS POLITICAL NEWS ANALYST ASKOLD BIRUKOV:

AS IT SHOULD HAVE BEEN EXPECTED, THE U.N. SECURITY COUNCIL,CONSIDERING THE APPLICATIONS OF THE DEMOCRATIC PEOPLE'S REPUBLIC OFKOREA AND THE REPUBLIC OF KOREA FOR THE ENTRY TO THE UNITED NATIONS,UNANIMOUSLY RECOMMENDED ON THURSDAY THAT THE U.N. GENERAL ASSEMBLYGRANT U.N. MEMBERSHIP TO BOTH COUNTRIES. THERE ARE NO DOUBTS THATTHEY WILL BE ADMITTED INTO THE UNITED NATIONS IN SEPTEMBER.

THE CHAIRMAN OF THE SECURITY COUNCIL MEETING SAID THAT THE DECISIONIS TRULYHISTORIC. THIS IS REALLY SO AS ONE OF THE LAST CHAPTERS OFTHE COLD WAR IS RUNNING TO A CLOSE. THIS WAS INDICATED ALSO BY THEFACT THAT ALL PARTICIPANTS IN THEMEETING, INCLUDING PERMANENTMEMBERS OF THE SECIRITY COUNCIL UNANIMOUSLY VOTED IN FAVOUR OF THEIRADMISSION INTO THE UNO. AND NOT SO LONG AGO THERE WAS NO UNANIMITY ONTHIS MATTER.

NEW POLITICAL THINKING IS GAINING GROUND. IT SPREAD TO THE EASTERNRIMLANDS OF THE EURASIAN CONTINENT.

IT CAN BE EXPECTED THAT BECOMING FULL-FLEDGED MEMBERS OF THECOMMUNITY OF NATIONS, THE DPRK AND THE REPUBLIC OF KOREA, TOGETHERWITH OTHER COUNTRIES, WILL EXERT EVERY EFFORT TO EASE THEMILITARY-POLITICAL TENSION IN THE KOREAN PENINSULAAND WILL NORMALISERELATIONS BETWEEN THEMSELVES AND WITH OTHER COUNTRIES.

ADMITTING THE TWO KOREAN STATES INTO THE UNITED NATIONS, THE

국기국 구주국 외정실 분석관 장관 차관 청와대 안기부 1차보 2차보

PAGE 1

91.08.12 06:48 FN

외신 1과 통제관

0188

WORLDCOMMUNITYHAS A RIGHT TO HOPE THAT THEY WILL EMBARK WITHOUT DELAY ONTHE WORK TO STRENGTHEN MUTUAL CONFIDENCE AND REMOVE THE OBSTACLES ONTHE ROAD TO PEACEFUL UNIFICATION. IN PYONGYANG AND SEOUL PROPOSALSWERE MADE WHICH, GIVEN GOODWILL AND FLEXIBILITY, COULD SERVE AS AGOOD BASIS FOR THAT.

ON THE OTHER HAND, THE STRENGTHENING OF MUTUAL CONFEDENCE BETWEENTHE NORTH AND SOUTH OF KOREA COULD BE EXTREMELY HELPFUL IN SOLVINGTHE PROBLEM OF MILITARYOPPOSITION IN THE PENINSULA. IT IS AN OPENSECRET THAT THE PENINSULA IS OVERSATURATED WITH ARMS. CUTTING THEM TOTHE LEVEL OF REASONABLE SUFFICIENCY FOR DEFENCE WOULD SUPPLEMENTEFFORTS OF OTHER COUNTRIES ON THIS ROAD.

PYONGYANG'S INITIATIVE TO CREATE A NUCLEAR FREE ZONE IN THE KOREANPENINSULAMERITS SPECIAL ATTENTION. GOING BY SEOUL'S REACTION, THETWO COUNTRIES MAY SOONBEGIN TO DISCUSS IT.

THE U.N. MEMBERSHIP WILL ENABLE THE TWO COUNTRIES OT ENHANCE THEEFFECTIVITYOF THAT ORGANISATION AND TO CONSOLIDATE PEACE ANDSTABILITY IN THE ASIA-PACIFICREGION.

ITEM ENDS

SVW(F) 0098 0810 1200

수신 : 장관 (국연, 동구일, 정보 . 사본: 주유엔대사) - 중계필

발신 : 주쏘대사

제목 : UN 가입에 관한 TASS 논평

.TWO KOREAS TO ENTER UNO -- TASS COMMENT.
9 /8 TASS 79

MOSCOW AUGUST 9 TASS - BY TASS POLITICAL NEWS ANALYST ASKOLD BIRUKOV:

AS IT SHOULD HAVE BEEN EXPECTED, THE U.N. SECURITY COUNCIL, CONSIDERING THE APPLICATIONS OF THE DEMOCRATIC PEOPLE'S REPUBLIC OF KOREA AND THE REPUBLIC OF KOREA FOR THE ENTRY TO THE UNITED NATIONS, UNANIMOUSLY RECOMMENDED ON THURSDAY THAT THE U.N. GENERAL ASSEMBLY GRANT U.N. MEMBERSHIP TO BOTH COUNTRIES. THERE ARE NO DOUBTS THAT THEY WILL BE ADMITTED INTO THE UNITED NATIONS IN SEPTEMBER.

THE CHAIRMAN OF THE SECURITY COUNCIL MEETING SAID THAT THE DECISION IS TRULY HISTORIC. THIS IS REALLY SO AS ONE OF THE LAST CHAPTERS OF THE COLD WAR IS RUNNING TO A CLOSE. THIS WAS INDICATED ALSO BY THE FACT THAT ALL PARTICIPANTS IN THE MEETING, INCLUDING PERMANENT MEMBERS OF THE SECIRITY COUNCIL UNANIMOUSLY VOTED IN FAVOUR OF THEIR ADMISSION INTO THE UNO. AND NOT SO LONG AGO THERE WAS NO UNANIMITY ON THIS MATTER.

NEW POLITICAL THINKING IS GAINING GROUND. IT SPREAD TO THE EASTERN RIMLANDS OF THE EURASIAN CONTINENT.

IT CAN BE EXPECTED THAT BECOMING FULL-FLEDGED MEMBERS OF THE COMMUNITY OF NATIONS, THE DPRK AND THE REPUBLIC OF KOREA, TOGETHER WITH OTHER COUNTRIES, WILL EXERT EVERY EFFORT TO EASE THE MILITARY-POLITICAL TENSION IN THE KOREAN PENINSULA AND WILL NORMALISE RELATIONS BETWEEN THEMSELVES AND WITH OTHER COUNTRIES.

ADMITTING THE TWO KOREAN STATES INTO THE UNITED NATIONS, THE WORLD COMMUNITY HAS A RIGHT TO HOPE THAT THEY WILL EMBARK WITHOUT DELAY ON THE WORK TO STRENGTHEN MUTUAL CONFIDENCE AND REMOVE THE OBSTACLES ON THE ROAD TO PEACEFUL UNIFICATION. IN PYONGYANG AND SEOUL PROPOSALS WERE MADE WHICH, GIVEN GOODWILL AND FLEXIBILITY, COULD SERVE AS A GOOD BASIS FOR THAT.

ON THE OTHER HAND, THE STRENGTHENING OF MUTUAL CONFIDENCE BETWEEN THE NORTH AND SOUTH OF KOREA COULD BE EXTREMELY HELPFUL IN SOLVING THE PROBLEM OF MILITARY OPPOSITION IN THE PENINSULA. [illegible] BEEN NOTED THAT THE PENINSULA IS OVERSATURATED WITH ARMS. CUTTING THEM TO THE LEVEL OF REASONABLE SUFFICIENCY FOR DEFENCE WOULD SUPPLEMENT EFFORTS OF OTHER COUNTRIES ON THIS ROAD.

PYONGYANG'S INITIATIVE TO CREATE A NUCLEAR FREE ZONE IN THE KOREAN PENINSULA MERITS SPECIAL ATTENTION. GOING BY SEOUL'S REACTION, THE TWO COUNTRIES MAY SOON BEGIN TO DISCUSS IT.

THE U.N. MEMBERSHIP WILL ENABLE THE TWO COUNTRIES OT ENHANCE THE EFFECTIVITY OF THAT ORGANISATION AND TO CONSOLIDATE PEACE AND STABILITY IN THE ASIA-PACIFIC REGION.

ITEM ENDS

0190

AUG-11-'91 SUN 13:43 ID:KOREAN EMBASSY TEL NO:095 938 22 30 #204 P01

관리 번호	91 -906

외 무 부

종 별 :

번 호 : JAW-4598 일 시 : 91 0812 1823

수 신 : 장관(해기,해신,문홍)

발 신 : 주 일 대사(일공)

제 목 : 유엔가입 홍보

대:기획 35260-86-1883

연:JAW-4537

관련호 유엔 가입과 관련한 주재국내 홍보 활동을 전개, 주재국 6 대지에 다음과 같이 사설이 게재되었음을 보고함.

1. 사설개재 현황

0 8.7.

-아사히, 마이니찌, 닛께이신문

0 8.9 일

- 요미우리신문

0 8.10 일

-동경, 상께이신문

2. 사설요지

0 아사히

-제목:공전의 시대로 돌입한 한반도

- 요지

. 남, 북한 유엔 공동 가입으로 국제사회의 "평등한 일원"으로서 "공존하는시대"의 막을 올렸음.

. 남, 북한의 유엔을 무대로 안정된 대화 채널을 획득했다는 점에서 의미가 큼. 이것으로 한반도가 평화적 공전"시대로 돌입했다고는 할 수 없지만 8 월 하순 개최 예정인 남, 북 총리회담에 영향을 미칠 것임. 민족의 분단에 역사적 책임이 있는 일본은 물론, 미.쏘.중국이 주변 환경을 조성하는 노력을 보다 적극적으로 전개하기를 희망함.

공보처 문협국 공보처 국기국

PAGE 1

91.08.12 20:49

외신 2과 통제관 CA

0191

0 마이니찌

- 제목: 남. 북의 유엔 가입을 환영함.

- 요지

. 남. 북한 유엔 가입으로 남. 북한이 각각 돼비한 "국가"로서 국제사회에서 인정받게 되었음을 축하함. 우리는 북한이 우려하는 바와 같이 유엔 동시 가입이 분단 고정화로 연결될 것이라고는 생각치 않음. 통일은 한민족의 강력한 열망이며 유엔 가입이 이 열망을 줄어들게 한다고는 생각할 수 없음. 남. 북 양 정부가 분단의 현실을 인식했다고 표명한 것만으로 분단의 고정화를 승인한 것이라고 할 수 없기 때문임. 최근 북한의 남. 북대화 재개, 일.북 국교 교섭 재개 제의 등 일련의 활발한 움직임을 보면 어떤 정책적 중요 결정이 있었음을 엿볼 수 있음. 북한이 독자의 이니셔티브를 쥐고 통일을 진행하고자 한다면 끊임없는 대화를 가져야만 할 것임.

0 요미우리

- 제목: 유엔에 가입하는 "2 개의 한국"

- 요지

. 이번 유엔 동시 가입은 북한이 태도를 일변하여 한국이 바라는 대로 동시가입을 사실상 받아들이게 되어 실현된 것임. 북한의 변화는 동시 가입을 거부한다면 한국만의 단독 가입을 저지할 수 없는 상황이 생겼기 때문임. 요컨데 북한은 국제 환경에 변화에 적응치 않을 수 없었기 때문임. 남. 북의 유엔 동시 가입은 한반도에 두개의 국가가 존재한다는 현실을 유엔이 인정한다는 것을 의미함. 동시 가입 및 두개의 한국을 인정한다는 것이 통일에 장애가 된다는 북한의 주장은 이해할수 없음. 통일은 남. 북의 합의로 달성되어야 하며 남. 북이 상호 국가로서의 존재를 인정하고 안정된 관계 속에서 통일의 길을 모색하는 것이 실제적임.

0 닛께이

-제목:유엔의 장에서 통일 향한 진전을

-요지

. 동시 가입은 한반도의 현상을 솔직하게 인정한다는 것을 의미하며, 이는 남. 북 통일을 방해하기는 커녕 통일을 향해 현실적으로 착실한 전진을 가능하게하는 상황을 만들어 낼 것임. 북한은 그간 한국의 공동 가입 제안 또는 단독 가입의 움직임을 비난해 왔음. 그러나 한국은 굳건한 자세를 무너뜨리지 않고 강행, 북한이 반대를 계속해도 한국 단독 가입 저지가 불가능하다는 판단으로 북한은 가입을 하게 된 것임.

그래도 현재 북한은 한국의 존재를 공식으로 인정한다고 말하지 않고 "하나의 조선" 스로건을 내리지 않고 있음. 이런 의미에서 사태는 지극히 과도기적 단계이며, 금후의 진전은 유엔을 무대로 한 남. 북한의 움직임, 특히 북한이 어느정도 현실을 용인하는가에 달려있음. 우리는 한반도 문제가 유엔의 장에서 토의되고, 긴장완화로 이어지기를 기대함.

0 상께이

-제목:동시 가입 계기로 한반도 안정을

- 요지

. 이번 동시 가입은 여전히 대남 무력 해방 노선을 포기하지 않는 북한에 노선 포기의 국제적 압력을 가하기가 쉽게 되었음을 의미함. 북한이 한국에 대해종래와 같은 적대의식을 맞대놓고 드러내기가 어렵게 될 것임. 적어도 종래보다도 남. 북 무력충돌을 일의키기 어렵게 하는 기능을 하게 될 것임. 그 결과 한반도가 6.25 전쟁후 처음으로 긴장으로 부터 해방될 가능성이 있다는 점에서 환영함. 그러나, 북한으로서 동시 가입은 "국제 환경의 급변"이라는 외압에 의한 것이지 결코 자발적으로 응한 것이 아니라는 점을 생각할때 유엔의 장치는 지극히 미약한 것임. 북한은 금후 국제환경 및 남. 북의 역학 관계가 바뀌면 유엔 헌장등을 간단히 무시하고, 지금보다도 더 격렬하게 한국과의 적대 자세를 노골적으로 드러내지 않는다는 보장이 없음. 이를 방지하기 위하여는 동시 가입을 계기로 당사자 쌍방이 내부적 장치로서 전쟁 재발 방지 기구 같은 것을 조속히 설치해야 함.

0 동경

-제목:새로운 시대를 맞이한 한반도

-요지

."민족분단을 국제적으로 인지하는 것"이라고 반대해 오던 북한이 갑자기 태도를 바꾼것은 한. 소 국교수립, 한. 중 접근이라는 국제정세속에 한국의 단독가입만이 실현되는 경우 북한이 고립 상태에 빠지게 된다는 위기감에서 비롯된것임. 유엔에의 남. 북 동시 가입은 한반도의 평화와 안정을 도모할 수 있다는측면에서 환영함. 이번달 말로 예정된 일.북 교섭에도 남. 북 동시 가입 움직임은 당연히 영향을 미칠 것임. 그러나 핵 사찰 문제에 대해 일본이 그냥 넘겨서는 안됨. 끝.

(공사 정형수-관장)

예고:91.12.31. 까지

91.12.31. 에 예고문에 의거 일반문서로 재분류됨

원 본

외 무 부

종 별 :

번 호 : SVW-2852　　　　　일 시 : 91 0812 2100

수 신 : 장 관(동구일,국연)

발 신 : 주 쏘 대사

제 목 : 유엔가입에대한 주재국 외무성 대변인 논평

주재국 외무성 대변인은 금 8.12(월) 남.북한 유엔가입에 대한 타스통신의 코멘트 요청에 대해 하기와 같이 답변하였음.

'THE SOVIET UNION SUPPORTS THIS DECISION AND EXPRESSES HOPE THAT THE FULL-FLEDGED MEMBERSHIP OF THE TWO KOREAN STATES IN THE UNITED NATIONS WILL HELP LOWER TENSION AND ENHANCE SECURITY ON THE KOREAN PENINSULA, FOSTER AN ATMOSPHERE OF TRUST AND MUTUAL UNDERSTANDING BETWEEN THE NORTH AND SOUTH OF KOREA, DEVELO INTERKOREAN DIALOGUE AND, ULTIMATELY, REUNITE THE COUNTRY.

IT IS OUR CONVICTION THAT THE SIMULTANEOUS ENTRY OF THE DEMOCRATIC PEOPLE'S REPUBLIC OF KOREA AND THE REPUBLIC OF KOREA IN THE UNITED NATIONS WILL RAISE THE INTERNATIONAL PRESTIGE OF BOTH KOREAN STATES AND ACTIVATE THE QUEST FOR WAYS TOWARDS KOREA'S REUNIFICATION.'

(대사공로명-국장)

구주국　1차보　국기국　외정실　분석관　안기부

PAGE 1　　　　91.08.13　08:37 WG

외신 1과 통제관

0194

02 가

외 무 부

종 별 :

번 호 : CLW-0469 일 시 : 90 0813 1700

수 신 : 장 관(의전,미남,국연,기정)

발 신 : 주 콜롬비아 대사

제 목 : 유엔가입 안보리권고 결의안 채택에 대한

주재국 대통령 축전 8.8일자 주재국 GAVIRIA 대통령은 정원식 국무총리 앞으로 아국의 유엔가입 안보리 권고결의안 채택을 축하하는 서한을 당관에 송부했는바 동 서한차주 파편 송부 위계임.

(대사 안영철-의전장)

의전장 1차보 미주국 국기국 외정실 분석관 안기부

PAGE 1 91.08.14 09:08 WG

외신 1과 통제관

0195

Embassy of the United States of America

Seoul, Korea

August 9, 1991

Dear Mr. Minister:

I have the honor to transmit the text of a letter to President Roh from Ambassador Reed, Chief of Protocol which the Embassy received telegraphically.

I would be grateful for your assistance in transmitting the message to the President.

Sincerely,

Donald P. Gregg

Donald P. Gregg
Ambassador

Enclsoure:
Text of letter to President Roh Tae Woo
from President George Bush

His Excellency
Sang-Ock Lee,
Minister of Foreign Affairs
of the Republic of Korea,
Seoul.

0196

Embassy of the United States of America

Seoul, Korea

August 9, 1991

Dear Mr. Minister:

I have the honor to transmit the text of a letter to President Roh from Ambassador Reed, Chief of Protocol which the Embassy received telegraphically.

I would be grateful for your assistance in transmitting the message to the President.

Sincerely,

Donald P. Gregg
Ambassador

Enclsoure:
Text of letter to President Roh Tae Woo
from President George Bush

His Excellency
Sang-Ock Lee,
Minister of Foreign Affairs
of the Republic of Korea,
Seoul.

0197

Dear Mr. President:

Congratulations on the Republic of Korea becoming a full member of the United Nations. It was my privilege during my time at the United Nations to have watched your nation's progress with the application and I take special pleasure and pride in seeing that this national goal was achieved today. I look forward to seeing you at the Parliament of Man in September. With admiration and appreciation.

Respectfully,

Joseph Verner Reed
Ambassador

0198

가

주 고 오 베 총 영 사 관

주고오베(정) 20333 - 616 　　　　　　　　　　 1991. 8. 13

수 신 : 외무부장관

참 조 : 외교정책기획실장, 국제기구조약국장, 문화협력국장

제 목 : 남북한 유엔가입 권고 결의 관련 기사 송부

당지 고오베 신문은 남북한의 유엔가입 관련, 사설 및 기사를 별첨과 같이 게재하였는바, 동 기사 전문을 별첨 송부합니다.

첨 부 : 관련기사 전문사본 1부 끝.

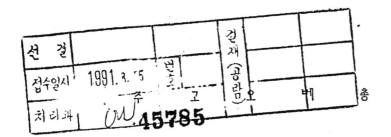

발송 1991. 8. 14 주고오베총영사관

선 결			결재 (공람)		
접수일시	1991. 8. 15	번호			
처리과		45785			

주 고 오 베 총 영 사

0193

平成3年(1991年)8月7日 水曜日 神戸新聞

社説

国連加盟で南北積極対話を

朝鮮民主主義人民共和国（北朝鮮）が七月初め国連に加盟申請したのに続き、韓国政府も六日、国連への加盟申請書を提出した。

予定されていた通り、加盟申請がそろったことによって、南北の国連加盟は、すぐにも安全保障理事会で勧告決議され、九月十七日の第四十六回国連総会初日に正式承認される見通しである。

韓国と北朝鮮がともに国連に加盟することは、相互に国際社会での地位を認め合うことになり、両者が国際的な共存の時代に入ったことを意味する。

第二次世界大戦直後からの朝鮮半島分断史が、ようやく冷戦の終結によって、民族の悲願である統一に向け、一歩前進の段階に入ったことを喜びたい。

国連への同時加盟が実現すれば、北朝鮮は日本と米国との関係を改善し、既にソ連との正常化を果たしている韓国としては、中国との国交樹立を目指すことになろう。

そうなれば、これまで朝鮮半島の分断をめぐって対立関係にあったソ連、中国と日本、米国とが相互に南北朝鮮を認め合う、いわゆるクロス承認への動きを加速する可能性がある。

冷戦対決構造の化石といわれてきた韓国と北朝鮮が、ここに来てやっと、冷戦構造から脱して、国際的地位を築き、そのうえで、南北の統一を促進するための共通基盤を持ち得たことは、対立の時代が長かっただけに、感慨深いものがある。

南北統一の話し合いが、武力解放論や相手の社会制度を認めない「一国一制度の主張に代わって、相互に体制を認め合う「一国二制度による連邦構想へと、より現実的になったのは、七〇年代に入ってからのことだ。

この二制度論にしても、二制度を永続的なものとするか、過渡的なものとするか、なお対立点を残している。

例年、春の米韓軍事演習を機に南北会談が不調に陥り、秋を迎えると一定の前進をみてきたが、ことしこそ、国連加盟を機に、実りある南北会談を期待したいものである。

当面は、北朝鮮の核査察問題と朝鮮半島の非核化、そして在韓米軍をめぐる問題が焦点だ。

北朝鮮にとっては、日米両国との関係改善を図り、国際社会での地歩を固めるには、核査察問題のすみやかな前進が必要なのではあるまいか。

韓国としても、極東アジアの安全保障を視野に入れつつ、日米両国との協議はもちろん、中国との折衝が重要になってこよう。

南北の国連加盟を機に、韓国や北朝鮮はもちろん、関係諸国は、アジアでの冷戦終結と朝鮮半島の安定化に本腰を入れたい。

そのさい、日朝正常化交渉をはじめ、わが国が重要な課題を負っているのは言うまでもあるまい。

0200

神戸新聞

平成3年(1991年)8月12日 月曜日　国際　15版（6）

南北国連同時加盟　●上

「対決」一転「共存」へ

韓国の積極外交が成功

0201

国連安保理が八日、韓国と朝鮮民主主義人民共和国（北朝鮮）の国連加盟を総会に勧告する決議を採択した直後、韓国の盧昌熹、北朝鮮の朴吉淵・両国連オブザーバー大使は互いに歩み寄り、がっちり握手を交わした。南北朝鮮が国連を舞台に、これまでの「対決」から「共存」へ第一歩を踏み出したことを象徴する瞬間だった。

安保理の勧告決議により韓国と北朝鮮は来月十七日の国連総会で国連に同時加盟することが正式に決まった。北朝鮮が百六十番目、韓国が百六十一番目の加盟国となる。

一九四五年の解放から分断、朝鮮戦争（五〇―五三年）、そして対立を続けてきた南北朝鮮が国連にようやくそろって加盟することで、朝鮮半島情勢は新たな局面を迎えた。

八カ月前、韓国の元首として初めてモスクワを訪問し、韓ソ首脳会談を行った盧泰愚大統領は「モスクワへの広い道が開かれた以上、平壌への道が開かれるのは時間の問題だ」と語った。北朝鮮が事実上「一つの朝鮮」政策を放棄し、国連加盟へ外交政策を大転換させた最大の要因は、韓ソ国交樹立や中韓接近など社会主義国との交流を目指した韓国の「北方政策」が成功した結果だといえよう。

南北の国連加盟は、対中国交へ向けた韓国の外交努力を加速化させるとともに、中国側にとっても、南北が国際舞台に「二つの国家」として登場したことで、北朝鮮の非難を避けながら韓国と国交を結べる新たな状況をつくり出した。

中韓国交の行方は、日朝国交正常化交渉や米朝関係の進展とも連動するが、北朝鮮の国連加盟で日朝、米朝関係の進展も予想されており、これが中韓国交樹立に弾みをつけることになろう。

南北の国連加盟により今後の焦点になるのが朝鮮戦争の休戦協定から平和協定への転換。盧大統領は平和協定への転換を北朝鮮側と協議していく方針を九月の国連総会での演説で打ち出すという。また韓国側は北朝鮮が提案した朝鮮半島の非核地帯化構想でも米国側と協議するなど、緊張緩和に向けた動きが本格化しつつあるようだ。

南北経済交流では、南北間の貿易額（大半は間接貿易）がことしに入って七月末までに前年同期比十一・七倍の九千四百万ドルを記録するほど活発化している。

今後の南北協力も、朴哲彦体育青少年相が「北の金剛山と南の雪岳山を結び、観光特区として開発する問題を南北間で協議中」と明らかにしたほか、北で計画中と伝えられる清津の経済特区への進出に多くの韓国企業が関心を寄せている。

韓国政府は今月二十七日から平壌で開かれる第四回南北首相会談で北側に経済交流を改めて呼び掛ける一方、経済交流の前提となる南北間の人的往来や物的交流を保障する「三通（通行、通信、通商）協定」を、北側が強く主張する南北不可侵宣言の採択とともに締結するよう、北側に働きかける方針だ。

韓国としては"追い風"の中で迎えた南北国連同時加盟を契機に、米国、日本と緊密な連携を取りながら、力で北朝鮮を追い込むのではなく「兄」（盧大統領）として北朝鮮の開放化を促していきたいところだ。

しかし専門家の中には、韓ソ国交や国連加盟をはじめ韓国政府がこれまであまりにも一方的に北朝鮮を追い詰め外交成果を急ぎ過ぎた、との指摘もある。真の共存時代を開くためには、思い切った信頼回復措置が検討されるべき時期にきたといえよう。（ソウル福島共同記者）

国連安保理で8日、韓国と朝鮮民主主義人民共和国（北朝鮮）の国連加盟が事実上、決まった後、笑みを浮かべる韓国の盧昌熹（左端）、北朝鮮の朴吉淵（右端）の両国連オブザーバー大使（AP＝共同）

神戸新聞
平成3年(1991年)8月13日 火曜日　国際　15版（6）

南北国連同時加盟
●下●
0202

北朝鮮に新たな岐路
否めぬ統一政策の後退

国連安保理が韓国と朝鮮民主主義人民共和国（北朝鮮）の国連加盟を勧告する決議をした八日、平壌では八日から九日にかけて朝鮮労働党機関紙労働新聞やテレビは「国連加盟」のニュースを全く伝えず、沈黙した。韓国のマスコミの大々的な報道ぶりとはあまりにも対照的だった。

「祖国統一」を最重要課題とし、南北の国連同時加盟を「南北分断を固定するもの」と強く反対してきた北朝鮮にとって、国連同時加盟が本意でなかったとの思いがマスコミの「沈黙」の中ににじみ出ている。

東西冷戦体制の崩壊に続く新国際秩序の潮流は、朝鮮半島にも押し寄せつつある。南北朝鮮の国連への同時加盟はこの潮流に沿ったものであり、北朝鮮は国際社会の表舞台に出ることで新たな岐路に立たされたと言えよう。

「わが国も地球上の一つの国として、地球の動きに合わせていく」。北朝鮮の金日成主席は先月二十四日、訪朝した日朝友好促進議員連盟にこう述べ、国連加盟を前に「現実的政策」への転換を示した。金主席はその一方で「社会主義の旗印だけは守る」とも強調した。

金主席のこうした発言の背景には、ソ連、東欧での改革による社会主義国の離脱が挙げられる。南北分断状況の下で独自の社会主義路線を歩む北朝鮮にとって「社会主義圏の崩壊」は極めて厳しい現実となった。

こうした情勢下で、韓国の対ソ国交樹立、対中接近に対抗して打ち出したのが対日国交正常化や対米関係改善。「二つの朝鮮」に反対しつつも現実の外交路線は「二つの朝鮮」へと事実上踏み出した。

南北統一政策でも変化を見せつつある。金主席はことし一月、連邦制統一案で南北の「地域的自治政府」により大きな権限を与える考えを示した。さらに五月の第三回日朝国交正常化交渉でも北朝鮮側は、管轄権は北側のみとした。「朝鮮は一つ」の主張は徐々に後退しつつあった。

南北朝鮮の国連同時加盟は韓国の単独加盟が現実化したための「一時的難局の打開」（五月の北朝鮮外務省声明）としても、国際社会では「二つの朝鮮」の認知となる。

韓国は「南北二つの国家」を前提に国家連合形態を経ての統一案を提唱しているが、北朝鮮の連邦制統一案は「国家連合」統一案と距離を狭めてきている。

その一方で韓国との経済力格差が統一への障害となりつつある。

韓国による統一を防ぎ、統一の主導権を握るには経済力の回復が必要となる。そのためには日朝国交正常化を急がねばならない。第三回日朝交渉決裂後、北朝鮮は日本の求めていた国連加盟、核査察協定受け入れ、南北対話再開を次々と決め、八月末の交渉再開に日本と合意した。九月の核査察協定締結後、実際に核査察を受け入れ、核開発疑惑をぬぐいされるか課題はまだ残るが、方向は定まった。

国連加盟を土台に、西側へも門戸を開くことになった北朝鮮が、国内に及ぶ西側からの「風」にどう対処していくか、新たな問題が起きる可能性もある。

（安尾共同記者）

石井一・日朝友好促進議員連盟会長（左）と会見する朝鮮民主主義人民共和国（北朝鮮）の金日成主席＝7月24日（朝鮮通信＝共同）

南北朝鮮の加盟を採択

国連安保理が勧告決議

来月に「同時」実現

分断から46年ぶり 緊張緩和へ弾み

【ニューヨーク8日共同】国連安全保障理事会は八日、韓国と朝鮮民主主義人民共和国（北朝鮮）から出されていた加盟申請を討議する公式協議を開き、南北朝鮮の国連加盟を総会に勧告する決議を全会一致で採択した。これにより九月の総会で南北朝鮮の同時加盟が実現することが事実上、決まった。南北朝鮮の国連加盟は、南北分断以来四十六年ぶり、双方の初申請以来四十二年ぶりとなる。（7面に関連記事）

分断国家の国連同時加盟は一九七三年の東西ドイツの加盟以来。米国、中国、ソ連を含む安保理理事国の一致した支持の下で両国が国連の舞台に登場することは、東西冷戦の終結を改めて象徴し、南北対話をはじめ朝鮮半島の今後の動きに大きな影響を与えよう。

安保理で同時に加盟勧告が決議される南太平洋の島しょ国、ミクロネシア連邦、マーシャル諸島共和国と併せて、九月十七日に開幕する第四十六回国連総会で、加盟国数は現在の百五十九から一気に四カ国増え百六十三となる。

南北朝鮮の加盟順位は、英語の国名表記が基準となるため北朝鮮が百六十カ国目、韓国が百六十一カ国目となる。

南北同時加盟を約束する安保理決議採択を受けて、両国は秋の総会で活発な国連外交を展開する準備に入る。

韓国と北朝鮮は四十九年以来再三、国連加盟を申請したが、ソ連の拒否権などで認められなかった。

しかし、東西の緊張緩和を背景に韓国は昨年九月にソ連と国交を樹立、中国とも貿易代表部の相互設置を実現した。また北朝鮮も日本との国交正常化交渉をことし一月からスタートさせた。

こうした情勢下で、「分断固定化につながる」として南北の国連同時加盟に反対してきた北朝鮮は五月に一転して国連加盟方針を発表。七月八日に加盟申請をした。同時加盟か単独加盟を表明していた韓国は今月五日に加盟申請した。

国連外交筋は、申請こそ別個となったものの、決議一本化で同時加盟を図るいわゆるドイツ方式が両国の合意で採用されたことに注目している。

0203

南北朝鮮の加盟勧告決議

幕開け迎えた平和共存時代

カギ握る軍縮、核

解説

国連安保理が八日韓国と朝鮮民主主義人民共和国（北朝鮮）の国連加盟を総会に勧告する決議をし、南北同時加盟が事実上決まったことで、南北朝鮮は一九四八年の建国以来続いてきた分断対立状態から「二つの朝鮮」として平和共存へと移行していく出発点に立った。

国際的な認知による南北同時加盟の実現は、朝鮮半島、北東アジアをめぐる国際情勢、南北関係、さらに両国の国内体制にも影響を及ぼすとみられる。今後の焦点は、南北が五三年の朝鮮戦争終結以来現在まで続いている「休戦体制」下での軍事的、政治的な敵対関係と相互不信を実質的な「平和共存の体制」にどのように転換させていくかに絞られる。

「休戦協定」を「平和協定」に切り替えていく問題では、交渉当事者について北側が米朝、南側が南北朝鮮をそれぞれ主張しており立場の開きは大きい。しかし、南北の国連加盟によってこの問題は双方にとって避けて通れない現実的課題になる。

「平和協定」の前提となる南北間の軍備管理、軍縮問題は、これまで双方の宣伝色の強い提案合戦に終始してきた。しかし、既に始まった在韓米軍の段階的撤退や韓ソ国交、韓中接近、そして日朝、米朝の関係改善などの動きの中で現在「南北は軍縮時代の入り口に差しかかっている」（ソウルの軍事専門家）と言える。

これらの中で核心となるのは、北朝鮮の核査察受け入れと核開発放棄の問題で、これと絡んで北側が主張している在韓米軍核の撤収も今後の南北共存体制移行へのカギとなろう。今後南北は、今月二十七日から平壌で開かれる第四回南北首相会談をはじめとする南北対話や交流の積み重ねの中でこれらの問題の解決策を探ることになる。

韓国はまた、南北間の人的往来や通信、物資の交流と信頼醸成を優先させ、北朝鮮の開放化を積極的に促すことを狙っている。北朝鮮は相互不可侵宣言採択など軍事的緊張緩和を優先的に進め、国内体制に影響のある南北交流・開放は極力避けたい立場だ。国連加盟により両国とも現在までの対決思考から脱皮して現実的な姿勢により、対話の中で妥協策を見つけていく努力を迫られる時点に立ったと言えそうだ。（ソウル共同）

国連加盟めぐる南北の歩み

国連加盟をめぐる南北朝鮮の歩みは次の通り。

1948年8月　大韓民国（韓国）政府樹立
48・9　朝鮮民主主義人民共和国（北朝鮮）政府樹立
49　韓国、北朝鮮がそれぞれ初めて国連加盟を申請したが、認められず
50・6　朝鮮戦争ぼっ発
51　韓国、北朝鮮とも再び国連加盟を申請したが、討議されず
53・7　朝鮮戦争の軍事休戦協定に国連軍、北朝鮮、中国が調印。韓国は拒否
72・7　南北共同声明で統一三原則発表
73・6　朴正熙韓国大統領が平和統一外交政策宣言を行い、南北の国連同時加盟方針に踏み切る
80・10　金日成北朝鮮主席が高麗民主連邦共和国を提案し、南北統一後の国連加盟を主張
88・7　盧泰愚韓国大統領が北朝鮮を「善意の同伴者」とする特別宣言を発表
10　盧大統領が韓国大統領として初めて国連総会で演説
90・5・24　金日成主席、統一前の南北単一議席による国連加盟を提案
9・30　韓ソ国交樹立
10・20　中韓貿易代表部の設置に合意
91・1・30　日朝国交正常化交渉がスタート
2・27　韓国、国連単独加盟方針を発表
5・27　北朝鮮、外務省声明で国連加盟方針を表明
7・8　北朝鮮が国連加盟申請
8・5　韓国が国連加盟申請

韓国

特番組み高い関心

【ソウル8日共同】韓国は、国連安保理が八日南北朝鮮の国連加盟を総会に勧告する決議をし、九月総会で南北同時加盟が正式決定することにより、冷戦体制下で厳しい対立を続けてきた朝鮮民主主義人民共和国（北朝鮮）との関係が「平和共存」に向かうことに大きな期待を寄せている。

李昊宰高麗大教授は「南北国連同時加盟で何より重要なのは、南北双方が韓（朝鮮）半島に二つの国があるという現実を認めたということだ。今後もすべての問題を現実を基礎にして解決していくという意味で南北関係改善のスタートになるのでは…」と南北同時加盟の意義を語る。

韓国のKBS、MBC両テレビ局は八日午後九時のニュース時間から九日未明まで特別番組を編成して「安保理通過」を大々的に報道する。MBCは十五人、KBSは十人の取材陣をニューヨークに派遣して「安保理通過」を国連本部前などから生中継するなど関心の高さを示した。

しかし、正式に加盟が決まるのは九月十七日の国連総会とあって、「国連加盟」に対する祝賀行事などは全くなく、市民の反応も比較的クールだった。

北朝鮮

冷静な受け止め方

【平壌8日共同】国連安保理で八日朝鮮民主主義人民共和国（北朝鮮）と韓国の同時加盟が事実上認められたことについて、北朝鮮は冷静にこれを受け止めている。

八日付の朝鮮労働党機関紙、労働新聞や八日夜（日本時間同）の平壌放送などマスコミは、南北の国連同時加盟問題について、論評などを一切報じていない。

北朝鮮は今月十五日前後にソウルで韓国の在野団体と「全民族大会」を計画している。この大会に向け韓国の女子大生が平壌入りして大歓迎を受けており、南北の国連加盟はこうした動きの陰に隠れた格好となっている。

しかし、北朝鮮外務省が五月に国連への加盟方針を既に発表していることもあり、市民は国連加盟についてよく知っている。

四十歳代の男性の団体職員は「南側（韓国）だけが国連の場に出たら、（国際舞台で）一方的にこちらが攻撃される恐れがある」と語る。二十歳代の男性ホテル従業員は「今回の措置（国連加盟）は暫定的なもの。連邦制による統一に努力しなければならず、決して二つの朝鮮を意味するものではない」と強調した。

0204

관리번호	91-905

외 무 부

종 별 :

번 호 : NDW-1298 일 시 : 91 0813 1700

수 신 : 장관(아서,국연)

발 신 : 주 인도 대사

제 목 : 주재국 대통령 이임예방

본직은 8.12 오후 VENKATARAMAN 대통령을 이임예방하였음. 동석상에서 본직이 유엔가입문제 관련, 인도가 남북한의 유엔가입이 바람직하다고 입장을 분명히 취한 것이 중국의 태도, 궁극적으로는 북한의 태도변경에 어떠한 영향을 주었을 것으로 본다 하고 감사를 표시한데 대하여, 동대통령은 보편성원칙에 따라 남북한의 유엔가입은 당연한 것으로 본다고 하고 이제 남북한이 유엔가입을 하게 됨에 따라 유엔의 목적과 이상을 고양시키는데 많은 기여가 있고 또한 양자간의 대화의 촉진을 통하여 한반도의 평화적인 통일이 이룩되기를 바란다고 함. 동대통령은 이어 북한이 현재 폐쇄된 사회주의체제를 유지하고 있으나 국제정세의 추이에 따라 체제변경 내지 자유화라는 현상이 필연적으로 일어날 것으로 본다고 말함. 동대통령은 또한 노대통령에 대한 정중한 안부를 전달하여 줄것을 요망하면서 대통령각하의 인도방문이 실현되었으면 한다는 희망을 피력함.

(대사 김태지-장관)

예고:91.12.31. 까지

91.12.31. 예고문에 의거 일반문서로 재분류

아주국 장관 차관 1차보 2차보 국기국

PAGE 1

91.08.14 00:25

외신 2과 통제관 DO

0205

관리번호	91-4661

Ob , 3

외 무 부

종 별 :

번 호 : CLW-0472 일 시 : 90 0814 1600

수 신 : 장 관(미남,국연,기정)

발 신 : 주 콜롬비아 대사

제 목 : 주재국 외상면담

본직은 금일 JARAMILLO 주재국 외상을 이임 인사차 예방 하였는바, 동인의 주요 언급사항은 다음과 같음.

1. 아국의 유엔가입에 관한 유엔 안보리의 가결은 역사적인 경하할만한 일이며 당연히 유엔회원국이 되어야 하는데 늦은감이 있다고 하고 금추 유엔총회 참석차 9.20 일경 출발 예정이며 주재국 대통령의 유엔연설은 9.27 일에 있을 것이라고 함.

2. 금년 10 월경 일본, 중공등 아시아 지역을 순방 예정이며 동기회에 한국도 방문하고 싶으며 주한 콜롬비아 대사 임명관계는 근일중 결정될 것으로 본다고 함.

(대사 안영철-국장)

예고: 91.12.31. 일반

19 . . . 일반문서로 재분류됨

미주국	차관	1차보	2차보	국기국	분석관	청와대	안기부

PAGE 1 91.08.15 08:00

외신 2과 통제관 DO

0206

외 무 부

종 별 :

번 호 : THW-1665　　　　　　　　　　일 시 : 91 0814 0830

수 신 : 장 관(해신,정홍,아동,정보,기정)

발 신 : 주 태국 대사

제 목 : 한반도 냉전종식 사설및 유엔가입관련기사 추가 보고

1. 주재국 영자신문 8.13자 THE NATION 지는 최근 남.북한 유엔가입 안보리 통과 관련 'END THECOLD WAR ON THE KOREAN PENINSULA' 제하,2단 30CM 크기사설게재 함. 사설내용 아래와 같이 요약보고함

0 극동은 중국, 소련 그리고 한.일과 군사적인 동맹관계에 있는 미국의 안보관계가 걸려있는 지역이며 남.북한은 휴전이후 전쟁도 평화도 아닌 상태로 남아있음. 북한은 미국의 핵무기 배치를 주장하면서 군비증강을 계속해 왔으며 핵무기 생산기술 능력을 개발할 정도로 IAEA 조사단 파견에까지 이르고 있는 상태임.그러나 냉전종식이후 평화관계를 발전시켜 적대감 해소를 위해 세계가 노력하고 있는 가운데 한국의 노태우대통령과 고르바초프는 외교관계를 수립했으며 한국과 중국 그리고 북한과 일본은 각기 외교정상화를 적극 추진하고 있음

0 8월말 남.북한 총리회담이 재개되며 바르세로나 올림픽에 단일팀 구성을 모색하고 있고 현대, 대우, 삼성등 한국의 대기업이 북한투자에 큰 관심을 표명하고 있음. 더욱 중요한 것은 오랜동안 한국이 주장하고 노력해온 결과로 남.북한 유엔가입이 안보리에서 만장일치로 통과된것임. 유엔가입후 유엔 테두리 안에서 북한은 급진정책을 완화하고 통일을 이룩할때까지 한국과 함께 평화공존을 위해 노력 해야할 것임

0 지난주 일본 가이후 중국 방문시 중국수상은 핵확산 금지조약에 서명키로 결정했다고 밝힌바 있어 북한에 크게 영향을 미칠것으로 예상되며 또한 일본은 대외경제원조와 세계평화질서를 연계시킨바 있음. 오는 8월말 남.북한 총리회담시 한국은 남북한 정상회담을 제의할 계획임. 이것은 극히 논리적인 제안으로 북한은 마땅히 응해야함. 남 북한 정상회담은 냉전종식후 유럽에 많은 고무적 변화가 있었듯이 한반도 냉전종식에 중요한것임 (기사원본 파편 송부함)

공보처　1차보　아주국　국기국　문협국　외정실　안기부

PAGE 1

91.08.14　13:58 WG
외신 1과 통제관

0207

2. 주재국 현지어 신문 SIAM RATH 지 8.12자 리포트난은 남.북한 유엔가입 안보리통과 관련'THETWO KOREAS AND THE SEATS IN UN' 제하, 동지 외신부장 CHAIWAT 기고문을 게재함. 또한 8.10자 DAILYMIRROR 지도 ' UN SECURITY COUNCIL AGREED TO ACCEPT THETWO KOREAS' 제하기사 외신 종합보도함

. (대사 정 주년-관장)

PAGE 2

0208

외 무 부

종 별 :

번 호 : COW-0345 일 시 : 91 0816 1730

수 신 : 장 관(문홍,미중)

발 신 : 주 코스타리카 대사

제 목 : 유엔가입 관련기사

주재국 유력 석간지 LA PRENSA LIBRE (8.14일자)지는'DECISION DEL PRESIDENTE ROH TAE-WOO, COREA IN GRESARA A LAONU' 제하에 대통령 존영 (6X7.5CM)과 함께아래 요지보 도함.

0 외교 소식통에 의하면 한국정부는 노태우 대통령의 영도로 유엔에 가입하게 되었음

0 한국은 유엔가입으로 곧 유엔에서 합법적인 지위를 차지할 수 있게 되었음

- 한국은 세계 146개국과 외교관계를 갖고있으며 세계 12대 교역국임.끝.

(대사 김창근-국장)

문협국 1차보 미주국 국기국 안기부

91.08.17 10:26 WG

외신 1과 통제관

0209

관리 번호 91-915

외 무 부

종 별 :

번 호 : JMW-0390 일 시 : 91 0814 1200

수 신 : 장관(미중,국연)

발 신 : 주 자메이카 대사

제 목 : 유엔가입 관련기사

1. 주재국 일간지 DAILY GLEANER 는 당관이 제공한 유엔가입관련 배경 설명자료에 의거,8.13 자로 "남북한 유엔가입"이라는 제하의 논평기사를 게재하였는바, 동 기사는 남북한 유엔가입 실현은 한국 북방외교의 성과이며 이를 통해 남북한간 협력 교류에 의거한 평화통일 전망이 더욱 밝아졌다고 평가함.

2. 동 기사전문 파편 송부함. 끝.

(대사 김석현-국장)

예고:91.12.31 일반

91.12.31

미주국 국기국

PAGE 1

91.08.15 07:38

외신 2과 통제관 DO

0210

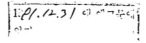

관리 번호 91-4686

외 무 부

종 별 :

번 호 : ZRW-0451 일 시 : 91 0816 1000

수 신 : 장관(아프이,국연,경이,외정)

발 신 : 주 자이르 대사

제 목 : 신임 외무장관 면담보고

대:WZR-0263, WAFM-48, AM-158

연:ZRW-0426

본직은 금일 8.15(목) 12:30 신임 IPOTO EYEBU BAKAND'AZI 외무부장관을 예방 면담하였기에 아래보고함.(MANGAYA 장관 정치, 외교담당보좌관, 이서기관 배석)

1. 본직은 우선 동장관의 취임을 축하하고, 아울러 장관님의 따뜻한 안부와축하의 뜻을 전하고 금번 한국 유엔가입에 대하여 주재국의 전폭적 지지에 사의를 표하였으며, 이후도 계속적인 지지를 당부하고 특히 9.2-7 동안 가나 아크라에서 열리는 비동맹 외상회의에서 주재국의 적극적 지원은 물론 타국가에도 주재국의 영향력을 발휘, 아측입장을 지원토록 하여줄것을 요청하였음

2. 동장관은 아국이 주장한대로 남북한 유엔가입안이 안보리를 만장일치로 통과한것을 환영한다하며, 북한이 종전의 그들 주장을 버리고 유엔가입을 결정한것은 아국의 평화통일정책에 대한 국제적 지지분위기및 북방정책 성공에대한 당연한 결과이며, 오는 비동맹외상회의에는 본인이 직접 참여하는 만큼 아국입장을적극지원하겠다 약속하였음

3. 아울러 동장관은 한국은 아세아에서 일본에 이어 경제발전에 성공한 나라인만큼 한국의 기술, 경험등을 주재국의 어려운 경제문제를 해결하기 위해 공여해줄것을 요청하였는바, 본직은 이를위해 금년에도 이미 4 명의 주재국 연수생이 아국에서 연수중이며, 아국의 콤퓨터 전문가 파견계획과 서울대에서 교육학 박사학위를 받고 귀국하는 자이르 학생에대해 설명하고 아국의 무상원조사업에 대해 언급한바, 동장관은 이에 사의를 표하며 계속적인 협력관계가 이루어지기를희망하였음. 끝으로 본직은 현재 진행중인 국민회의가 성공리에 끝나 자이르의정치적, 경제적 발전에 이바지할것을 언급하였음

중아국 청와대	장관	차관	1차보	2차보	국기국	경제국	외정실	분석관

91.08.16 21:43

외신 2과 통제관 CH

0211

4. 동장관은 하루빨리 독일의 경우와같이 한국도 통일되기를 기원하며, 유엔가입등 장관님의 외교적 성과를 축하하고 장관님께 각별한 안부 말씀을 전해달라고 첨언하였음

끝.

예고:91.12.31. 일반

(대사 홍승호-국장)

1991.12.31. 에 예고문에 의거 일반문서로 재분류됨

PAGE 2

0212

안보리 남북한 유엔가입 결정관련 국내 언론보도 내용(요지)

91. 8. 20.

유엔 안보리의 남.북한 유엔가입 결정관련, 91.8.4-8.9간 국내 주요 일간지 사설, 해설등 주요 보도내용을 아래 보고합니다.

1. 국내 언론보도 주제

- o 남.북한 유엔가입 의의 (외교적 성과, 국제적 위상 제고등)
- o 유엔가입 자축 국내분위기 지적 및 우리의 외교대책 검토 필요
- o 유엔가입 이후 남북한관계 및 동북아지역 정세 전망

2. 주요 보도내용

- o "유엔가입은 한국의 국제적 위상을 높이게 될 것임." (8.5. 매일경제)
- o "냉전외교에 종지부를 찍는 것이며, 평화공존의 새지평을 열게 되었음." (8.7. 한국일보)
- o "유엔가입을 들뜬 분위기속에서 자축할 것이 아니라, 회원국으로서의 의무를 다하기 위한 대처방안을 수립해야 함." (8.7. 중앙일보)
- o "유엔가입 자체가 목적이 될수는 없으며, 앞으로 할일은 통일과 민족번영을 위해 유엔이라는 무대를 어떻게 선용할 것인가임." (8.7. 내외경제)
- o "북한은 당장 화합과 협력의 자세로 나오기는 어려울 것이나, 장기적으로 전반적인 국제분위기와 유엔내의 기류에 역행할 수는 없음." (8.8. 국민일보)

공람	국제연합과	91년 9월 20일	담당	과장	국장	차관보	차관	장관
			김성원	[illegible]	[illegible]	[illegible]	[illegible]	

0213

o "남북한의 유엔가입은 우리의 안보체제를 재점검하는 계기가 되어야 함. 한.미 안보체제의 건전한 유지없이는 북한과의 평화공존을 주도적으로 이끌어 나갈 수 없음." (8.9. 세계일보)

o "남북한은 유엔의 마당에서 협력의 시대를 열어야 함. 유엔 가입은 공존의 출발을 의미하고, 공존이야말로 평화의 조건이며 통일의 지름길임." (8.9. 동아일보)

o "한.중, 일.북관계개선 가속화가 예상됨. 동북아정세의 변화는 남북관계 개선을 촉진시킬 것임." (8.9. 한국일보)

첨 부 : 국내 언론동향 1부. 끝.

0214

국내 언론동향

(91.8.4-91.8.9)

일 자	매 체 명	주 요 내 용
8.4(일)	한국 2면	8.8. 안보리, 남북한 유엔가입 권고결의안 일괄 채택 예정임.
8.5(월)	서울사설	o 남북한 유엔가입은 유엔의 활용여하에 따라 한반도문제 해결의 기반인 "평화체제의 설정"에 많은 계기를 가져다 줄 수 있을 것임. o 한반도 비핵지대화, 휴전협정의 평화협정으로의 대체, 북한의 핵사찰문제, 핵협상 당사자 원칙 등 일련의 맞물리는 문제의 해결을 통하여 한반도 평화체제가 설정될 것임.
	매일경제 3면 "유엔가입... 한반도 새기류"	o 유엔가입은 한국의 국제적 위상을 높이는 동시에 그에 따른 부담도 증대시킴을 의미함. o 국제적 지위향상이 현실적인 이해관계로 얼마나 구체화 될지 여부는 외교역량에 의해 결정될 것으로 봄. o 유엔가입은 남북한관계가 보다 정상적인 관계로 발전되는 계기가 될 것임. o 또한 타의든 자의든 북한의 대외개방 및 대남 정책의 변화를 동반할 가능성이 높음. - UNDP를 통한 두만강 유역개발은 그 실례 o 대내적으로 군축, 핵문제 논의가 본격화될 것임.
	중앙 3면 "막오른 남북 유엔시대"	o 한국의 현 국제적 비중에 비추어 볼때 유엔 회원국이 된다는 것 자체가 별다른 의미를 갖는 것은 아니며, 오히려 보편성원칙에 비추어 볼때 뒤늦은감이 있음. o 당당한 국제사회의 일원으로 국익 추구에 있어서 독자적인 목소리로 대처하게 됨. o 냉전체제의 마지막 종언, 한반도의 안정성 확보로 평가됨.

0215

일 자	매 체 명	주 요 내 용
8.5(월)		o 유엔가입은 권리 및 의무도 수반함. (무력불사용, 분쟁의 평화적 해결, 유엔활동의 지원등) o 남북한간의 상호 실체 인정 및 평화통일의 기반마련의 계기가 됨. o 북한은 독일식 흡수통일에 두려움을 나타내고 있으며 과거의 공격적인 "하나의 조선"정책이 아니라 사실상 현상유지 정책을 기초로 하고 있다고 봄. o 북한은 총회 및 제1위등에서 정치선전적인 공세를 시도할 것으로 보임.(비핵지대화, 불가침선언 채택등) o 여하튼 북한의 대외교류 확대는 보다 현실적인 정책에로의 전환을 가져올 것이며 이는 남북 대화의 진전등 통일로의 발걸음을 더욱 빠르게 할 것임.
	한겨레 사설 "남북한 유엔 시대의 개막" - 일방적 변화 강요말고 더불어 변화 해야	o 유엔에 있어 남북한관계는 낙관적인 것은 아님. - 양측 다 유엔가입전의 기본틀의 수정, 재조정의 조짐이 없음. - 국가보안법과 노동당 규약의 존속 - 아직도 소모전의 소재가 많음. o 중장기적으로는 비관적인 것은 아님. - 북한가입 결정은 그 자체 큰 변화이며, 이것은 더 큰 변화를 부를 수 있음. - 일방적 변화강요 보다는 더불어 함께 변화해야 할 것임.
	중앙 3면	o 유엔에서의 입장정리가 어려울 것으로 예상되는 분야 - 강대국과 당사국간 이해상충되는 지역 분쟁, 군축과 핵문제등 한반도 상황 - 경제문제 관련 선.후진국간 입장선택 문제 o 쟁점에 따라 연구와 검토가 시급함.

0216

일 자	매 체 명	주 요 내 용
8.6(화)	서울 3면 "남북한이 함께 걷는 유엔시대"	o 국제무대에서 남북이 서로 협력하고 선의의 경쟁을 벌이는 유엔시대의 개막, 분단 46년 사상 획기적인 사건 o 남북한의 화해.협력관계 구축을 통하여 통일을 앞당기는 계기가 될 것으로 기대됨.
	경향 2면 "42년 소모전 일단 마감"	o 유엔을 향한 40여년간의 남북 대결외교와 소모전이 일단 종료
	경향 사설	o 냉전청산의 국제조류에 마지막 티켓 o 사실상 실체 인정과 평화통일의 새로운 환경마련 o 그러나 유엔가입은 한반도 정세안정의 절대적 보증수단이 아니라는 점을 통일 실현시까지 유념, - 유엔내에서의 북한 활동 예의주시 필요 - 남북한 평화공존의 보장장치를 강구하는 단계적 준비 - 휴전체제의 평화협정체체로의 전환, 한반도 비핵지대화를 위한 남북한간의 군사적 대립 지양, 미.일.중.소등 주변 4강과의 교차 교류의 심화등에 면밀한 대처 필요
	내외경제 2면 "유엔시대 남북한"	o 분단으로 인한 46년동안의 소모적 상호 적대 해소의의 o "하나의 조선" 논리의 사실상 포기, 한반도내 2개 주권국가의 인정 o 북한이 한반도 통일노선을 유엔정책과 결부시켜 온 점에 비추어, 결국 통일접근 방식의 변화로 연결될 것임. o 북한은 유엔에 가입하면서 남북한의 궁극적 목표인 통일을 두고 현격한 입장차이를 고수, 오히려 이를 유엔이라는 무대로 확대할 수 있다는 점을 경계해야 함. o 유엔가입으로 과거에 비해 남북한간의 관계정립이 현격히 가시화된 만큼, 보다 전향적인 자세로 상호 보완적이 될때 궁극적인 통일의 기틀 조성을 기대할 수 있음.

0217

일 자	매 체 명	주 요 내 용
8.6(화)	한겨레 사설 "남북한 유엔 시대의 개막"	o 유엔에 있어 남북한관계는 상호성이 있기 때문에 서둘러 단정할수는 없음. o 단기적으로 볼때 남북한 동시가입으로 유엔무대는 남북한 각자가 주장하는 통일방안에 대한 불꽃튀는 선전장이 될 가능성이 매우 높음. o 중장기적으로는 국제사회의 책임있는 성원으로서 한반도 분단사에 획기적인 변화를 예고하는 것임. o 남북은 상대방에게 일방적 변화를 강요치 않고 더불어 변화해야 하며, 통일을 향해 진지하게 노력하는 것이 중요함.
	중앙 3면 "막오른 남북 유엔시대" (외교과제)	o 지난 40여년간의 남북대결 외교에서 벗어나 세계적인 시각으로 국제문제에 적극적인 자세로 임해야 함. o 유엔가입을 들뜬 분위기속에서 자축할 것이 아니라, 회원국으로서의 의무를 다하기 위한 외교적 대처방안의 수립, 국가적 경륜의 축적 등에 노력해야 함. o 유엔의 역할이 증대되는 상황에서 유엔가입을 잘 이용하면 국제사회에서의 이미지 제고 및 영향력 확대가 가능함.
	매경 1면 "유엔가입... 한반도 새기류"	o 경제적 측면에서 중장기적으로 긍정적 효과 기대 가능 - UR 협상등 다자간 협상무대에서 선진국과 개도국간의 조정자 역할 및 발언권 강화필요 - 중국, 월남과의 관계정상화 및 경협 추진시 한.소수교시와는 달리 대가없이 소기의 성과 달성 가능 - 남북간 군사적 대결구도의 청산 및 경협 무드 조성으로 방위비 경감 - 북한은 절대주의 경제체제의 실패를 인정, IMF, IBRD, ADB등 국제경제기구에 가입, 우리의 경제개발모델을 접목해 갈 가능성 증대

0218

일 자	매 체 명	주 요 내 용
8.7(수)	중앙경제	o 북방외교의 성공, 유엔가입의 실현 o 국제무대에서 외교강국으로 부각 o 대미 편중외교의 탈피현상 o 자주외교.실리외교의 전기로 삼아야 함.
	한국 사설 "남북한 유엔 시대의 과제"	o 옵서버의 서러움을 벗게 되었으며, 냉전체제 하에서 한국외교가 직면해온 큰 장벽이 제거 되었음. o 남한만의 단독가입이 아닌 남북한 동시가입 이므로 감회가 더큼. o 냉전외교에 종지부, 평화공존의 새지평을 여는 시대가 개막됨. o 대결외교에서 화해외교로, 소모외교에서 생산 외교로, 낭비외교에서 실리외교로 방향전환이 필요함. o 세계는 경제 전쟁시대이며, 우리외교 체제와 외교망을 경제외교 위주로 개편해야 함.
	서울 사설 "유엔가입과 한반도 정세 발전"	o 남북한은 국제무대에서 서로의 이념과 체제를 존중, 평화공존속에 대화와 교류협력 확대 가능함. o 민족문제 해결을 위한 결정은 남북한 양 당사자가 해야하는것이 원칙임. o 북한은 유엔가입을 계기로 먼저 '하나의 조선' 논리와 대남혁명노선의 철회를 국제사회에 공표해야 함. 이는 바로 유엔헌장 의무수락 선언에 합치되는 행동임. o 제4차 남북고위급회담이 정치, 군사적 대치 상태를 크게 해소, 대화와 교류의 폭을 획기적으로 확대하는 계기가 되어야 함.

0219

일 자	매 체 명	주 요 내 용
8.7(수)	내외경제 사설 "남북한 유엔 시대의 개막"	o 남북한 유엔가입은 "어떤변화"의 새출발이며 대결 극복을 위한 "시련의 끝맺음"이 되어야함. o 유엔가입 자체가 목적이 될 수는 없으며 앞으로 할일은 통일과 민족번영을 위해 유엔이란 국제외교무대를 어떻게 선용할 것인가 하는 것임. o 우리는 인내와 끈기로 북한의 변화를 기다리면서 성숙한 전방위 외교로써 유엔에서 우리의 몫을 다하는데 최선의 노력을 기울여야 함. o 유엔의 막차를 탄 마당에 안팎으로 너무 요란을 떨것도 없고 유엔의 권능을 과소평가해서도 않됨.
	세계 1면 (통일여론조사)	o 통일에 약간 도움이 될 것(38.2%) o 전쟁을 억제하고 통일의 촉진제가 될 것(35%) o 긴장을 완화시키겠지만 통일에는 영향 못 미침 (18.4%)
	매경 사설	o 외교.안보, 경제 및 문화영역까지 자주화 다변화의 대유엔활동을 크게 기대함. o 남북간 접촉이 유엔을 통해 공식화, 상설화 되었다는 점에 유념함. o 대화의 창구는 통일을 위한 실질적이고 실효성 있는 방법을 모색하는데 지름길이 될 수 있을 것임.
	중앙 2면 "말많은 한국 유엔가입 행사"	o 정부가 벌이고 있는 유엔가입관련 각종 해프닝과 떠들석한 축하잔치 계획은 유엔 45년동안 들어보지도 있어보지도 않았던 일이 일어나고 있음. 가장 우스운 화제는 기념품 해프닝 o 한국정부는 유엔에 88올림픽때 사용된 큰북 "용고"를 기증 제의했으나 유엔은 너무 크기 때문에 전시가 곤란하다며 사양함. o "용"은 동양에서는 상서로운 것이나 서양에서는 악의 상징이기도 함.

0220

일 자	매 체 명	주 요 내 용
8.7(수)	중앙 3면	o 불안정한 휴전체제를 항구적인 평화체제로 전환해야 함. - 미국을 상대로 평화협정을 체결하려는 북한의 고집이 문제임. (르몽드 8.6자) o 북한의 유엔가입은 외교적 고립과 경제위기를 탈피키 위한 불가피한 선택 o 두개 한국의 유엔가입은 남북한 대립에 종지부를 찍을 것임.
	매일경제 2면	o 북한의 급격변화 속단은 어렵다 - 국제적으로는 "두개의 조선" 입장 고수 (비핵지대화 거론, 민족통일 정치협상회의 주장) o 남측은 기본합의서 채택을 계속 요구, 북한의 대남전략 수정을 촉구 방침
8.8(목)	세계, 시론 (8면) "남북한 유엔 가입 그후문제"	o 사실 유엔가입은 보기에 따라서는 가입하기 전과 조금도 다를 것이 없음. o 그러나 남북의 동시가입은 한반도가 이제 열강의 이념대결의 장에서 벗어났다는 역사적 의미가 큼. o 북한은 유엔가입을 계기로 유엔무대에서 한반도 비핵지대화와 미군철수, 남북간의 군축 등을 주장, 대대적인 선전활동 전개예상됨. o 북한주민의 노예적 상태를 외면한채 북한 당국만을 상대로 대화하고 있을수는 없으며, 북한주민들의 보다 나은 삶을 위해 유엔이나 남북대화를 통해서 적극 노력해야 할때임.
	동아 3면 "남북한 유엔 시대"	o 남북한의 유엔가입은 유엔에 의한 국가승인을 의미하며, 그간 남북간 지속된 대결과 경쟁 분위기 완화는 확실시됨. o 유엔가입으로 얻어지는 "평화"라는 가치가 민족의 당위로서의 "통일"이라는 가치와 반드시 함께 가는 것은 아님.

0221

일 자	매 체 명	주 요 내 용
8.8(목)		o (명지대 김명기교수) "동시 유엔가입으로 한국은 유엔과의 관계에서 두개의 국가로 되고, 분단은 사실상 법적분단이 됨." o 유엔가입으로 서로의 실체를 인정, 평화공존과 긴장완화의 튼튼한 기초를 놓은이상, 이런 흐름은 가속화될 것으로 전망 o 분단극복은 가장 급박하고 절실한 문제가 되고 있으며, 유엔가입이후 남북한간의 실질관계는 당분간 조정기를 갖게될 것임. o 유엔가입후 남북문제는 싫든 좋든 휴전협정 체제의 대체로부터 시작되어야 함.
	국민 사설 "남북한 유엔 가입 거보"	o 북한은 내부체제문제 때문에 당장 화합과 협력의 자세로 나오기는 어려움. 그러나 장기적으로 전반적인 국제적 분위기와 유엔내의 기류에 역행할 수는 없음. o 유엔무대가 양측의 통일방안에 대한 불꽃튀는 선전장이 될 가능성이 높음. o 유엔가입이후 선결과제는 전쟁상태 종결과 기본관계 설정임. 동.서독의 통일방식에서 보듯이 통일의 과정을 단축하기 위해 통일 의지와 역량을 결집해야 함.
	중앙 사설 "유엔, 남북한 협력무대 돼야"	o 유엔가입은 남북한 평화 공존체제 확립과 민족의 번영을 위한 새로운 출발점으로 되어야 함. o 남북한 평화정착과 통일문제는 우리끼리의 문제이므로, 통일문제를 유엔무대로 끌고가는 것은 문제의 국제화를 의미하는 것임. o 북한이 유엔무대에서 주한유엔군 문제, 휴전 협정 대체문제등을 거론한다면 그들이 주장해온 민족문제의 자주적 해결을 위해 외세를 끌어 들이는 결과를 초래할수도 있음.

0222

일 자	매 체 명	주 요 내 용
8.9(금)	경향 사설 "평화협정과 새 방위전략"	o 정부가 핵문제를 포함한 독자적인 방위전략을 수립하고 있는 것은 매우 만족스러운 현상임. o 미.중.소등 주변강국의 한반도 평화보장 선언이 성취돼야 항구적인 평화구조가 정착될 수 있음. o 남북한간의 군사적 신뢰관계가 먼저 확립되어야 함.
	세계 사설 "유엔가입과 한.미동맹"	o 남북한의 유엔가입은 한국의 안보체제를 재점검하는 계기가 되어야 함. o 이 안보체제의 구축은 한.미 동맹임. o 한.미동맹의 건전한 유지없이는 우리가 북한과의 평화공존의 과도기를 주도적으로 이끌어 나갈 수 없을 것임.
	한국 3면	o 한.중, 일.북 관계개선 가속화 예상 o 동북아정세의 변화는 남북관계의 개선속도를 빠르게 할것임.
	한국경제 7면 "유엔가입과 통일전망" (김학준 대통령 정책조사보좌역)	o 남북한 유엔가입은 냉전체제가 마지막 부분마저 붕괴되는 것으로 세계사적 의미를 지님. o 우리겨레의 평화통일을 촉진시키는 결정적 계기를 마련하는 민족사적 의미를 지님. o 한반도내 남북한의 두정치적 실체가 존재함을 국제사회가 공인함을 의미함. o 유엔동시가입이후 남북한관계가 남북한 스스로에 의해 교류와 협력을 확대시키는 방향으로 펼쳐질 것으로 기대됨.
	한겨레 3면	o 남북 상호 국제적 모순을 해결하여 새모습을 보여야 할것 o 냉전시대 상호비방과 우월성 경쟁으로 각기 체체유지하려는 "적대의존"에 대신할 사회 구성 원리를 마련해야 함.

0223

일 자	매 체 명	주 요 내 용
8.9(금)	세계 사설	o 군사적 대결상태 상존 o 새로운 정세가 한국의 기존 안보체제에 불리한 영향을 미쳐서는 안됨. o 유엔사 해체는 평화체제가 확립된 후에 o 평화협정은 우리가 당사자이어야 함. o 비핵지대화라는 이유로 미군의 남한 출입 통제가 된다면 남북간 군사적 균형을 잃는 결과 o 한.미 동맹의 굳건한 바탕위에서 제반 논의가 행해져야 될것임.
	동아 사설 "남북한의 공존시대"	o 남북한은 유엔의 마당에서 협력의 시대를 열어야 함. 유엔가입은 공존의 출발을 의미하고, 공존이야말로 평화의 조건이며 평화정책은 통일의 지름길임. o 지난 42년간 대결과 소모전의 추태가 유엔의 마당에서 재연된다면, 유엔가입의 "역사적인 사건"의 의의도 반감될 것임.

0224

정 리 보 존 문 서 목 록

기록물종류	일반공문서철	등록번호	2020070002	등록일자	2020-07-01
분류번호	731.12	국가코드		보존기간	영구
명 칭	남북한 유엔가입, 1991.9.17. 전41권				
생 산 과	국제연합1과	생산년도	1990~1991	담당그룹	
권 차 명	V.31 총회결의안 공동제안국 지지교섭				
내용목차	* 공동제안국 현황 : 총143개국 * 관련 총회문서 : A/46/L.1/Add.1(1991.9.17)				

0001

관리 번호	91 -3491

	분류번호	보존기간

발 신 전 보

번 호 : WUN-1432 910522 1926 FN 종별 :

수 신 : 주 유엔 대사,총영사

발 신 : 장 관 (국연)

제 목 : 유엔가입추진 (지역그룹의 공동 지지입장 교섭)

대 : UNW-1311, 1295

연 : WUN-1406, 1408, 1409

귀지 각국대표부 접촉시 아국의 유엔가입에 대한 해당국의 개별적 지지확보에 중점을 두고, 지역그룹의 공개 지지입장 표명 문제는 ~~너무~~ ~~적극적으로 추진치는 말기~~ 바람. 끝.

(국제기구조약국장 문동석)

예 고 1991.12.31. 일반고문에 의거 일반문서로 재분류

검 토 필(1991.6.30.)

보안 통제	

앙 고 재	91년 5월 22일	UN과	기안자 성명		과 장		국 장		차 관	장 관

외신과통제

0002

관리 번호	91-2092

원 본

외 무 부

종 별 :

번 호 : COW-0301 일 시 : 91 0709 1720

수 신 : 장 관(국연,미중)

발 신 : 주 코스타리카 대사

제 목 : 외무차관 면담

대:EM-0022

연:1) COW-0275, 2) COW-0271

1. 금 9 일 본직의 CASTRO 외무차관 방문시 아국 유엔가입 추진현황등을 설명하고, 필요시 주재국이 공동제안국이 되어 줄 것을 요청할 것을 검토할 것이라한바, 동 차관은 메모를 하고, 상부와 협의, 협조할 것이라 언급하였음.

2. 또한 현재 PENDING 되고있는 연호 1) 및 2) FAO 및 IAEA 이사국 입후보 지지건도 아직 시일은 있으나 조속 지지 통보하여 줄 것을 희망한다고 한바, 7.15-17 일 개최되는 중미정상회담 준비에 전인력이 투입되고 있는바, 동 회담이 끝나는대로 처리 지시하겠다고 언급하였음. 끝.

(대사 김창근-국장)

예고:91.12.31 일반

예고문에 의거 일반문서로 재분류 (1991.6.30.)

국기국 차관 1차보 미주국

PAGE 1

91.07.10 09:16

외신 2과 통제관 BS

0003

관리 번호	91 -4158

원 본

외 무 부

종 별 : 지 급

번 호 : BVW-0228 일 시 : 91 0710 1000

수 신 : 장관(국연,미남)

발 신 : 주 볼리비아 대사

제 목 : 유엔 가입

볼리비아는 남미대륙의 중심에 위치한 관계로 많은 동 지역 통합기구의 구성국으로 되어있고 77 그룹 의장국임을 고려할 때 아국의 유엔가입 공동제안국 역할을 하기에 적합하다고 사료하며, 특히 최근 양국간의 돈독한 우호관계 및 ITURRALDE 외무장관과의 각별한 개인적 친분관계에 비추어 아국의 유엔가입 공동제안국이 되어주도록 요청하는 경우 호의적 반응을 보일것으로 기대되오니 , 검토해 주시고 회훈 바람. 끝.

(대사 명인세 - 국장)

예고:91.12.31. 일반

국기국 차관 1차보 2차보 미주국

PAGE 1

91.07.10 23:26

외신 2과 통제관 CE

0004

공 란

관리 번호	91-4138

	분류번호	보존기간

발 신 전 보

번 호 : WCO-0130 910713 1438 FN 종별 :

수 신 : 주 코스타리카 대사. 총영사

발 신 : 장 관 (국연)

제 목 : 공동제안국

대 : COW-0301

대호, 주재국의(에 대한) 공동제안국 역할 요청은 본부의 종합검토후 별도 지시가 있을때까지 (더이상 거론)하지 말기바람. 끝.

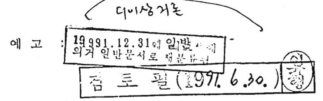

예 고 : 1991.12.31에 일반문서로 재분류 (1991.12.31에 일반 에 의거 일반문서로 재분류)

검 토 필 (1991. 6.30.)

(국제기구조약국장 문동석)

보안 통제	

앙 고 재	91년 7월 13일	유엔과	기안자 성명		과 장	심의관	국 장		차 관	장 관
			(서명)		(서명)	(서명)	전결			(서명)

외신과통제

0006

관리 번호	91-4137

	분류번호	보존기간

발 신 전 보

번 호 : WBV-0175 910713 1215 CT 종별 :

수 신 : 주 볼리비아 대사. ~~총영사~~

발 신 : 장 관 (국연)

제 목 : 공동제안국

대 : BVW-0228

대호, 주재국이(에 대한) 공동제안국 역할 요청은 본부의 종합검토후 별도 지시가 있을때까지 ~~추진~~(거론)하지 말기 바람. 끝.

(국제기구조약국장 문동석)

예고 1991.12.31. 일반 예고문에 의거 일반문서로 재분류

검토필 (1991.6.30.)

보안 통제	(서명)

앙 고 재	91년 7월 13일	유엔과	기안자 성명		과 장	심의관	국 장		차 관	장 관
			(서명)		(서명)	(서명)	전결			(서명)

외신과통제

0007

관리번호 91-4219

원 본

외 무 부

종 별 :

번 호 : CZW-0627　　　　일 시 : 91 0720 2130

수 신 : 장관(국연, 동구이, 경일, 통일)

발 신 : 주 체코대사

제 목 : 외무차관 면담

대:EM-022

1. 본직은 7.19 주재국 ZDENEK PIREK 차관(국제기구.경제담당)을 오찬에 초청, 양국관계.유엔관계 및 남북한 관계등 의견 교환하였음. 특히 북한의 유엔가입 방침결정의 배경, 방침결정후 국내외적인 선전활동, IAEA 원자력 안전조치 협정 수락 및 발효까지 예상되는 문제점, 아측의 대북한대화.교류제안, 총리급회담등 설명하였음(NEJEDLY 국제기구국장, JARES 차관보좌관, 최승호 참사관 동석)

2. 유엔가입절차진행에 관한 차관 문의에 대해 본직은 현재 아국정부가 취하고 있는 국내절차를 설명하고, 필요시 체코가 총회에서 아국가입결의안 공동제안국이 되어 줄 것을 요청하였음. 이에 대해 동차관은 "체코는 항상 한국을 지지할 것"(YOU CAN RELY ON US)이라 하였음.

3. 또한 차관은 원자력 안전조치 협정 체결문제 관련, 북한이 국제적으로 집중적인 압력을 받게 될 것이므로 발효지연, 사찰기피등은 하지 못할 것으로 본다하였음.

4. 아울러 동차관은 현금 체결교섭중인 주재국의 대 EC ASSOCIATON 협정이 93 년경 발효예상되며, 무관세등 EC 시장 진출에 있어 양허적 조항이 다수 규정될 것이므로, 대 EC 진출을 위한 교두보로서 아국기업의 체코부자의 가치가 다대함을 강조하였음. 끝. (대사 선준영- 국장)

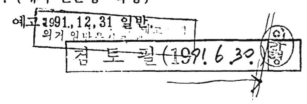

예고:1991.12.31 일반

검 토 필(1991.6.30.)

국기국	차관	1차보	구주국	경제국	통상국	청와대	안기부

PAGE 1　　　　91.07.21 07:09

외신 2과 통제관 CA

0008

관리 번호	91 -4310

원 본

외 무 부

종 별 :

번 호 : SRW-0219　　　　일 시 : 91 0724 1510

수 신 : 장관대리(국연,아프일-사본:주유엔대사(본부중계필))

발 신 : 주 시에라레온 대사대리

제 목 : 유엔가입 추진

대:EM-0022

1. 표제관련, 안보리에서 만일 남북한가입관련 권고결의안이 분리 통과됨으로써 아국가입결의안이 북한것과 별도로 총회에 제출되는 경우에 대비하여, 본직은 그간, 주재국의 공동제안국 역할을 염두에 두고, 주재국 외무부 요로와의 협조관계를 더욱 돈독히 함.

2. 주재국 외무부 H.CONTEH 국제기구국장은, 상기경우 자국이 양국관계를 감안 아국가입결의안의 공동제안국(ONE OF THE PROPOSERS OR COSPONSORS)이 되도록 KOROMA 외무장관의 재가를 받았음을, 금 7.24. 본직에게 통보하여 옴(동 국장으로부터 입수한 장관재가문서 사본 -주재국의 금추 유엔총회 대책중 남북한관련부분- 8.7. 파편 송부함).

(대사대리 전용덕-국장)

예고:91.12.31. 일반고문에 의거 일반문서로 재분류됨

국기국　차관　1차보　중아국

PAGE 1

91.07.25 05:23

외신 2과 통제관 CA

0009

관리 번호	91-4313

	분류번호	보존기간

발 신 전 보

번 호 : WSR-0125 910725 1423 FO 종별 :

수 신 : 주 시에라레온 ♣♣♣.♣♣♣♣♣ 대사대리

발 신 : 장 관 (국연)

제 목 : 유엔가입

대 : SRW-0219

남북한의 유엔가입문제는 (현재로서는) 안보리 및 총회에서 하나의 결의안으로 처리될 것으로 전망되는 바, 주재국에 대한 공동제안국 역할 요청은 별도지시가 있기 전에는 (더이상) 거론하지 말기 바람. 끝.

(국제기구조약국장 문동석)

예고 : 91.12.31. 일반

보안 통제	

앙고재	91년 7월 25일	유엔과	기안자 성명		과 장	심의관	국 장		차 관	장 관

외신과통제

0010

공 란

공 란

공 란

관리 번호 91-4496

원 본

외 무 부

종 별 :

번 호 : JMW-0420 일 시 : 91 0830 1500

수 신 : 장 관(국연,미중) 사본:주유엔대사-중계필

발 신 : 주 자메이카 대사

제 목 : 남북한 유엔가입(공동제안국)

대:WJM-0226

본직은 금 8.30 주재국 외무부 E.CARR 극동국장에 대호 주재국의 공동제안국 가담을 요청하였는바, CARR 국장은 자메이카 정부의 남. 북한 유엔가입 지지 입장에 비추어 동 아국 요청을 자국정부가 기꺼이 수락할 것이라는 반응을 보이고 곧 정부 공식입장을 당관에 통보하겠다고 말하였음. 끝

19(대사 김석현-국장)

예고:91.12.31 일반

의거 일반문서로 재분류

국기국	장관	차관	1차보	미주국	분석관	청와대	안기부	중계

PAGE 1

91.08.31 08:11

외신 2과 통제관 BS

0014

관리 번호	91 -4497

원 본

외 무 부

종 별 :

번 호 : MXW-1137 일 시 : 91 0830 1630

수 신 : 장 관(국연,미중, 사본:주유엔대사-중계필)

발 신 : 주 멕시코 대사

제 목 : 남.북한 유엔가입(총회처리방안)

대:WMX-0721

1. 본직은 금 8.30(금) 13:30 시 외무성 유엔국장 O.PELLICER 대사와 접촉, 대호를 설명 주재국의 아국유엔가입 지지입장과 대통령 방멕등을 감안 조기에공동 제안국으로 서명하여 줄것을 요청한바, 동 국장은 아무 문제없을것(CREO QUE NO HABRA DIFICULTAD)으로 생각한다고 말하고 아직 시간이 있고 또 ROZENTAL 차관이 해외출장(9.2. 빠리에서 귀임예정)중이므로 내주중 통고하여 줄것이라함.

2. 한편 당관 김공사는 11:00 SADALINDA 유엔부국장 및 MIJARES 태평양 부국장 접촉 조속 대호 공동 제안국 가담 서명을 요청한바 있음.끝.

(대사이복형-국장)

예고:1991.12.31. 일반

국기국 장관 차관 미주국 중계

PAGE 1

91.08.31 08:01

외신 2과 통제관 BS

0015

관리번호	91-4488

원 본

외 무 부

종 별 : 지 급

번 호 : GHW-0459 일 시 : 91 0830 1750

수 신 : 장관(국연,아프일,기정)

발 신 : 주 가나 대사

제 목 : 남북한 유엔가입

대: WAFM-0056

1. 본직은 금 8.30(16:00-16:30) 외무부 J.A.ALLOTEY 국제기구과장과 접촉(외무부 고위담당자는 NAM 회의준비관계로 부재중), 대호 내용을 자세히 설명하고, 조속 주유엔 주재국대표로 하여금 서명 조치를 해줄것을 요청하였던바, 동 과장은 아측 요청을 조속 상부에 필히 전하겠다는 반응을 보였음.

2. 본직은 가급적 조속 외무부 고위층과 접촉, 본건 재요청 위계임을 우선 보고함. 끝

(대사 오정일-국장)

예고: 91.12.31. 일반

19 . 에 예고문에 의거 일반문서로 재분류됨

국기국 장관 차관 1차보 중아국 안기부

PAGE 1

91.08.31 06:14

외신 2과 통제관 BW

0016

관리 번호 91-4516

관리 번호 91-4507

외 무 부

종 별 :

번 호 : NJW-0629 일 시 : 91 0831 0930

수 신 : 장 관(아프일,국연)

발 신 : 주 나이지리아 대사

제 목 : 주재국 외상면담

대:WNJ-0329(1),0334(2), WAFM-0056(3)

본직은 91.8.30. 대호관련 NWACHUKWU 외상을 관저로 방문 면담한바 결과 다음 보고함.

1. 본직은 대호(1)관련 OAU 에서의 주재국의 지도적 역할, 남북한 유엔가입등 급변하는 정세하에서 한국과 짐바브웨가 미수교상태로 있을 이유가 없음을 강조 가나 비동맹회의에서 짐바브웨 외상에게 한국과의 수교를 권유토록 요청한바 그렇게 해보겠다고 답변함.

2. 대호(2)관련 비동맹회의 가나측 초안의 문안을 제시하고 아국으로서는 가나초안이 그대로 채택되기를 희망한다고 한바 그렇게 하도록 실무자에게 지시하겠다함.

3. 대호(3)관련, 남북한 유엔가입 공동제안국이 되어 주기를 요청했음. 동외상은 89 년 유엔총회시 한국유엔가입 지지연설을 한 사실을 상기시키면서 문제없다 말함.(본직은 8.8.ABUJA 출장시 MBOKWERE 국제기구차관보에게 동건 COSPONSORSHIP 문제를 탐문한데 대해 원칙적으로 찬성이나 외상의 재가를 받을 사항이라고 한바 있음. 동건 실무적으로 현지 협조요청이 좋을것임)

4. 본직은 최근 나이지리아 고위인사의 빈번한 북한방문(체육상, 국방상, 공보상)과 북한의 ABUJA 신수도 SPORTS COMPLEX 건설참여등 북한과의 관계긴밀화에 대한 아측의 관심표명과 함께 아국기업의 대나이지리아 건설참여등 나국정부의 배려를 요청한바 앞으로 긴밀협조하겠다고 말함. 이밖에 한. 나 양국관계, 한.나 기업인협의회(회장 정해정)가 구상중인 나이지리아내 산업공단설치문제, KORANDO 자동차의 대나이지리아 정부 공급문제를 환담했음.

(대사 조명행-장관)

1991.12.31. 에 예고문에 의거 일반문서로 재분류됨

중아국	장관	차관	1차보	2차보	국기국	분석관	청와대	안기부

PAGE 1

91.08.31 22:08

외신 2과 통제관 DO

0017

원 본

관리 번호	91 -4521

외 무 부

종 별 : 긴 급

번 호 : YMW-0475 일 시 : 91 0831 1400

수 신 : 장 관(국연)

발 신 : 주 예멘 대사

제 목 : 남.북한 유엔 가입

대:WYM-0289

1. 주재국 외무성 의전장 GAZEM 은 8.31 12:30 대호 요청을 기꺼히 수락한다고 소직에게 전화로 통보해 왔으며 동시에 주재국 외무성은 주 유엔 예멘 대사 ASHTAL 에게 이 사실을 전하고 대호 유엔 가입 공동 제안국에 가담할수 있도록 주재국이 주 유엔 인도 대사관에 비치한 서명부에 서명할것을 훈령하였다고 함을 보고함.

2. 이에 앞서 소직은 주재국 외무성 정무 차관보 AHMED DEAF AL-AZEEB 를 방문 대호 훈령에 따라 남. 북한 유엔 가입 공동 제안국에 가담하여 줄것을 요청한바 있음. 끝.

~~(대사 류 지호-국장)~~

예고:91.12.31. 일반

국기국 장관 차관 1차보 상황실 분석관 청와대 안기부

PAGE 1

91.08.31 20:34

외신 2과 통제관 DO

0018

관리번호	97-4520

원 본

외 무 부

종 별 :

번 호 : ETW-0421 일 시 : 91 0831 1600

수 신 : 장관(국연,아프이)

발 신 : 주 이디오피아 대사

제 목 : 남북한 유엔가입

대:WAFM-0056

본직은 금 8.31 SEYOUM 주재국외상을 방문, 대호 내용을 설명코 주재국측이 동결의안 공동제안국에 가담하여 줄것을 요청한바 동외상은 남북한 유엔 동시가입과 평화통일 지지가 주재국 입장이라고 말하고, 이를 긍정적으로 검토하겠다고 하였음. 끝

(대사 김승영-국장)

19 . 예고:1992.6.30.일반
예고문에 의거 일반문서로 재분류됨

국기국 장관 차관 1차보 2차보 중아국 분석관 청와대 안기부

PAGE 1

91.08.31 23:21
외신 2과 통제관 DO

0019

ON 01

관리 번호	91 -4511

원 본

외 무 부

종 별 :

번 호 : MTW-0186 일 시 : 91 0831 1600

수 신 : 장관(국연,중동이)

발 신 : 주 모리타니 대사대리

제 목 : 남북한 유엔가입(총회 처리방안)

대:WMT-0159

당관 김원철 대사대리는 8.31 주재국 외무성 JIDDOU 차관을 면담(NECHE 국제기구국장은 비동맹회의 참석차 8.31 오전 가나 향발), 대호 결의안 공동 제안국에 가담하여 줄 것을 간곡히 요청함. 동 차관은 NECHE 국제기구 국장의 귀국이전에라도 훈령을 타전하겠다고 말함. 주 유엔 아국대표부에서 모리타니 대표부와접촉, 확인하여 주시기 바람.

(대사대리 김원철-국장)

19 예고:91.12.31일반 의거 일반문서로 재분류됨

국기국 차관 1차보 2차보 중아국 분석관 청와대 안기부

PAGE 1

91.09.01 19:14

외신 2과 통제관 CE

0020

공동서명 ... 7

관리 번호	91 —4507

원 본

외 무 부

종 별 : 지 급

번 호 : SUW-0202 일 시 : 91 0831 1600

수 신 : 장관(국연, 미중, 사본: 주유엔대사-중계필)

발 신 : 주 수리남 대사

제 목 : 남북한 유엔가입

대: WSU-0126

본직은 8.30(금) LEEFLANG 국제기구국장을 만찬에 초대시 대호 및 유엔대책 관련 아래와 같이 협의 하였음을 보고함.

1. 공동제안국 가담요청:

가. 대호 내용을 설명하고 동가담요청 서한 .접수여부를 확인한바, 아직 미접상태임.

나. 대호 3 항 설명후 수리남국도 공동제안국으로 가담해 줄것을요청한바, 동국장은 주재국이 남북한 동시 수교국입장에서 공동제안국으로 가담토록 외상에게 보고한후 유엔 대표부 차석(대사로 비동맹 외상회의 참석중임)에게 공동제안국 서명부에 서명을 지시 하겠으며, 양국관계에 비추어 가능하면 제1 착으로 서명할 수 있도록 조치 하겠다고 다짐후 조기 서명을위한 양국 실무자간 협력을 요청하여왔음.

2. 유엔 총회 참가문제:

가. 주재국은 9.6(금) 대통령선거, 9.16(월) 대통령 취임식 거행후 대통령을 포함한 유엔총회 참가 대표단은 9.24 (화) 당지출발, 9.26(목) 총회 기조연설, 10.2(화) 귀임일정을 마련하고 있다함.

나. 동국장은 상기 수리남 대표단 일정과 관련, 한국대표단의 유엔총회 참가시기 문의가있어 대통령각하의 유엔총회 참가시기(9.22-25)를 알려주었으며, 동국장은 수리남대통령이 한국대표 연설을 경청할 수 있도록 노력하겠다고언급하였음.

다. 본직은 주재국 유엔총회 연설시 남북한 유엔 공동가입을 위한 한국정부의 노력을 지지하는 요지 발언을 요청하였으며, 동국장은 예년에 비추어 한국입장 지지발언을 삽입토록 하겠다고 언급하고 수리남국의 민주적 신정부수립을 위한 국민들의 노력을 지지하는 한국정부 입장을 총회에서 발언해줄 것을 요청하여 왔음.

국기국	장관	차관	1차보	2차보	미주국	분석관	청와대	안기부

PAGE 1

91.09.01 17:03

외신 2과 통제관 BA

0021

본직은 동요청을 본국정부에 보고하고 한국대표 연설시 반영토록 건의 하겠다고 말하였음.

3. 양국간 협력문제:

양국간 공동위 개최문제가 28 일 외무성 간부회의에 제기되었다하며, 양국간 협력관계에 비추어 현존 현안문제 조기해결을 위해 개최가 바람직하다고 동국장 소관업무는 아니나 개인의 의견임을 전제 피력하였음을 참고로 보고함.(동건 별전 보고위계임)

4. 관찰및 건의

가. 양국간 협력관계에 비추어 한국정부는 수리남의 민주정부 수립을 위한 국민들의 노력을 지지한다는 요지 발언을 기조연설에 삽입하여 주실것을 건의하며,

나. 한국대표 총회 연설문안이 이미 성안되어 삽입이 불가능시 총회기간중 수리남 대표자와의 접촉시 동요지 언급해 주실것을 수정 건의함. 본직은 10.3 국경일 리셉션에의 연설시 동요지 발언을 할것임을 보고함.(주재국은 국경일 리셉션에서 대사연설 및 주재국 대통령 격려 축사 교환이 관례임.)

다. 대통령 각하 유엔연설 일정 확정시 회보바람. 끝.

(대사 김교식-장관)

19 예고: 91.12.31 일반.
의거 일반문서로 재분류

PAGE 2

0022

관리번호	91-4519

원 본

외 무 부

종 별 : 지 급

번 호 : SKW-0575 일 시 : 91 0831 2000

수 신 : 장관(국연,아서) 사본:주UN 대사(중계필)

발 신 : 주 스리랑카 대사

제 목 : 남북한 유엔가입(총회 처리방안)

대:WSK-0328

본직은 금 8.31(토) 오후 주재국 외무부 NIHAL RODRIGO 정무차관보를 접촉 대호건 시행한바, 동차관보는 주재국 정부로서 공동제안국이 되는데 아무런 문제가 없다면서, 상부에 곧 보고하고 즉각 주 유엔대표부 대사대리(대사는 가나 비동맹 회의 참석차 출발)에게 지시하여 공동제안국 으로서 서명토록 조치 하겠다고 하였음.

(대사 장훈-국장)

예고:91.12.31 일반

19 . . 에 의거 일반문서로 재분류됨

국기국	장관	차관	1차보	2차보	아주국	분석관	청와대	안기부
중계								

PAGE 1

91.09.01 01:37

외신 2과 통제관 DO

0023

관리 번호 91-4530

원 본

외 무 부

종 별 :

번 호 : MTW-0189 일 시 : 91 0901 1450

수 신 : 장관(국연,중동이)사본:주 유엔대사(중계필)

발 신 : 주 모리타니 대사대리

제 목 : 남북한 유엔 가입(총회 처리방안)

연:MTW-0186

대:WMT-0159

당관 김원철 대사대리는 금 9.1 주재국 외무성 JIDDOU 외무차관을 재차 면담, 주재국에 대하여 총회 결의안 공동제안국 가담을 요청하는 외교공한을 직접 수교하고, 동 제안국 가담을 지시하는 훈령을 유엔 대표부에 지급 타전하여 줄 것을 부탁함.

동 차관은 금일중 타전을 약속한바, 주 유엔대표부에서 모리타니 대표부측과 접촉, 확인 바람.

~~(대사대리 김원철-국장)~~

예고:91.12.31 일반

국기국 장관 차관 1차보 중아국 중계

PAGE 1

91.09.02 17:04

외신 2과 통제관 BW

0024

관리 번호	91 -4512

원 본

외 무 부

종 별 :

번 호 : IRW-0654 일 시 : 91 0901 1700

수 신 : 장관(국연)

발 신 : 주 이란 대사

제 목 : 남.북한 유엔가입

대:WIR-0610

1. 대호의거 본직은 우선 접촉가능한대로 ROUHI SEPHAT 주재국 외무부 아국담당 국장(VELAYATI 장관및 MOTTAKI 국제담당차관 출장중, BORUJERDI 아, 대양주차관 방한중) 에게 주재국이 남. 북한 유엔가입 결의안의 공동제안국이 되어 줄것을 요청하였는바, 동인은 주재국이 공동제안국이 되는대에는 어려움이 없을것으로 본다고 하면서 상부와 협의결과를 알려주겠으나 부정적인 회답은 없을것이라는 개인의 의견을 첨언하였음.

2. 현재 본직은 동건 교섭을위해 주재국 외무부 수석차관과도 접촉 예정임.끝

(대사정경일-국장)

예고:91.12.31 일반

국기국 차관 1차보

PAGE 1

91.09.01 22:12

외신 2과 통제관 CE

0025

관리 번호	

	분류번호	보존기간

발 신 전 보

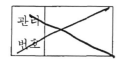

번 호 : EM-0026 910902 1307 ED 종별 : 지급

수 신 : 주 EM 대사. 총영사

발 신 : 장 관 (국연)

제 목 : 남북한 유엔가입

1. 지난 8.8(목) 유엔안보리에서 남북한의 유엔가입 권고 결의안이 만장일치로 채택된 이후 그간 총회 처리방안에 관한 남북한 대표부간 협의가 있었으며, 동 결과 지난 8.26(월) 남북한대사간 인도를 총회결의안 최초 발의국(coordinator)으로 지명키로 합의, 8.29(목) 남북한 및 인도대사간 3자 협의가 개최됨.

2. 상기 8.29. 협의에서 남북한 유엔가입의 하기 총회결의안 초안을 확정하고 인도의 주관하에 동 결의안 공동제안국(co sponsor)을 모으기로 합의한 바, 귀업무에 참고바람.

<u>draft resolution</u>

<u>Admission of the Democratic People's Republic of Korea and the Republic of Korea to membership in the Union Nations</u>

The General Assembly,

Having received the recommendation of the Security Council of 8 August 1991 that the Democratic People's Republic of Korea and the Republic of Korea should be admitted to membership in the United Nations,

/ 계속 /

보안 통제	

앙 고 재	91년 9월 일	유엔 과	기안자 성명		과 장		국 장		차 관	장 관
							전결			

외신과통제

0026

관리 번호 91-4539

원 본

외 무 부

종 별 :

번 호 : DEW-0410 일 시 : 91 0902 1200

수 신 : 장관(국연)

발 신 : 주 덴마크 대사

제 목 : 남북한 유엔가입

대:WDE-0297, EM-0026

1. 본직은 금 9.2. 오전 MICHAEL STERNBERG 외무부 아주국장을 면담, 주재국이 대호 남북한 유엔가입 총회 결의안의 공동제안국으로 가담해 줄것을 요청함.

2. 이에대해 STERNBERG 국장은 남북한이 함께 유엔회원국으로 가입하게된 것을 환영한다고 말하고 주재국은 기꺼이 아측의 요청을 수락하며, 곧 유엔대표부에 훈령, 공동제안국 서명부에 서명토록 하겠다고 언급함. 끝.

(대사 김세택-국장)

19 예고: 91. 12. 31에 일반

국기국 장관 차관 1차보 외정실 분석관 청와대 안기부

PAGE 1

91.09.03 06:10

외신 2과 통제관 CF

0027

관리 번호 91-4544

원 본

외 무 부

종 별 :

번 호 : NRW-0529 일 시 : 91 0902 1400

수 신 : 장 관(국연, 사본:주유엔대사-중계필)

발 신 : 주 노르웨이 대사

제 목 : 남북한 유엔가입

대:WNR-291, EM-26

1. 당관 손참사관은 9.2. ELDBJORG HAUG 주재국 외무부 국제기구과장을 면담, 대호 총회결의안 초안을 보여주고 주재국의 남북한 유엔가입 결의안 공동제안국 가담을 요청하였음

2. 이에대해 동과장은 남북한 유엔가입을 환영한다고 말하고, 주재국의 공동제안국 가담은 원칙적으로 문제가 없을것으로 생가하지만 형식상 주유엔대표부와 협의를 거쳐(아직 자국 대표부로부터 보고받지 못하였다함) 검토해야하기 때문에 우선 상부에 보고하고 2-3 일후에 입장을 결정하여 알려주겠다고 대답하였음. 본건 추보 하겠음. 끝

(대사 김병연-국장)

예고문에 의거 일반 예고:91.12.31 일반

국기국 장관 차관 1차보 분석관 청와대 안기부 중계

PAGE 1 91.09.03 07:31

외신 2과 통제관 BS

0028

관리 번호	91-4546

원 본

외 무 부

종 별 :

번 호 : ZMW-0169 일 시 : 91 0902 1500

수 신 : 장관(국연)

발 신 : 주 잠비아 대사

제 목 : 남북한유엔가입

대:WAFM-0056

본직은 9.2 KUNDA 주재국 외무성 정무차관보와 오찬을 갖고 대호 아측입장을 설명, 주재국이 결의안 공동제안국에 가담하여 줄것을 요청한 바, 동 차관보는남북한의 유엔가입을 적극 지지하는 주재국으로서는 동 결의안 공동 제안국에 가담하는 것은 단순한 절차상의 문제로 아무런 어려움이 없다고 말하고 상부에 보고하여 유엔주재 자국대사에게 훈령을 보내도록 하겠다고 말함. 끝.

(대사 성 필 주 - 국장)

1991.12.31. 에 예고문에 의거 일반문서로 재분류됨

국기국 장관 차관 1차보 중아국 분석관 청와대 안기부

PAGE 1

91.09.03 07:59

외신 2과 통제관 BS

0029

관리 번호	91 -4531

원 본

외 무 부

종 별 :

번 호 : MAW-1217 일 시 : 91 0902 1520

수 신 : 장관(국연,사본:주유엔대사-중계필)

발 신 : 주 말련 대사

제 목 : 남북한 유엔가입(총회 처리후안)

대:WASN-0045

1. 대호 남북한 유엔가입 총회결의안 관본 본직은 9.2 CHOO 유엔및 국제기구국장과 접촉, 말련측이 동 결의안에 대한 공동제안국이 되어줄것을 요청함.

2. 이에대해 CHOO 국장은 말련이 동 공동제안국이 되는데 별다른 문제점이 없을것이라고 전제하고 다만 ABDULLAH 장관 외유(아크라개최 비동맹 외상회담)로상부결재에 다소 시간이 걸릴것이라고 언급하였음. 끝

(대사 홍순영-국장)

91.12.31 일반
문서로 재분류됨

국기국 장관 차관 1차보 중계

PAGE 1

91.09.02 17:24

외신 2과 통제관 BW

0030

관리번호	91-4558

원 본

외 무 부

종 별 : 긴 급

번 호 : CAW-0935 일 시 : 91 0902 1500

수 신 : 장관(국연)

발 신 : 주 카이로 총영사

제 목 : 남북한 유엔가입

대:EM-0026

주재국 정부는 남북한의 유엔 동시가입을 지지하는 입장을 취하고 있음에 비추어 주재국이 대호 결의안 공동제안국이 되는경우, 한. 이집트 외교관계 수립에 도움이 될것으로 사료되는바, 검토후 조치바라며 결과 회시바람. 끝.

(총영사 박동순-국장)

예고:91.12.31. 일반

국기국 차관 1차보 외정실 분석관 청와대 안기부

91.09.02 21:20

외신 2과 통제관 CF

0031

관리 번호 91-4569

원 본

외 무 부

종 별 :

번 호 : CMW-0290 일 시 : 91 0902 1530

수 신 : 장관(국연,사본:주유엔대사)(중계필)

발 신 : 주 카메룬 대사

제 목 :

대:WAFM-0056

1. 본직은 9.3 일 주재국 외무부 유엔국장 SAO 와 면담, 표제 결의안의 공동 제안국이 되어 줄 것을 요청하였음.

2. 동국장은 10 월 중순 예정인 주재국 외무장관의 유엔 총회 기조연설에서, 남북한 유엔 가입을 환영하고 앞으로 남북한 양국관계 발전에 계기가 될 것을 기원하는 내용의 연설을 준비하고 있으며, 표제결의안의 공동제안국이 되는 것도 동 연설 노선에 일치함으로 좋을 것으로 사료되나 현재 가나 비동맹 외상회의에 참가중인 장관이 귀임한 후 내주중 이에 대한 결과를 통보 해 주겠다고 함을보고함.

(대사 황 남자-국장)

예고:91.12.31 일반

국기국	장관	차관	1차보	2차보	분석관	청와대	안기부	중계

PAGE 1

91.09.04 06:07

외신 2과 통제관 DO

0032

관리 번호 91-4541

원 본

외 무 부

종 별 : 지 급

번 호 : MIW-0118 일 시 : 91 0902 1600

수 신 : 장관(국연,정보)

발 신 : 주 말라위 대사

제 목 : 남북한 유엔가입 공동제안국 교섭(응신자료 제91-9호)

대:WAFM-0056, EM-0026

1. 본직은 9.2 주재국외무부 MUNTHALI 정무국장(차관공석)을 방문, 대호 상세 설명 주재국이 총회결의안 공동제안국에 가담해 줄것을 요청하였음.

2. 동 국장은 주재국 정부는 남북한 유엔가입을 지지키로한 이상 공동제안국 가담은 동 방침내에서 일이므로 대통령(장관)의 새로운 결재가 필요없으나, 내일(9.3) 보고한후 현지 대표부에 가담토록 지시하겠다고 약속하였기 보고함. 끝.

~~(대사 박영철-국장)~~

예고:91.12.31 일반

국기국 장관 차관 1차보 외정실 분석관 청와대 안기부

PAGE 1

91.09.03 05:16

외신 2과 통제관 CF

0033

관리 번호	91-4535

원 본

외 무 부

종 별 : 지 급

번 호 : YGW-0704 일 시 : 91 0902 1600

수 신 : 장관(국연,동구이)

발 신 : 주 유고 대사

제 목 : 남북한 유엔가입(총회 처리방안)

대:WYG-0643

본직은 9.2 외무부 아주담당 벨리치대사를 면담, 주재국이 대호 남북한 유엔가입 총회 결의안 공동제안국에 가담하여 줄것을 요청한바, 벨리치대사는 즉시 론차르 외무장관에 건의하겠다고 약속함. 끝

(대사 신두병-국장)

예고:91.12.31 까지

국기국 장관 차관 1차보 구주국 외정실 청와대 안기부

PAGE 1 91.09.03 00:51

외신 2과 통제관 CF

0034

관리 번호 91-4536

원 본

외 무 부

종 별 : 지 급

번 호 : KNW-0690 일 시 : 91 0902 1600

수 신 : 장 관(국연)

발 신 : 주 케냐 대사

제 목 : 남북한 유엔가입(총회 처리방한)

대:WAFM-0056

1. 당관 김참사관은 9.2. 주재국 외무부 GITULU 국제기구국 국장대리(차관, 차관보및 국장 해외출장중)및 MWAURA 아주국장 대리와 접촉, 대호 남북한 유엔 가입 처리 방안에 대한 남북한 대사및 인도새사와의 합의 및 협의내용을 설명하고 주재국이 남북 유엔가입 결의안 공동 제안국에 가담하여 줄것을 요청함.

2. 상기 양인들은 한. 케 긴밀관계 감안, 주재국이 공동제안국에 가담하는데 별 어려움이 없을 것이라면서 주 유엔대표부와 협의 필요조치 취하겠다함.

3. 본직이 외무차관및 차관보 귀임하는대로 면담위계임.끝.

(대사 라원찬-국장)

19 예고:91.12.31.일반

국기국 장관 차관 1차보 2차보 외정실 청와대 안기부

PAGE 1

91.09.03 00:44

외신 2과 통제관 CF

0035

관리 번호 91-4537

원 본

외 무 부

종 별 : 지 급

번 호 : RMW-0507 일 시 : 91 0902 1610

수 신 : 장관(국연,동구이,사본:주유엔대사-필)

발 신 : 주 루마니아 대사대리

제 목 : 남북한 유엔가입

대:WRM-0517, EM-0026

채참사관은 금 9.2 주재국 외무부 NICOLAE MICU 유엔국장을 면담, 대호 내용 설명하고 협조요청한 바, 동국장은 루마니아는 기꺼이 인도의 표제 총회결의안 공동제안국에 가담하겠으며, 곧 주유엔대표부에 훈령, 공동제안국 서명부에 서명토록하겠다고 약속함. 끝.

(대사대리-국장)

예고:91.12.31 일반

국기국 장관 차관 1차보 구주국 외정실 청와대 안기부 중계

PAGE 1

91.09.03 00:40

외신 2과 통제관 CF

0036

관리번호 91-45407

원 본

외 무 부

종 별 :

번 호 : NMW-0692　　　　일 시 : 91 0902 1620

수 신 : 장 관(국연,아프이)

발 신 : 주 나미비아 대사

제 목 : 남북한 유엔가입(총회처리방안)

대:WAFM-0056, EM-0026

1. 본직은 9.2. ANDREAS GUIBEB 외무부사무차관을 긴급면담, 남북한의 유엔가입 총회처리 방안에 대한 그간의 협의내용을 설명하면서 주재국이 총회 결의안의 공동 제안국이 되어줄것을 요청함.

2. 이에 동사무차관은 주재국의 공동제안국참여는 주재국으로서도 영광스러운것으로 생각한다고 하면서 유엔주재 자국대표에 지시, 참여토록 조치하겠다고 하였음.

3. 이어 동차관은 동조치가 취해지는대로 본직에게 그내용을 알려주겠다고 하였는바, 통보있는대로 추보하겠음. 끝.

(대사 송학원-국장)

예고:91.12.31. 일반

국기국　장관　차관　1차보　중아국　분석관　청와대　안기부

PAGE 1

91.09.03　08:05

외신 2과　통제관 BS

0037

Oh

01

관리번호	91-4542

원 본

외 무 부

종 별 :

번 호 : VZW-0485 일 시 : 91 0902 1700

수 신 : 장 관(국연,미남, 사본: 주유엔대사(중계필))

발 신 : 주 베네수엘라대사

제 목 : 남북한 유엔가입

대: WVZ-0274

1. 대호 관련, 당관 정영채 참사관은 9.2 주재국 외무성 MALGALIDA APONTE 국제기구과장을 접촉, 남북한 유엔 동시가입 총회 결의안 초안에 대해 주재국이 공동 제안국이 되어 줄 것을 요청함.

2. 동 과장은 남북한 유엔 동시가입이 8.8 이미 안보리를 만장일치로 통과했으므로 유엔가입은 확정적이라하며, 유엔 주재 자국대표부에 곧 연락, 확인후 공동 제안국에 가담토록 조치하겠다함.

3. 상기 관련, 주 유엔대표부로 하여금 베네수엘라대표부측과 접촉, 동 문제를 확인토록 함이 좋을 것으로 보임.끝.

(대사 김재훈-장관)

예고: 91.12.31 일반

국기국 장관 차관 미주국 중계

PAGE 1

91.09.03 07:46

외신 2과 통제관 BS

0038

관리 번호 91 -4567

원 본

외 무 부

종 별 :

번 호 : SRW-0249 일 시 : 91 0902 1720

수 신 : 장관(국연-사본:주유엔대사)(중계필)

발 신 : 주 시에라레온 대사대리

제 목 : 남북한유엔가입(총회처리방안)

대:WAFM-0056, EM-0026

본직은 금 9.2. 주재국외무부 H.CONTEH 국제기구국장에게 주재국이 대호 결의안 공동제안국에 가담하여 줄것을 요청하였던 바, 동 국장은동건 서명토록 자국 주유엔대표부에 조속 지시하겠다고 말함.

(대사대리 전용덕-국장)

예고:91.12.31.일반

국기국 장관 차관 1차보 2차보 분석관 청와대 안기부 중계

PAGE 1

91.09.03 20:18

외신 2과 통제관 DO

0039

관리 번호	91 -4544

원 본

외 무 부

종 별 :

번 호 : MSW-0179 　　　　일 시 : 91 0902 1800

수 신 : 장관(국연,아프이)

발 신 : 주 모리셔스 대사대리

제 목 : 남북한 유엔가입

대:WAFM-0056(91.8.30.)

1. 당관 신참사관은 9.2.(월) 주재국 외무부 MAKHAN 국제기구(I)국장을 면담, 표제내용을 설명하고 주재국의 공동제안국 참여를 요청함.

2. MAKHAN 국장은 동일자로 주재국이 총회결의안 공동제안국으로 서명하기로방침을 정하였으며 이를 주유엔 대표부에 훈령할 예정임을 통보하여 옴.

끝.

(대사대리 신연성-국장)

예고:91.12.31. 일반

국기국 장관 차관 1차보 중아국 분석관 청와대 안기부

PAGE 1

91.09.03 07:58

외신 2과 통제관 BS

0040

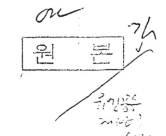

관리 번호 91-4602 91-4634

원 본

외 무 부

종 별 :

번 호 : MTW-0191

일 시 : 91 0902 1800

수 신 : 장관(국연,중동이)

발 신 : 주 모리타니아 대사

제 목 : 주 재국 외무장관 면 담보고

연:MTW-0183,1086,0189

대:WMT-0154,0159

당관 김원철 대사대리는 가나 비동맹 외상회의 참석차 명 9.3 일 출국예정인 주재국 DIDI 외무장관을 9.2 면담한바, 동 외상 언급요지를 아래와 같이 보고함.

1. 비동맹 외상회의: 아국은 회원국이 아니나 북한은 회원국이므로 북한은 동 회의에 중립적인 가나측 준비 초안을 북한측에 유리하게 수정코자 수정안을 제출할것을 알려드리고 아국 입장을 설명한바, 동 외상을 북한이 아무리 자국에 유리한 수정안을 요청하더라도 모리타니아로서는 남북한간 균형을 유지하는 것이 기본입장이기 때문에 한국에 불리하지 않도록 아국 입장 옹호에 최선을 다하겠음.

2. 유엔총회 결의안 공동제안국 가담: 9.1 아국 대사관 공한을 받고 유엔 대표부에 남북한 유엔 동시가입을 위한 공동제안국에 가담하라는 훈령을 보내도록 하였음.

3. 방한시기 문제: 비동맹 외상회의 이후에도 이집트, 모로코 방문(UMA 정상회담), 유엔총회 참석등 업무폭주로 방한시기는 차차 시간을 두고 고려하겠으며, 결정되는대로 알려 주겠음.

4. 동 외상은 또한 지난 5 월 평양 방문시 북한측으로부터 단일의석 가입안을 지지하여 줄 것을 강력히 요구하였으나 자신은 한국의 유엔가입을 지지하겠으며, 북한이 가입을 신청해도 지지할것임을 분명히 밝히고 합리적인 방향으로 문제를 풀어나가는 것이 좋을것임을 설득하였다고 말함.

(대사대리 김원철-국장)

19 예고:91.12.31 일반

국기국	장관	차관	1차보	2차보	중아국	안기부

PAGE 1

91.09.03 16:35

외신 2과 통제관 BW

0041

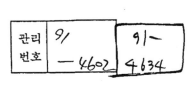

관리 번호 91-4538

원 본

외 무 부

종 별 : 지 급

번 호 : THW-1765 일 시 : 91 0902 1800

수 신 : 장 관(국연)

발 신 : 주 태국 대사

제 목 : 남.북한 유엔가입(총회처리방안)

대 : WASN-0045

대호 접수즉시 본직은 9.2(월) 아침 09:00 SAROJ 외무성 정무국장을 접촉, 주재국이 총회결의안 공동제안국에 가담하여 주도록 요청한바, 동국장은 상부에 보고후 그 결과를 알려주겠다고 말했음을 우선보고함

(대사 정주년-국장)

91.12.31. 일반

국기국 장관 차관 1차보 외정실 청와대 안기부

PAGE 1

91.09.03 00:34

외신 2과 통제관 CF

0042

관리 번호 91-4551

원 본

외 무 부

종 별 :

번 호 : CZW-0760 일 시 : 91 0902 1810

수 신 : 장 관(국연,동구이) 사본:주유엔대사-중계필

발 신 : 주 체코대사

제 목 : 남북한 유엔가입

대:WCZ-0640

1. 최승호참사관이 9.2 NEJEDLY 국제기구국장 면담, 대호 요청한바, 동 국장은 체코의 공동제안국 참여에 문제 없을것으로 본다하고, 상부재가를 받아 주유엔대표부에 지시하겠다 하였음.

2. 다만, 신규가입에 대한 총회 결의가 지금까지 단일결의안으로 처리되어 왔던 관행상, 마샬군도 및 마이크로네시아의 가입문제에 대해서는 별도의 결의안으로 처리될 것인지에 대해 관심을 표시한바 있으니 참고바람.

3. 주재국측의 총회 기조연설 예정을 타진한데 대해 동 국장은 딘스트비어 외무장관이 9.25(수) 연설할것으로 예상된다하고, 연설서두에 남북한을 포함한 신규회원국의 가입을 환영하고, 특히 남북한의 유엔가입은 한반도 평화통일에 기여할것이라는 주재국측의 평가가 포함되도록 할것이라하였음.

4. 하벨대통령이 10 월중 방미 예정이라하며, 다만 유엔총회와는 무관한 일정을 고려하고 있다하였기에 참고로 보고함. 끝.

(대사 선준영-국장)

예고:91.12.31 일반

19 . 12. 31 에 예고문에 의거 일반문서로 재분류됨

국기국	장관	차관	1차보	2차보	구주국	청와대	안기부	중계

PAGE 1

91.09.03 08:23

외신 2과 통제관 BN

0043

관리 번호 91-4543

원 본

외 무 부

종 별 : 지 급

번 호 : AVW-1055 일 시 : 91 0902 1830

수 신 : 장 관(국연,구이) 사본:주유엔대사-중계필

발 신 : 주 오스트리아 대사

제 목 : 남북한 유엔가입(총회처리방안)

대:WAV-0920, EM-0026

1. 대호관련 9.2 조창범공사는 외무성 HOYOS 유엔담당관과 면담, 협조 요청한 바 오측은 그간 유엔의 보편성원칙에 따라 북한의 유엔가입을 지지해 온만큼 기꺼이 대호 결의안의 공동제안국에 가담하겠으며, 곧 주유엔대표부에 필요조치를 취하도록 훈령하겠다고 하였음.

2. 북한측으로부터는 상금까지 유사한 협조요청은 없었다고함. 끝.

예 고:91.12.31 일반

국기국 1차보 구주국 중계

PAGE 1

91.09.03 07:48

외신 2과 통제관 FM

0044

Ozu 67

관리번호	91-4548

원 본

외 무 부

종 별 :

번 호 : POW-0558 일 시 : 91 0902 1900

수 신 : 장관(국연,구이,주유엔대사-중계필)

발 신 : 주 폴투갈 대사

제 목 : 남북한 유엔가입(총회처리방향)

대:WPO-0323, EM-0026

1. 본직은 9.2 오전 주재국 외무성 JULIO 경제담당 부차관보를 방문(동차관보 및 DUARTE 정무담당 부차관보는 부재중), 대호 결의안 초안을 수교하고, 금번 결의안 추진배경을 설명해주고, 그간 아국의 유엔가입을 지지해온 주재국이 금번 결의안의 공동제안국으로 참여해줄것을 요청함

2. 동인은 본건이 특히 북한과도 기 협의된것에 대해 관심을 표명하면서 자신으로서는 공동제안국 참여에 문제가 없을것으로 보나, 상부에 보고하여 관련 입장을 추후 회보해 주겠다고 하였음

3. 본건 계속 교섭하고 결과 보고하겠음. 끝

~~(대사조광제-국장)~~

19 . . 에 예고 . . 에 의거 일반

(예고:91. 12.31 일반)

국기국	장관	차관	1차보	구주국	청와대	안기부	중계

PAGE 1

91.09.03 07:31

외신 2과 통제관 FM

0045

관리 번호 91 -4545

원 본

외 무 부

종 별 :

번 호 : BLW-0609 일 시 : 91 0902 1940

수 신 : 장관(국연,동구이)

발 신 : 주 불가리아 대사

제 목 : 남북한 유엔가입

대:WBL-0464, EM-0026

당관 방참사관은 9.2(월) 주재국 외무부 유엔및 군축국 YOSSIFOV 부국장(BAEV 국장은 부임준비중으로 부재)을 방문, 대호내용을 설명하고 남. 북한 유엔가입총회 결의안의 공동제안국에 가담하여 줄 것을 요청한바, 동부국장은 동요청을 상부에 보고, 가능한 빠른 시일내에 그 결과를 당관에 통보하겠다고 하고 개인적으로 동 공동제안국 가담이 한. 불 양국간의 관계증진에도 기여할 수 있을 것임을 감안, 상부에 적극 건의하겠다고 부언한바 있는 바, 추보위계임.끝.

(대사 김좌수-국장)

예고:91.12.31. 일반

19 에 예고문에 의거 일반문서로 재분류됨

국기국 1차보 구주국

PAGE 1

91.09.03 07:42

외신 2과 통제관 FM

0046

관리 번호 91-4150

원 본

외 무 부

종 별 : 긴 급

번 호 : MGW-0444 일 시 : 91 0903 0800

수 신 : 장 관(국연,아이 사본:주유엔대사-중계필)

발 신 : 주 몽골 대사

제 목 : 남북한 유엔가입(총회 처리 방안)

대:WMG-0428

주재국 외무성 GALBADRAKH 국제기구 국장은 금 9.2 주재국 정부가 대호 결의안 공동제안국에 가담토록 금일 주유엔 대표부에 지시 하였음을 당관에 알려 왔음. 끝.

(대사 권영순-국장)

19 예고 :91.12.31. 일반

기 일반문서로 재분류

국기국 장관 차관 1차보 아주국 분석관 청와대 안기부 중계

PAGE 1 91.09.03 08:51

외신 2과 통제관 BS

0047

관리 번호 91-4575

원 본

외 무 부

종 별 :

번 호 : PDW-0703 일 시 : 91 0903 1100

수 신 : 장관(국연, 사본: 주 유엔대사-중계필)

발 신 : 주 폴란드 대사

제 목 : 남북한 유엔가입

대 : WPD-0753

9.3 최참사관은 LUKASIK 유엔 부국장에게 대호 공동제안국 가담을 요청한 바, 아직 자국 유엔대표부로부터 인도측의 요청 서한을 보고받지 않았으나, 이에 가담하는데 아무런 문제점이 없을 것이라고 하고 동 보고서를 접하는대로 조치하겠다 하였는 바, 유엔 폴 대표부와도 접촉, 확인바람. 끝

(대사 김경철-국장)

예 고 : 91.12.31 일반

국기국 장관 차관 1차보 2차보 분석관 청와대 안기부 중계

PAGE 1

91.09.03 21:48

외신 2과 통제관 DO

0048

관리 번호	91-4618

원 본

외 무 부

종 별 :

번 호 : UGW-0363 일 시 : 91 0903 1100

수 신 : 장관(국연)

발 신 : 주 우간 다대사

제 목 : 남북한 유엔 가입

대:WAFM-056

1. 본직은 금 9.3. 외무부 IRUMBA 국장을 면담, 대호 3 항 내용을 설명하고남. 북한 가입안에 공동제안국이 되어줄것을 교섭함.

2. 동국장은 본직의 요청에 전적으로 동의하고 공동제안국으로 참여하도록 즉각 자국 유엔대표부에 지시하겠다고 발함. 끝.

(대사 김재규-국장)

예고:91.12.31. 일반.

국기국 장관 차관 1차보 중아국 분석관 청와대 안기부

PAGE 1

91.09.04 20:35

외신 2과 통제관 CH

0049

관리 번호 91-4516

원 본

외 무 부

종 별 : 지 급

번 호 : IVW-0448 일 시 : 91 0903 1200

수 신 : 장관(국연,아프일,사본:주UN대사)(중계필)

발 신 : 주 코트디브와르 대사대리

제 목 : 남,북한 UN가입

대:WAFM-0056, EM-0026

1. 대호 가입 총회결의안관련, 당관 이참사관 금 9.3 AKA 외무성 UN 담당 부국장을 면담, 주재국이 대호 결의안 공동 제안국에 가담하여 줄것을 요청함.

2. 동 부국장은 금 9.3-9.7 가나 비동맹 외상회의 참석차 부재중인 ESSY 외상 귀임 즉시 상기 아측요청을 보고, 동 결과를 당관에 회신해 줄것임을 언질함.

(대사-대리-국장)

예고:91.12.31 일반.

국기국 중계	장관	차관	1차보	2차보	중아국	분석관	청와대	안기부

PAGE 1

91.09.03 21:49

외신 2과 통제관 DO

0050

관리 번호 91-4577

원 본

외 무 부

종 별 :

번 호 : JOW-0615 일 시 : 91 0903 1400

수 신 : 장 관(국연,중동이) 사본:주 유엔대사(중계필)

발 신 : 주 요르단 대사

제 목 : 남북한 유엔 가입

대:EM-0026, WJO-0520

9.3. 당관 김참사관은 외무성 BATAYNEH 국제기구국 국장 대리 (OTHMAN 국장은 가나 비동맹 회의 참석중)을 면담, 대호 결의안 공동제안국에 주재국이 가담해 줄것을 요청한바, 동인은 동 DRAFT RESOLUTION 에 관해 이의가 없으므로 금일중 BILBEISI 차관에게 가담토록 건의, 재가즉시 주유엔 자국 대표부에 훈령하겠다 하였음

(대사 이한춘-국장)

예고:91.12.31일반

국기국	장관	차관	1차보	2차보	중아국	분석관	청와대	안기부
중계								

PAGE 1

91.09.03 22:04

외신 2과 통제관 DO

0051

관리 번호	91 -4568

UN

원 본

외 무 부

종 별 : 지 급

번 호 : SDW-0728 일 시 : 91 0903 1400

수 신 : 장관(국연)

발 신 : 주 스웨덴 대사

제 목 : 남북한 유엔가입(총회처리 방안)

대:WSD-0474

1. 본직은 금 9.3 BJOERN ELMER 외무성 제 7 국장(UN)을 면담코 스웨덴이 대호 공동제안국이 되어 줄것을 요청하였음.

2. 이에대해 ELMER 국장은 남북한 가입문제가 단일 RESOLUTION 이 되도록 남북한간에 합의가 이루어진것은 매우 고무적인 일이라고 찬양하고 될수록 많은 국가가 공동 제안국으로 참여하는 것은 비록 상징적이나마 그 의의가 매우 크기때문에 스웨덴도 공동제안국의 일원이 되도록 건의하겠다고 말함.

3. 동 국장은 현재로서는 자신의 건의가 채택되지 않을 아무런 이유가 없음에 비추어 아직 결재절차가 남아있기는 하나 스웨덴을 공동제안국으로 간주해도 좋다고 말함. 끝

~~(대사 최동진-장관)~~

예고:91.12.31 일반

국기국	장관	차관	1차보	2차보	분석관	청와대	안기부

PAGE 1

91.09.03 21:52

외신 2과 통제관 DO

0052

관리 번호 91-4584

원 본

외 무 부

종 별 :

번 호 : TTW-0137 일 시 : 91 0903 1530

수 신 : 장 관(국연,미중, 사본:주유엔대사-중계필)

발 신 : 주 트리니 다드대사

제 목 : 남북한 유엔가입

대:WTT-0102, EM-0026

1. 대호 당관 관할국에 대한 남북한 유엔가입 총회결의안 공동제안국 가담요청관련, 본직이 금 9.3(화) 현재까지 각국 외무부 관계자와 접촉, 교섭한 결과를 아래 보고함.

가. 주재국(SPENCER 차관): 원칙에 동의하며, 절차상 수상 재가 필요

나. 그레나다(PAYNE-BANFIELD 차관): 즉시 주유엔대사에게 가담토록 훈령 예정

다. 세인트루시아(CENAC 장관): 그레나다와 동일

라. 안티구아(MUDOCH 차관보): 문제가 없으며, 주유엔대사와 접촉, 조치예정

2. 세인트빈센트 YOUNG 차관은 결의안 전문을 보내주면 조속 검토, 조치하겠다고 하여, 금일 이를 발송하였으며, 바베이도스(차관), 도미니카(장관), 세인트키츠(수상겸장관) 3 국과는 접촉되는 대로 결과 보고하겠음.끝.

(대사 박부열-장관)

예고:91.12.31 일반

일반문서로 재분류됨

국기국 중계	장관	차관	1차보	미주국	외정실	분석관	청와대	안기부

PAGE 1

91.09.04 07:48

외신 2과 통제관 BS

0053

관리 번호 91-4572

원 본

외 무 부

종 별 :

번 호 : KNW-0695　　　　일 시 : 91 0903 1600

수 신 : 장 관(국연),사본:주유엔대사

발 신 : 주 케냐 대사

제 목 : 남북한 유엔가입(총회 처리방안)

연:KNW-0690

연호관련, 금 9.3. 오전 주재국 외무부 관계관(MWAURA 아주국장 대리 및 GITULU 국기국 담당관)은 주 유엔 케냐 대사에게 남북한 유엔가입 결의안 공동제안국에 가담(서명)토록 훈령하였다고 통보하여 왔음. 끝.

(대사 라원찬-국장)

19 . . . 에 예고문에
의거 예고:1991.12.31. 일반

국기국	장관	차관	1차보	2차보	외정실	분석관	청와대	안기부
중계								

PAGE 1

91.09.03 23:35

외신 2과 통제관 FI

0054

관리번호 91-4618

원 본

외 무 부

종 별 :

번 호 : JMW-0425 일 시 : 91 0903 1600

수 신 : 장관(국연,미중)사본:주유엔대사:중계필

발 신 : 주 자메이카 대사

제 목 : 유엔가입(공동제안국)

대:WJM-0226

연:JMW-0420

연호 금 9.3 주재국 외무부 G.DUNCAN 차관은 본직에게 자메이카는 대호 인도의 남북한 유엔가입 권고안에 공동 제안국으로 가담할것을 통보하여 왔으며 자메이카 정부는 남북한 유엔가입이 남북한간 생산적 대화및 실질협력을 통한 통일에 전기가 되기를 희망한다고 말함. 끝

(대사 김석현-국장)

19 . 예고:91.12.31 일반
의거 일반문서로 재분류

국기국	장관	차관	1차보	미주국	분석관	청와대	안기부	중계

PAGE 1

91.09.04 23:07

외신 2과 통제관 CH

0055

관리 번호 91-4570

원 본

외 무 부

종 별 :

번 호 : HGW-0454 일 시 : 91 0903 1610

수 신 : 장 관(국연,동구이)

발 신 : 주 헝가리 대사

제 목 : 남북한 유엔가입(총회 처리방안)

대:WHG-0650

본직은 금 9.3. 외무부 SUDY 아주국장을 방문, 대호 남북한 유엔가입의 총회 처리방안에 관한 그간의 경위를 설명하고, 총회 결의안 공동제안국에 참가하여 줄 것을 요청한바(이원형 참사관, RATKAI 참사관 배석), 동 국장은 상부에 보고하는 동시에 국제기구국과도 협의한후 그 결과를 알려주겠다하고, 사견임을 전제로 한국과의 긴밀한 협조관계, 특히 그간 유엔등 국제기구에서의 양국간 협력관계등에 비추어 공동제안국 참가에 별 문제가 없을 것이라는 반응을 보였음. 끝.

(대사 박영우-장관)

예고:91.12.31. 일반

국기국	장관	차관	1차보	2차보	구주국	분석관	청와대	안기부

PAGE 1

91.09.04 06:03

외신 2과 통제관 FI

0056

관리 번호 91-4513

원 본

외 무 부

종 별 :

번 호 : DJW-1603 일 시 : 91 0903 1610

수 신 : 장관(국연,아동)

발 신 : 주 인니 대사대리

제 목 : 남북한 유엔가입

대:WASN-0045

1. 당관 이참사관은 9.3. NAZARUDDIN 외무성 국제기구국장 대리를 방문, 대호 내용을 설명하고 주재국이 남북한 유엔가입 총회 결의안 공동제안국에 가담하여 줄 것을 요청하였음.

2. 동 국장대리는 남북한 유엔가입을 지지하여 온 주재국이 동 결의안 공동제안국에 가담하는데는 문제가 없다고 말하고, 상금 주유엔 인니대표부로 부터 동건에 대한 보고를 받지 못하였으나, 보고가 있는 대로 비동맹 외상회의에 참석중인 ALATAS 외상의 재가를 받아 필요한 조치를 취하겠다고 하였음.

3. 동 국장대리에 의하면 한-인니 외무장관 회담은 10.1(화) 17:30-18:00 간 유엔 INDONESIA LOUNGE 에서 개최될 예정이라 함을 첨언함. 끝.

~~(대사대리 신효헌-장관)~~

예고:91.12.31 일반

국기국	장관	차관	1차보	2차보	아주국	외정실	분석관	청와대
안기부								

PAGE 1

91.09.03 19:06

외신 2과 통제관 CH

0057

관리 번호	91 -4578

원 본

외 무 부

종 별 :

번 호 : NPW-0360 일 시 : 91 0903 1620

수 신 : 장관(국연,아서)

발 신 : 주 네팔 대사

제 목 : 남.북한 유엔가입

대:WNP-0204

EM-0026

1. 본직은 금 91.9.3(화)외무성 Y.K.SILWAL 차관보와면담, 대호를 설명하면서 주재국도 공동제안국에 가담하여줄것을 요청하였음.

2. SILWAL 차관보는 주재국도 대호 결의안의 공동제안국이 되는것에 동의하며, 이를위해 주유엔대표부로하여금 필요한 조치를 취하도록 지시하겠다고하였음. 끝.

(대사 김일건-국장)

예고:91.12.31 일반

국기국 장관 차관 1차보 2차보 아주국 분석관 청와대 안기부

PAGE 1

91.09.03 21:53

외신 2과 통제관 DO

0058

관리번호 91-4585

원 본

외 무 부

종 별 :

번 호 : CAW-0941 일 시 : 91 0903 1625

수 신 : 장 관(국연)

발 신 : 주 카이로 총영사

제 목 : 남북한 유엔가입

대:WCA-0602

연:CAW-0935

1. 대호관련, 당지에서도 주재국의 남북한 유엔가입 결의안 공동제안국 참여를 요청 위계인바, UN 에서도 인도 및 이집트대표부와 접촉, 동참가를 요청하는 것이 효과적일 것으로 사료됨.

2. 당지에서의 진전상황 추보예정임.끝.

(총영사 박동순-국장)

예고:91.12.31. 일반

국기국 차관 1차보 중아국 외정실 분석관 청와대 안기부

PAGE 1

91.09.04 07:45

외신 2과 통제관 BS

0053

관리 번호 91-4581

원 본

외 무 부

종 별 :

번 호 : CLW-0520 일 시 : 90 0903 1700

수 신 : 장 관(국연)

발 신 : 주 콜롬비아 대사대리

제 목 : 남북한 유엔가입

대: WCL-0236

대호관련, 8.30 일 주재국 외무성 VICENTE SANCHEZ 유엔과장 및 9.3 일 GUILLERMO GRILLO 국제기구차관보를 각각 면담, 주재국의 공동제안국 가담을 요청 하였던바, 주재국은 현재 호의적으로 고려중이며 방침 정하여지는대로 알려 주겠다함.끝.

(대사대리 이정기-국장)

예고: 91.12.31. 일반

국기국 장관 차관 1차보 분석관 청와대 안기부

PAGE 1

91.09.04 07:31

외신 2과 통제관 BS

0060

관리 번호 91-4574

원 본

외 무 부

종 별 :

번 호 : MAW-1224 일 시 : 91 0903 1700

수 신 : 장관(국연)

발 신 : 주 말련 대사

제 목 : 남북한 유엔가입(총회처리방안)

연:MAW-1217

대:WASN-0045, EM-0026

1. 본직은 9.3 CHOO 유엔 및 국제기구 국장을 방문, 그간 아국의 유엔 가입을 적극 지원해준 주재국에 사의를 표명하는 한편, 남북한 유엔 가입을 최종마무리 지을 중요한 문서가 될 총회 결의안에 말련이 공동제안국이 되어줄 것을 재차당부함

이에대해 CHOO 국장은 말련이 공동제안국이 되는데 문제점이 없다하고 관련부서와 의례적인 협의 절차를 거친후 주유엔대사에게 훈령을 내릴것을 약속함

2. 한편 CHOO 국장은 주말련 북한 대사로부터도 동결의안에 공동제안국이 되어 달라는 요청을 받았다고 알려주며 이는 종래북한 태도로 보아 놀라운 발전이라고 언급하였음. 끝

(대사 홍순영-국장)

예고:91.12.31 일반

19 . . 에 일반문서로 재분류됨

국기국 장관 차관 1차보 2차보 분석관 청와대 안기부

PAGE 1

91.09.03 20:23

외신 2과 통제관 DO

0061

관리번호	91-4560

	분류번호	보존기간

발 신 전 보

번 호 : WCA-0602 910903 1701 FN 종별 :

수 신 : 주 카이로 ~~대사~~. 총영사

발 신 : 장 관 (국연)

제 목 : 남북한 유엔가입

대 : CAW-0935

연 : EM-0026

대호, 귀주재국 정부가 남북한 유엔가입 결의안 공동제안국으로 참여할 것을 요청하고, 결과 보고바람. 끝.

(국제기구국장 문동석)

1. 예고 : 91.12.31. 일반.
예고문에 의거 일반문서로 재분류됨

보안 통제	(서명)

앙고재	91년 9월 3일	유엔과	기안자 성명		과 장	심의관	국 장		차 관	장 관
			(서명)		(서명)		전결			(서명)

외신과통제

0062

관리 번호 91-4571

원 본

외 무 부

종 별 :

번 호 : FNW-0242 일 시 : 91 0903 1735

수 신 : 장관(국연,(사본:주 유엔대사))(중계필)

발 신 : 주 핀랜드 대사

제 목 : 남북한 유엔가입(총회 처리방안)

대:WFN-0205

1. 본직은 9.3 AHTISAARI 외무차관(최근까지 유엔사무차장을 역임)을 면담(이순천 참사관 배석), 대호 주재국이 공동제안국이 되어줄 것을 요청함.

2. 동 차관은 남북한이 유엔에 가입하게 된것을 기쁘게 생각하며 남북한 가입의 중요성을 잘알고 있다고 말하고 남북한이 훌륭한 회원국(DISTINGUISHED COLLEAGUES)이 될것으로 확신하며 외무장관과 협의, 동건을 긍정적으로 검토, 그 결과를 알려주겠다고 하였음.

3. 동인은 86 년 IBRD 총회시 방한한바 있으며, 한국의 경제발전에 강한 인상을 받았다고 말하였음을 참고로 첨언함.

4. 동 결과 추보하겠음. 끝

(대사 윤억섭-장관)

예고:91.12.31. 일반

국기국	장관	차관	1차보	2차보	분석관	청와대	안기부	중계

PAGE 1

91.09.04 05:58

외신 2과 통제관 DO

0063

관리번호	91-4579

원 본

외 무 부

종 별 :

번 호 : VZW-0495　　　　일 시 : 91 0903 1900

수 신 : 장 관(국연,국기,미남,의전,기협,기정)

발 신 : 주 베네수엘라 대사

제 목 : 가이아나 외상서리 면담

대: WVZ-274, WLTM-45,47

연: 베네정 2073-25

본직은 9.3 당지를 방문간 GUYANA 외상서리 DR. CEDRIC GRANT 와 면담한 바결과를 다음과 같이 보고함.

1. 남북한 UN 가입 총회 결의안 공동제안국 참가요청건:

동 외상서리는 동건 이미 인도측으로 부터 협의가 있었다하고 GUYANA 는 기꺼이 공동 제안국으로 참가할 것이며 동 의사를 인도 방문시(당지에서 인도 향발예정이라함) 직접 인도측에도 통보할 것이라함.

2. UNESCO 집행위원및 FAO 이사국 입후보 지지 요청건:

양건 공히 지지 할 의사임을 표명하고 정식으로 통보해 줄것을 약속함.

3. IMO 이사국 입후보건:

동건 관련 GUYANA 는 IMO 회원국이 아니라고 언급함.

4. 동 장관서리는 주한 대사 임명 관련, 아국과의 관계 증진 중요성등을 고려, 현 유엔주재대사를 아국 겸임대사로 임명할 것을 재검토중이라고 하고 결정되는대로 공식통보하겠다함.

5. 또한 현재 추진중인 투자보장협정 및 어업협정의 조속체결을 희망한다고언급함. 끝.

(대사 김재훈-국장)

예고: 91.12.31 일반

국기국	장관	차관	1차보	2차보	의전장	미주국	국기국	경제국
분석관	청와대	안기부	~~안기부~~					

PAGE 1

91.09.04 08:48

외신 2과 통제관 BS

0064

관리 번호 91-45580

원 본

외 무 부

종 별 :

번 호 : POW-0567　　　　일 시 : 91 0903 1900

수 신 : 장 관(국연,구이,주유엔대사-중계필)

발 신 : 주 폴투갈 대사

제 목 : 남북한 유엔가입

대:WPO-0323

연:POW-0558

연호에 이어 당관 주참사관은 9.3 주재국 외무성 SANTANA 국제기구국장을 면담, 교섭한바, 동 국장은 금번 남북한 유엔가입문제의 해결방향은 주재국이 늘 지지해온것이라고 하면서, 자국의 결의안 공동제안국 참여에 문제가 없을것으로 보며, 관련 결정을 추후 통보해주겠다고 하였기 보고함. 끝

(대사조광제-국장)

예고:91.12.31 일반

19 . . 에 예고문에 의거 일반문서로 재분류됨

국기국	장관	차관	1차보	구주국	분석관	청와대	안기부	중계

PAGE 1

91.09.04 07:34

외신 2과 통제관 BS

0065

관리 번호 91-4594

원 본

외 무 부

종 별 :

번 호 : UNW-2414 일 시 : 91 0903 2200

수 신 : 장 관(국연,기정)

발 신 : 주 유엔 대사

제 목 : 총회결의안 공동제안국 가담현황(1)

연:UNW-2352,2374

1. 연호, 윤참사관이 금 9.3.(화) 인도대표부 SETH 1 등서기관으로부터 확인한 공동제안국 가담현황을 아래보고함.

2. 공동제안국 가담국가(직접 서명 또는 FAX 송부)

0. 총 14 개국(금 18:00 현재)

0. 국명

-인도, 에쿠아돌, 혼두라스, 요르단, 모리타니아, 몽골리아, 세인트빈센트그레나딘, 스리랑카, 베네주엘라, 콜롬비아, 브라질, 네팔, 바베이도스, 루마니아. 끝

(대사 노창희-차관)

예고: 91.12.31. 일반

국기국	장관	차관	1차보	분석관	청와대	안기부

PAGE 1

91.09.04 11:11

외신 2과 통제관 BS

0066

관리 번호	91-4607

	분류번호	보존기간

발 신 전 보

번 호 : WND-0771 외 별지참조 종별 :

수 신 : 주 수신처 참조 대사. ~~총영사~~ (국연)

발 신 : 장 관

제 목 : 총회결의안 공동제안국

귀주재국은 (겸임국) 남북한가입 총회결의안 공동제안국에 기가담 하였으니 ~~업무 수행에~~ 참고바람. 끝.

(국제기구국장 문동석)

예 고 : 1991.12.31. 일반.
의거 일반문서로 재분류됨

수신처 : 주인도, 에쿠아돌, 과테말라(온두라스 해당), 요르단, 모리타니아, 몽골, 트리니다드토바고(세인트빈센트 및 바베이도스 해당), 스리랑카, 베네수엘라, 콜롬비아, 브라질, 네팔, 루마니아대사

보안 통제	

앙 고 재	91년 9월 4일	유엔 과	기안자 성명		과 장	심의관	국 장		차 관	장 관

외신과통제

0067

WND-0771 외 별지참조

WND-0771 910904 1823 FN

WEQ -0180 WGU -0215 WJO -0528 WHT -0161 WMG -0432

WTT -0105 WSK -0337 WVZ -0280 WCL -0243 WBR -0429

WNF -0210 WRM -0522

0067-1

관리 번호	91-4617

원 본

외 무 부

종 별 :

번 호 : GAW-0132 일 시 : 91 0904 1140

수 신 : 장관(국연)

발 신 : 주 가봉 대사

제 목 : 남북한 유엔가입(총회처리방안)

대:WAFM-0056, EM-0026

1. 대호관련, 당관 이욱헌서기관은 9.4 주재국외무부 JEAN-MARIE MAGUENA 유엔과장을 면담, 총회 결의안 초안을 수교하고 주재국이 공동제안국에 가담하여줄 것을 요청함.

2. 이에 대해 동 과장은 가봉이 남북한 동시 유엔가입을 지지하여 왔음을 상기시키면서 공동제안국 가담에 아무런 문제가 없을 것이라고 언급하고 결정된 입장을 가나 비동맹회의에 참가중인 국제기구국장이 내주 초 귀임하는 대로 보고후 알려 주겠다 함. 끝.

(대사 박창일-국장)

예고:1991.12.31 일반

국기국 차관 1차보 중아국 안기부

PAGE 1

91.09.04 21:09

외신 2과 통제관 CH

0068

관리번호	91-4672

원 본

외 무 부

종 별 :

번 호 : MOW-0407 일 시 : 91 0904 1500

수 신 : 장관(국연)

발 신 : 주 모로코 대사

제 목 : 유엔 처리 방안

대:WMO-0297,0026

당관 박참사관은 9.4. 외무성 베라다 국제기구과장을 접촉, 대호 인도측 초안을 전달하고 모로코의 공동제안국 가담을 요청하였는바 이를 흔쾌히 수락하고 현재 해외 여행중인 장관이 돌아오면 보고후 9.17. 이전에 사무국에 비치된 서명록에 서명토록 조치하겠다고 함. 끝

(대사허리훈-국장)

예고:91.12.31 일반

국기국

PAGE 1

91.09.05 00:55

외신 2과 통제관 CH

0063

관리 번호	91-4620

원 본

외 무 부

종 별 : 긴급

번 호 : NRW-0542 일 시 : 91 0904 1640

수 신 : 장관(국연,사본:주유엔대사-본부중계필)

발 신 : 주 노르웨이 대사

제 목 : 남북한 유엔가입

대:WNR-291, EM-26

당관 손참사관은 9.4.SIGURDSSON 당지 아이슬란드대사관 차석(1 등서기관)을 면담, 대호 설명하고 아이슬란드가 공동제안국에 가담하여주도록 요청하였음. 이에대해 동인은 아측 요청사항을 본국에 즉시 보고하겠다고 약속하였으며 사견으로는 아이슬란드의 가담은 큰문제가 없을것으로 본다고 말하였음. 본건 추보하겠음

~~(대사 김병연-국장)~~

예고:91.12.31 일반

국기국 중계	장관	차관	1차보	2차보	상황실	분석관	청와대	안기부

PAGE 1

91.09.05 00:39

외신 2과 통제관 CH

0070

관리번호	91-4671

원 본

외 무 부

종 별 : 긴급

번 호 : NRW-0543 　　　　　일 시 : 91 0904 1650

수 신 : 장관(국연,사본:주유엔대사-본부중계필)

발 신 : 주 노르웨이 대사

제 목 : 남북한 유엔가입

대:WNR-291, EM-26

연:NRW-529

1. 본직은 9.4.VINDENES 주재국 외무부 사무차관을 방문, 대호 설명하고 주재국이 원유엔회원국으로서 공동제안국 가담에 앞장서줄것으로 요청하였음

2. 이에대해 동차관은 유엔의 보편성원칙에 비추어 남북한 유엔가입을 진심으로 환영한다고 말하고 주유엔 자국대표부로부터 아직 본건에관해 보고가 없으나 주재국이 이를 긍정적으로 검토하겠으며 공동제안국이 되는데 별 어려움이 없을것이라고 말하였음

3. 동차관에 의하면 주재국은 주유엔 자국대표부로부터 공동제안국 가담을 건의하는 보고를 받고나서 정식 조치를 취하는것이 순서라고 하는바, 주유엔대표부로 하여금 주재국 대표부를 접촉, 공동제안국 가담을 건의하는 보고를 조속히 하도록 지시 바람. 끝

(대사 김병연-국장)

19 ,예고:91.12.31 일반
의거 일반문서로 재분류 됨

국기국 중계	장관	차관	1차보	2차보	상황실	분석관	청와대	안기부

PAGE 1

91.09.05 00:40

외신 2과 통제관 CH

0071

[redacted]

관리번호	91-4624

원 본

외 무 부

종 별 :

번 호 : FNW-0245 일 시 : 91 0904 1715

수 신 : 장관(국연,사본:주유엔대사:중계필)

발 신 : 주 핀랜드 대사

제 목 : 남북한 유엔가입(총회 처리방안)

연:FNW-0242

PATANEN 외무부 한국담당 참사관은 9.4 주재국이 연호 공동제안국이 될것을결정하였다고 당관에 통보하여옴.끝.

(대사 윤억섭-장관)

예고:91.12.31. 일반

국기국 장관 차관 1차보 2차보 청와대 안기부 중계

PAGE 1

91.09.05 00:11

외신 2과 통제관 CH

0072

관리 번호	91-4615

원 본

외 무 부

종 별 :

번 호 : PGW-0252 일 시 : 91 0904 1830

수 신 : 장관(국연)

발 신 : 주 파라과이 대사

제 목 : 남북한 유엔가입

대:WPG-0228

1. 본직이 9.3 주재국 외무부 SAGUIER CABALLERO 차관(북미, 중남미 지역관장) 및 OSCAR CABELLO 차관(아세아, 유럽, 중동아프리카지역 관장)과 접촉시, 동인들은 남.북한 유엔동시 가입이 실현되게한 한국의 외교적 노력을 높이 평가한다 하였음.

2. 이에 대해여 본직은 파라과이가 항상 국제무대에서 아국입장을 지지하여 준데 대하여 사의를 표하고, 아국이 유엔가입후에도 지속적인 파라과이의 아국입장 전폭지지를 기대한다고 하였음.

3. SAGUIER 차관은 필요시 한국 가입관련 총회 결의안 공동제안국으로 참여할수 있다고 하였기 보고함.

(대사 김홍수-국장)

예고:91.12.31. 일반

국기국 장관 차관 1차보 2차보 분석관 청와대 안기부

PAGE 1

91.09.05 08:12

외신 2과 통제관 DO

0073

관리번호	91-46233

원 본

외 무 부

종 별 :

번 호 : POW-0570 일 시 : 91 0904 1900

수 신 : 장관(국연,국기,구이)

발 신 : 주 폴부갈 대사

제 목 : 유엔총회, 국제기구진출 교섭

연:POW-0567,558,564,565

1. 본직은 9.4 주재국 외무성 VASCO 군축 및 국제기구담당 부차관보를 신임예방한 계기에, 아국의 유엔가입 관련 결의안에 대한 공동제안국 가입을 주재국에 요청중임을 언급하자, 동인은 공동제안국 가입에 문제가 없는것으로 알며 9.3 EC 출장후 귀임한 외상앞 보고가 끝나는대로 공식 입장을 회보해주겠다고 하였음

2. 본직은 또 IAEA, FAO, IMO 등 이사국 진출문제를 놓고 당관 참사관 및 주재국 담당국장선 협의가 있어 주재국의 지지를 기대하고 있다고 말한바, 동 부차관보는 양국관계에 비추어 지지를 기대해도 좋을것으로 생각한다고 말했음. 끝

예고:91.12.31 까지

국기국 차관 1차보 구주국 국기국

PAGE 1

91.09.05 05:45

외신 2과 통제관 FM

0074

관리 번호 91-4616

원 본

외 무 부

종 별 :

번 호 : SVW-3327 일 시 : 91 0904 2000

수 신 : 장 관(국연,사본:주유엔대사:중계필)

발 신 : 주 소 대사

제 목 : 남.북한 유엔가입(총회처리방안)

대 : WSV-2894

1. 당관 김성환서기관은 금 9.4(수) 주재국 외무성 국제기구국 GATILOV 참사관을 접촉, 대호 내용에따라 공동 제안국에 관해 설명하고 쏘측도 공동 제안국에 가담하여 줄것을 요청하였음.

2. GATILOV 참사관은 본건 관련 유엔주재 인도대사가 자국대사와도 접촉했을 것으로 짐작하나, 아직 유엔 대표부로부터의 보고가 없어 상세한 내용을 파악치 못하고 있다면서 아측의 요청을 검토하여 유엔 주재 소련 대표부에 그 결과를통보하겠다 함. 동 참사관은 그동안 소련이 남북한의 유엔 동시가입을 전폭 지지해 왔음을 상기하고 개인적 의견임을 전제로 소련의 금번 공동 제안국 가담에 별 문제가 없을 것이라는 견해를 표명함. 끝

(대사공로명-국장)

91.12.31 일반

국기국	장관	차관	1차보	분석관	청와대	안기부	중계

PAGE 1

91.09.05 06:10

외신 2과 통제관 CH

0075

관리 번호 91-4640

원 본

외 무 부

종 별 :

번 호 : UNW-2436 일 시 : 91 0904 2100

수 신 : 장관(국연,기정)

발 신 : 주 유엔 대사

제 목 : 공동제안국

대:WUN-2440

당관 서참사관은 금 9.4. 중국대표부 왕광아 참사관과 면담 대호설명한바, 동인은 인도대표부 공한을 접수, 본국정부에 보고하였다고 하고 중국으로서는 남북한간 합의사항에 대하여는 이를 전폭지지한다는 기본입장에 따라 공동제안국 가담에 문제가 없다고 보며 근일중 본국으로 부터 훈령이 있을 것으로 기대한다고 함. 끝

(대사 노창희-장관)

예고:91.12.31. 일반

국기국 장관 차관 1차보 2차보 분석관 청와대 안기부

PAGE 1

91.09.05 11:01

외신 2과 통제관 DO

0076

관리 번호	91 -4644

원 본

외 무 부

종 별 :

번 호 : UNW-2444 일 시 : 91 0904 223

수 신 : 장관(국연,기정)

발 신 : 주 유엔 대사

제 목 : 공동제안국 가담현황(2)

연:UNW-2414

1. 인도대표부가 알려온 금 9.4(수) 18:00 현재 공동제안국 가담현황은 아래와같음.

가. 금일 추가 가담국:6 개국

-백러시아, 체코, 핀랜드, 펠, 스웨덴, 가봉

나. 금일현재누계:20 개국

2. 한편, SETH 1 등서기관에의하면, 당지 MBC-TV 는 금일오전 주유엔 체코대사가 인도대표부에서 직접 서명하는 장면을 취재한후, 동대사와 간단한 인터뷰를 가졌다고함. 끝

(대사 노창희-국장)

19 에 예고 에 의거 일반 예고:91.12.31 일반

국기국 장관 차관 1차보 2차보 분석관 청와대 안기부

PAGE 1

91.09.05 11:31

외신 2과 통제관 DO

0077

공동제안국 가담 요청현황

91. 9. 4. 현재

1. 개 요

o 교섭지시 대상국 총 55국중 9.4.현재 44국의 보고 접수

- 거의 대다수국이 긍정적 반응

o 유엔에 서명토록 지시한 국가는 나미비아등 25개국임.

2. 각국별 반응

국 명	면 담 자	반 응	비 고 (유엔 대표부 지시여부)
스리랑카	Radrigo 정무차관보	아무 문제없음	○
태 국	Saroj 정무국장	보고후 알려주겠음	X
말 련	Choo 유엔국장	문제없음	○
인 도	Sharma 한국과장 부국장	Coodinator역할 공식 수락	○
인 니	Nazaruddin	문제없음	X
불가리아	Yossifov 유엔 부국장	적극 건의하겠음	X
네 팔	Silwal 차관보	동의함	○
노르웨이	Haug 국제기구국장	문제없을 것임	X
오 지 리	Hoyos 유엔담당관	기꺼이 가담하겠음	○
헝 가 리	Sudy 아주국장	별문제 없을 것임	X
덴 마 크	Sternberg 아주국장	기꺼이 수락함	○
루마니아	Micu 유엔국장	기꺼이 가담하겠음	○

0078

국 명	면 담 자	반 응	비 고 (유엔 대표부 지시여부)
핀 랜 드	Ahtisaari 차관	긍정 검토하겠음	X
폴 란 드	Lukasik	문제없음	○
스 웨 덴	Elmer 유엔국장	아무런 이의없음	X
유 고	벨리치 아주담당관	상부 건의하겠음	X
폴 투 갈	Julio 부차관보	문제없을 것임	X
체 코	Nejedly 국제기구 국장	문제없을 것임	○
모리셔스	Makhan 국제기구 국장	서명키로하였음	○
케 냐	Gitulu 국제기구 국장대리	어려움 없음	○
가 나	Allotey 국제기구 과장	상부에 보고예정	X
이디오피아	Seyoum 외무장관	긍정적 검토 약속	X
예 멘	Gazem 의전장	기꺼이 수락함	○
모리타니아	Jiddou 차관	훈령 타전하겠음.	○
이 란	Sephat 극동국장	어려움이 없을것임.	X
잠 비 아	Kunda 정무차관보	어려움 없음	○
말 라 위	Munthali 정무국장	상부 보고후 현지에 가담 지시하겠음	○
몽 골	Galbadrakh 국제기구국장	가담 지시하였음	○

0079

국 명	면 담 자	반 응	비 고 (유엔 대표부 지시여부)
나미비아	Guibeb 사무차관	영광스런 일로 생각함	○
시에라레온	Conteh 국제기구 국장	서명토록 지시	○
카 메 룬	Sao 유엔국장	외무장관 기조연설 노선과 일치함으로 좋을 것으로 생각됨	X
코트디브와르	Aka 유엔국장	상부에 보고하겠음	X
요 르 단	Batayneh 국제기구 국장 대리	가담토록 건의하겠음	○
수 리 남	Leeflang 국제기구 국장	가담토록 보고하고 유엔에 지시하겠음	○
멕 시 코	Pellicer 유엔국장	아무문제 없을것임	X
자메이카	Carr 극동국장	기꺼이 수락할 것임	X
베네수엘라	Aponte 국제기구 과장	유엔확인후 가담토록 조치하겠음	○
가이아나	Grant 외상서리	기꺼이 참가함	○
트리니다드	Spencer 차관	원칙에 동의	X
그레나다	Banfield 차관	가담예정	○
세인트 루시아	Cenac 장관	가담예정	○
안티구아	Mudach 차관보	문제없음	○
세인트 빈센스	Young 차관보	문제없음	○
콜롬비아	Sanchez 유엔과장	호의적 고려	X

0080

관리 번호 91-4642

원 본

외 무 부

종 별 :

번 호 : THW-1779 일 시 : 91 0905 0830

수 신 : 장 관(국연,아동)

발 신 : 주 태국 대사

제 목 : 남.북한 유엔가입(총회처리방안)

본직은 9.3 VITTHAYA 외무성 사무차관을 접촉, 대호 3 항에 관하여 주재국 협조를 요청한바 동차관은 태국은 원칙적으로 이를 수락하며 적절한 시기에 주유엔태국대사에게 지시하겠다고 하였음

(대사 정주년-국장)

예 고 : 91.12.31. 일반
(거 일반문서로 재분류됨)

국기국	장관	차관	1차보	2차보	아주국

PAGE 1

91.09.05 15:01
외신 2과 통제관 BW

0081

관리번호	91-4660

외 무 부

종 별 :

번 호 : ZRW-0477 일 시 : 91 0905 1230

수 신 : 장 관(국연일,국연이,국기)

발 신 : 주 자이르 대사

제 목 : 남.북한 유엔가입

대:(1) WAFM-0056, EM-0026, (2) WAFM-0048, AM-0158, (3) WZR-0284, 0238,WAFM-0053

연:ZRW-0451

1. 대호(1) 지시관련 작일 9.4(수)21 시 외무성 LOLONGO 국제기구국장을 자택으로 방문(9.2 일부터 전공무원 총파업으로 외무성 청사폐쇄), 주재국이 대호 결의안 공동제안국에 가담하여 줄것을 요청한바, 동국장은 남북한의 유엔가입이 국제적 긴장완화및 한반도 평화통일에 크게 기여될것이므로 주재국은 기꺼히 공동제안국에 가담할것이며, 이를 명일 9.5(목)비록 파업중이지만 경비병을 대동코외무성으로 출근, 주유엔 자이르 대사에게 전문으로 공동제안국 서명부에 서명토록할것을 긴급 지시하겠다고하였음

2. 동국장은 지난주 주재국 외무장관을 수행하여(보좌관 2 인대동) 대호(2) 가나 비동맹 외상회의에 참가예정이었으나, 주재국 국내사정및 항공편이 준비되지않아 전대표단이 출발하지 못하고 현재 특별기배정을 기다리고있으나, 특별기 배정이 지연될경우 참가하지못할 가능성도 있으며, 대신 토고, 코트디브와르 대사등이 참여, 아국입장지지엔 아무 문제가 없을것이라 하였음

3. 아울러 대호(3)아국의 국제기구 이사국 진출시 지지를 요청하였는바, 동국장은 대부분 지지통보를 한것으로 알고있으나 각국제기구 회의시마다 차질없이 지지하여 주겠다고 하였음.

끝.

~~(대사 홍승호-국장)~~

19 에 예고 의거 예고:91.12.31. 일반

국기국	장관	차관	1차보	중아국	국기국	국기국	분석관	청와대
안기부								

PAGE 1

91.09.05 21:24

외신 2과 통제관 BS

0082

관리 번호	91 -4659

외 무 부

종 별 :

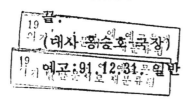

번 호 : ZRW-0477 일 시 : 91 0905 1230

수 신 : 장 관(국연일,국연이,국기)

발 신 : 주 자이르 대사

제 목 : 남.북한 유엔가입

대:(1) WAFM-0056, EM-0026, (2) WAFM-0048, AM-0158, (3) WZR-0284, 0238,WAFM-0053

연:ZRW-0451

1. 대호(1) 지시관련 작일 9.4(수)21 시 외무성 LOLONGO 국제기구국장을 자택으로 방문(9.2 일부터 전공무원 총파업으로 외무성 청사폐쇄), 주재국이 대호 결의안 공동제안국에 가담하여 줄것을 요청한바, 동국장은 남북한의 유엔가입이 국제적 긴장완화및 한반도 평화통일에 크게 기여될것이므로 주재국은 기꺼히 공동제안국에 가담할것이며, 이를 명일 9.5(목)비록 파업중이지만 경비병을 대동코외무성으로 출근, 주유엔 자이르 대사에게 전문으로 공동제안국 서명부에 서명토록할것을 긴급 지시하겠다고하였음

2. 동국장은 지난주 주재국 외무장관을 수행하여(보좌관 2 인대동) 대호(2) 가나 비동맹 외상회의에 참가예정이었으나, 주재국 국내사정및 항공편이 준비되지않아 전대표단이 출발하지 못하고 현재 특별기배정을 기다리고있으나, 특별기 배정이 지연될경우 참가하지못할 가능성도 있으며, 대신 토고, 코트디브와르 대사등이 참여, 아국입장지지엔 아무 문제가 없을것이라 하였음

3. 아울러 대호(3)아국의 국제기구 이사국 진출시 지지를 요청하였는바, 동국장은 대부분 지지통보를 한것으로 알고있으나 각국제기구 회의시마다 차질없이 지지하여 주겠다고 하였음.

끝.

(대사 홍순회-국장)

예고:91.12.31. 일반

국기국 안기부	장관	차관	1차보	중아국	국기국	국기국	분석관	청와대

PAGE 1

91.09.05 21:24

외신 2과 통제관 BS

0083

원 본

암호수신

외 무 부

종 별 :

번 호 : MOW-0411 일 시 : 91 0905 1500

수 신 : 장 관(국연,중동이)

발 신 : 주 모로코 대사

제 목 : 유엔 처리 방안

연:MOW-0407

사르까위 외무차관은 9.5. 본직의 신임장 사본 제출하는 자리에서 금일 아침 주뉴욕 모로코 유엔대표부에 대하여 남북한 유엔 가입 공동제안국 서명부에 서명토록 훈령하였다고 언급함. 끝

(대사허리훈-국장)

국기국 차관 1차보 중아국

PAGE 1

91.09.06 04:41

외신 2과 통제관 BS

0084

관리 번호	91-4660

원 본

외 무 부

종 별 :

번 호 : MIW-0119 일 시 : 91 0905 1530

수 신 : 장 관(국연, 사본:주유엔대사-중계필)

발 신 : 주 말라위 대사

제 목 : 남북한 유엔가입 공동제안국 교섭

연:MIW-0118

연호, 주재국 외무부 MUNTHALI 정무국장은 어제(9.4) 주재국 유엔대표부에 남북한 유엔가입 공동제안국에 가담토록 지시했다고 금일 알려왔기 보고함. 끝.

(대사 박영철-국장)

예고: 91.12.31. 일반.

국기국 장관 차관 1차보 분석관 청와대 안기부 중계

PAGE 1

91.09.06 04:26

외신 2과 통제관 BS

0085

관리 번호	91-466ㅁ1

원 본

외 무 부

종 별 :

번 호 : UNW-2460 일 시 : 91 0905 1900

수 신 : 장관(국연)

발 신 : 주 유엔 대사

제 목 : 공동제안국 가담 현황(3)

1. 금 9.5 오전 중국대표부 왕광아 참사관은 당관 서참사관에게 중국이 금일 공동제안국에 가담하였다고 알려왔음

2. 또한 미국 대표부 RUSSEL 담당관은 국무부로부터 공동제안국 가담훈령이금일중 하달될 것으로 예상되며 내일중 공동제안국에 가담할 것이라고 알려 왔음. 동인은 이어 EC 12 개국도 공동제안국 가담을 결정(COLLECTIVE DECISION), 내일중 조치를 취할 것으로 예상되며, 소련도 곧 가담할 것으로 듣고 있다고함

3. 금일 오후 6 시 현재 공동 제안국 가담 현황은 아래와 같음

가. 금일 서명국 19 개국

알바니아, 안티구아바부다, 오지리, 방글라데쉬, 중국, 지부티, 휘지, 그리이스, 그레나다, 자마이카, 쿠웨이트, 팔련, 모리셔스, 멕시코, 솔로몬군도, 시리아, 튀니지아, 바누아투, 월남

4. 금일현재 누계 39 개국. 끝

(대사-국장)

19 . 예고 91.12.31 일반
의거 일반문서로 재분류됨

국기국	장관	차관	1차보	2차보	외정실	분석관	청와대	안기부

PAGE 1

91.09.06 09:35
외신 2과 통제관 BW

0086

공동제안국 가담 요청현황

91. 9. 5. 현재

1. 개 요

○ 교섭지시 대상국 총 55국중 9.5.현재 51국의 보고 접수

- 거의 대다수국이 긍정적 반응

○ 유엔에 서명토록 지시한 국가는 나미비아등 30개국임.

2. 각국별 반응

국 명	면 담 자	반 응	비 고 (유엔 대표부 지시여부)
(아 주)			
스리랑카	Radrigo 정무차관보	아무 문제없음	○
태 국	Saroj 정무국장	보고후 알려주겠음	X
말 련	Choo 유엔국장	문제없음	○
몽 골	Galbadrakh 국제기구국장	가담 지시하였음	○
인 도	Sharma 한국과장 부국장	Coodinator역할 공식 수락	○
인 니	Nazaruddin	문제없음	X
네 팔	Silwal 차관보	동의함	○
(구 주)			
불가리아	Yossifov 유엔 부국장	적극 건의하겠음	X
오 지 리	Hoyos 유엔담당관	기꺼이 가담하겠음	○

0087

국 명	면 담 자	반 응	비 고 (유엔 대표부 지시여부)
헝 가 리	Sudy 아주국장	별문제 없을 것임	X
덴 마 크	Sternberg 아주국장	기꺼이 수락함	○
루마니아	Micu 유엔국장	기꺼이 가담하겠음	○
핀 랜 드	Ahtisaari 차관	긍정 검토하겠음	○
폴 란 드	Lukasik	문제없음	○
스 웨 덴	Elmer 유엔국장	아무런 이의없음	X
유 고	벨리치 아주담당관	상부 건의하겠음	X
폴 투 갈	Julio 부차관보	문제없을 것임	X
체 코	Nejedly 국제기구 국장	문제없을 것임	○
소 련	Gatilof 국제기구 참사관	(개인적 의견) 별문제가 없을 것임	X
노르웨이	Vindenes 사무차관	어려움 없음	X
아이슬란드	Sigurdsson 사무차관	문제없을 것임	X
(중동 아프리카)			
모리셔스	Makhan 국제기구 국장	서명키로하였음	○
케 냐	Gitulu 국제기구 국장대리	어려움 없음	○

0088

국 명	면 담 자	반 응	비 고 (유엔 대표부 지시여부)
가 나	Allotey 국제기구 과장	상부에 보고예정	X
이디오피아	Seyoum 외무장관	긍정적 검토 약속	X
예 멘	Gazem 의전장	기꺼이 수락함	○
모리타니아	Jiddou 차관	훈령 타전하겠음.	○
이 란	Sephat 극동국장	어려움이 없을것임.	X
잠 비 아	Kunda 정무차관보	어려움 없음	○
말 라 위	Munthali 정무국장	상부 보고후 현지에 가담 지시하겠음	○
나미비아	Guibeb 사무차관	영광스런 일로 생각함	○
가 봉	Maguena 유엔과장	문제없음	X
우 간 다	Irumba 국장	전적으로 동의	○
모 로 코	베라다 국제기구 과장	흔쾌히 수락	○
시에라레온	Conteh 국제기구 국장	서명토록 지시	○
카 메 룬	Sao 유엔국장	외무장관 기조연설 노선과 일치함으로 좋을 것으로 생각됨	X
코트디브와르	Aka 유엔국장	상부에 보고하겠음	X
요 르 단	Batayneh 국제기구 국장 대리	가담토록 건의하겠음	○

0083

국 명	면 담 자	반 응	비 고 (유엔 대표부 지시여부)
(미 주)			
수 리 남	Leeflang 국제기구 국장	가담토록 보고하고 유엔에 지시하겠음	○
멕 시 코	Pellicer 유엔국장	아무문제 없을것임	X
자메이카	Carr 극동국장	기꺼이 수락할 것임	X
베네수엘라	Aponte 국제기구 과장	유엔확인후 가담토록 조치하겠음	○
가이아나	Grant 외상서리	기꺼이 참가함	○
트리니다드	Spencer 차관	원칙에 동의	X
그레나다	Banfield 차관	가담예정	○
세인트 루시아	Cenac 장관	가담예정	○
안티구아	Mudach 차관보	문제없음	○
세인트 빈센스	Young 차관보	문제없음	○
콜롬비아	Sanchez 유엔과장	호의적 고려	X
파라과이	Caballero 차관	공동제안국 참여할 수 있음	X
자메이카	Duncan 차관	가담하겠음	○

0090

관리 번호	91-4161

	분류번호	보존기간

발 신 전 보

번 호 : WUN-2555 910906 1313 ED 종별 :

수 신 : 주 유엔 대사. 총영사

발 신 : 장 관 (국연)

제 목 : 공동제안국 가담국 현황

연 : WUN-2444

1. 연호관련, 교섭지시 대상국(총 55국)중 9.5.현재 51국 보고 접수한 바, 거의 대다수국이 긍정적 반응을 보임.

2. 상기중 현재까지 주유엔대표부에 공동제안국 서명지시국은 29국인바 동 명단 하기와 같으니 참고바람.

아 주 : 스리랑카, 말련, 몽골, 네팔, (4)

구 주 : 오지리, 덴막, 루마니아, 핀랜드, 폴란드, 체코(6)

아중동 : 모리셔스, 케냐, 예멘, 모리타니아, 잠비아, 말라위, 나미비아, 우간다, 모로코, 시에라레온, 요르단(11)

미 주 : 수리남, 베네수엘라, 가이아나, 그레나다, 세인트루시아, 안티구아, 세인트빈센트, 자마이카(8)

(국제기구국장 문동석)

예 고 : 1991.12.31 일반.

19 . . . 에 예고문에 의거 인반문서로 재분류됨

보안 통제	

앙 고 재	91년 9월 6일	유엔과	기안자 성명		과 장	심의관	국 장		차 관	장 관

외신과통제

0091

관리번호 91-4688

원 본

외 무 부

종 별 : 긴 급

번 호 : NRW-0553 일 시 : 91 0906 1600

수 신 : 장관(국연,사본:주유엔대사-중계필)

발 신 : 주 노르웨이 대사

제 목 : 남북한 유엔가입

대:WNR-291

연:NRW-543

주재국은 9.6. 대호 남북한 유엔가입결의안 공동제안국에 가담하기로 결정하고 동 내용을 주유엔 자국대표부에 통보, 서명토록 지시하였다고 당관에 알려왔음. 끝

(대사 김병연-국장)

예고:91.12.31 일반

19 . . . 에 예고문에 의거 일반문서로 재분류됨

국기국 중계	장관	차관	1차보	2차보	상황실	분석관	청와대	안기부

PAGE 1

91.09.06 23:12

외신 2과 통제관 DO

0092

관리번호 91-4682

원 본

외 무 부

종 별 :

번 호 : HGW-0468 일 시 : 91 0906 1630

수 신 : 장관(국연,동구이,사본:주 유엔대사-중계필)

발 신 : 주 헝가리 대사

제 목 : 남북한 유엔가입(총회 처리방안)

대:WHG-0650

연:HGW-0454

외무부 국제기구국 SZELEI 부국장은 금 9.6. 오전 당관 이원형 참사관과의 면담에서, 그간 한국과의 긴밀한 협조관계등을 고려, 금일중으로 주 유엔 인도대표부에 비치된 공동제안국 명부에 서명하도록 작 9.5. 오후 훈령하였다고함. 끝.

(대사 박영우-장관)

19 예고:91.12.31. 일반
에 의거 일반문서로 재분류됨

국기국 장관 차관 1차보 구주국 분석관 청와대 안기부 중계

PAGE 1

91.09.07 01:06

외신 2과 통제관 FM

0093

관리번호 91-4612

원 본

외 무 부

종 별 :

번 호 : PNW-0179 일 시 : 91 0906 1720

수 신 : 장관(국연,아동)

발 신 : 주 파뉴 대사

제 목 : 남.북한 유엔 가입

대:WPN-154

1. 대호, 유엔총회 결의안 관련, 본직명의 공한을 9.6 자로 주재국 외무부에 송부, 주재국이 아국의 유엔가입 결의안 공동제안국에 가담하여줄 것을 요청했음.

2. 또한 당관 한서기관이 금 9.6 ANUK 외무부 국제기구국장 대리를 면담, 주재국이 공동제안국에 가담해줄 것을 요청한바, 동 국장대리는 주재국이 공동제안국에 가담하는 것에 전혀 문제가 없으며 곧 주유엔대표부에 훈령, 공동제안국에 가담토록 하겠다 하였음. 끝.

(대사 이석곤-국장)

예고:91.12.31 일반

국기국 아주국

PAGE 1

91.09.06 18:01

외신 2과 통제관 BN

0094

관리 번호	91 -1053

원 본

외 무 부

종 별 : 지 급

번 호 : MXW-1205 일 시 : 91 0906 1730

수 신 : 장 관(국연)

발 신 : 주 멕시코 대사

제 목 : 남북한 유엔가입(총회처리방안)

대:WMX-1137

1. 대호 유엔가입결의안 공도제안국 가담 관련, 당관 김공사는 금 9.6(금) 11:00 외무성 SADALINDA 유엔국 부국장 접촉 확인한 바, 주재국정부는 9.4. 자로 주유엔 대표부에 서명지시 훈령을 보냈으며, 이미 서명한 것으로 안다고 답변함.

2. 금 9.6. 아국 주유엔 대표부에 주재국 서명사실 확인함.끝.

(대사 이복형-국장)

예고:1991.12.31. 까지

국기국 장관 차관 1차보 미주국 분석관 청와대 안기부

PAGE 1

91.09.07 10:36

외신 2과 통제관 BS

0095

관리 번호	91-4684

원 본

외 무 부

종 별 :

번 호 : PUW-0705 일 시 : 91 0906 1730

수 신 : 장 관(국연,미남)

발 신 : 주 페루 대사

제 목 : 남북한 유엔가입 공동제안국 가담

대:WPU-0330

금 9.6 FERNANDO GUILLEN 외무부 다자차관보가 본직에게 통보해온바에 의하면 주재국은 주유엔대사를 통해 9.4 대호 공동제안국 가담 조치를 이미 취했다고함. 끝.

~~(대사 윤태현-국기국장)~~

예고:91.12.31. 일반

국기국 장관 차관 1차보 미주국 청와대 안기부

PAGE 1

91.09.07 07:59

외신 2과 통제관 BS

0096

관리 번호	91-4680

원 본

외 무 부

종 별 :

번 호 : BLW-0623 일 시 : 91 0906 1750

수 신 : 장관(국연,동구이)

발 신 : 주 불가리아 대사

제 목 : 남북한 유엔 가입

대:WBL-0464, EM-0026

연:BLW-0609

연호, 주재국 외무부 유엔국 YOSSIFOV 부국장은 금 9.6(금) 당관에 불가리아가 남북한 유엔가입 총회 결의안의 공동제안국에 가담키로 결정하고, 주유엔 불가리아 대사에게 서명부에 서명토록 지시하였다고 알려왔음을 보고함. 끝.

~~(대사 김좌수-국장)~~

19 . . . 에 예고문에 의거 예고: 91.12.31. 일반

국기국 1차보 구주국 분석관

PAGE 1

91.09.07 01:17

외신 2과 통제관 FM

0097

관리번호	91-4715

원 본

외 무 부

종 별 :

번 호 : SLW-0701　　　　일 시 : 91 0906 1800

수 신 : 장관(국연,아프일)

발 신 : 주 세네갈 대사

제 목 : 남북한 유엔가입

대:WAFM-56

1. 정동일 참사관은 9.6 DIALLO 국제기국국장대리를 면담, 세네갈의 총회결의안 공동제안국 가담을 요청함.(AIDEMEMOIRE 수교)

2. 동인은 아측의 요청을 상부에 보고하겠으며 남북한의 유엔가입을 축하하는의미에서도 세네갈이 공동제안국이 되도록해야할것이며 문제가 없을것이라고 말함. 최종결정은 총리실의 재가를 거쳐 유엔대표부에 직접훈령될것이라고함. 끝.

(대사대리 정동일-국장)

예고:91.12.31 일반

국기국　1차보　2차보　중아국

PAGE 1

91.09.08　00:37

외신 2과　통제관 CE

0098

관리번호 91-4718

외 무 부

종 별 :

번 호 : IVW-0458 일 시 : 91 0906 1800

수 신 : 장관(아프일,국연)

발 신 : 주 코트디브와르 대사

제 목 : 부임예방

대:WAFM-0056

연:IVW-0449

본직은 금 9.6 외무성 ESSIENNE 차관 및 COULIBALY 관방실장을 각각 신임예방한바, 동 결과 하기보고함.

1. COULIBALY 관방실장은 주재국 독립이후 현재 까지의 전통적인 양국간 우호협력관계를 강조하고, 본직의 신임장제정관련, 대 주재국 신임장 제정 지연시 본직의 대겸임 4 개국 활동상의 문제점등을 들어 조속한 시일내 BOIGNY 대통령에대한 신임장 제정이 가능토록 건의하겠다고 언급함.

2. ESSIENNE 차관은 양국간 긴밀한 기존협조관계의 강화를 희망하고, 주재국이 대호 남. 북한 UN 가입 결의안 공동제안국으로 가담할것임을 밝힘.

(대사 양태규-국장)

예고:91.12.31 일반.

19 의거 일반문서로 재분류

중아국 의전장 국기국

PAGE 1

91.09.08 07:35

외신 2과 통제관 CE

0093

1

1. 外務部長官 유엔關聯 演說

ㅇ 外務部長官은 9.7(土) 大田에서 開催되는 寬勳클럽 및 韓國言論學會 主催 第3回 최병우記者 紀念 심포지움에서 "南北韓 유엔加入과 韓國外交" 題下 아래 要旨로 演說 예정임.

- 유엔 테두리內에서 南北韓間 最大의 協力을 追求함.
- 북한이 유엔에서 讓步할 수 없는 原則的 問題에 대한 問題 提起時 단호히 對應함.
- 유엔加入으로 本格的 多者外交를 맞아 우리의 位相과 座標를 새롭게 設定, 이에따른 새 外交樣式을 定立함.
- 유엔의 平和維持 活動 및 汎世界的 問題 解決에 寄與함.
- 外交의 초점을 確固한 南北韓 共存共榮時代의 定着과 平和統一 時期의 短縮 努力에 둠.

2. 南北韓 유엔加入 共同提案國 加擔 現況

ㅇ 9.5(木) 現在 南北韓 유엔加入 決議案 共同提案國에 加擔한 國家는 中國,시리아,베트남等 우리와의 未修交國을 包含, 總 39個國임.

- 駐유엔 美代表部側에 의하면, 美國 및 歐洲共同體(EC) 12個國도 9.6(金) 共同提案國에 加擔措置를 취할 것이라 하며, 蘇聯도 곧 同參할 것으로 듣고 있다 함.

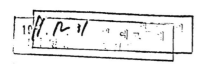

(駐유엔大使 報告)

관리번호 91-4683

원 본

외 무 부

종 별 : 지 급

번 호 : UNW-2491 일 시 : 91 0906 1930

수 신 : 장 관(국연,기정)

발 신 : 주 유엔 대사

제 목 : 공동제안국 가담 현황(4)

연:UNW-2460

1. 금 9.6(금)미국, 소련, 영국등 안보리 상임 이사국을 포함 17 개국이 추가로 공동 제안국에 가담하였음

2. 금일 현재 공동 제안 현황

가. 금일 서명국 17 개국

호주, 베넹, 불가리아, 칠레, 사이프러스, 엘살바돌, 가이아나, 헝가리, 레바논, 화란, 놀웨이, 비율빈, 세인트키츠네비스, 소련, 영국, 미국, 유고

나. 금일 현재 누계 : 56 개국

3. 인도 대표부측은 9.9(월)오전 상기 명단및 가입 결의안을 사무국에 전달비치할 예정이라고함. 끝

19 . (대사 노창희-장관)

예고:91.12.31 일반

국기국 장관 차관 1차보 분석관 청와대 안기부

PAGE 1

91.09.07 10:04

외신 2과 통제관 BS

0101

관리 번호	91 -4716

원 본

외 무 부

종 별 :

번 호 : THW-1797 일 시 : 91 0907 1200

수 신 : 장 관(국연,아동)

발 신 : 주 태국 대사

제 목 : 남.북한 유엔가입(총회처리방안)

대 : WASN-0045

연 : THW-1765,1779

본직은 9.6(금) SUCHAT 외무성 국기국 부국장에게도 대호 협조요청하여 두었음

(대사 정주년-국장)

예고 : 91.12.31. 일반

19 . . 에 예고문에 의거 일반문서로 재분류됨

국기국 장관 차관 1차보 2차보 아주국

PAGE 1

91.09.07 16:00

외신 2과 통제관 CH

0102

관리 번호 91 -4714

원 본

외 무 부

종 별 :

번 호 : BAW-0444 일 시 : 91 0907 1400

수 신 : 장관(국연,국기,아서,기정)

발 신 : 주 방 대사

제 목 : 유엔가입 공동제안국및 국제기국 입후보

대: WBA-279, 275, WAAM-52

연: BAW-303, 방글라(정)-178

1. 본직은 금일 11:00 AHSAN 외무차관, 11:45 HAMID 아주국장을 신임인사차면담(배영진 참사관 동석)한 기회에 양국간 공동관심사 및 협력관계등을 협의하고 현안문제에 관한 주재국의 협조를 요망하였는바, 반응은 아래와 같음.

2. 반응

가. UN 공동제안국

주재국도 공동제안국에 참여토록 UN 주재대사에 훈령하겠으니 아국 UN 대표부 대사도 주재국 대사와 긴밀히 협의할 것을 요망

나. IAEA, IMO, UNESCO, FAO 주재국은 최종입장을 결정하지 않았으나 가능한 호의적으로 검토하고 있음.

3. 본직은 국제기구 담당차관보와 상세 협의 추보하겠음.

(대사 신정오-국장)

19 . . 에 의거 일반문서로 재분류됨

예고: 91.12.31

국기국 차관 1차보 2차보 아주국 국기국 분석관 청와대 안기부

PAGE 1

91.09.08 00:55

외신 2과 통제관 CE

0103

관리번호	91-4724

원 본

외 무 부

종 별 :

번 호 : BAW-0449　　　　일 시 : 91 0908 1620

수 신 : 장관(국연,아서,기정)

발 신 : 주 방 대사

제 목 : 유엔가입 공동 제안국

연: BAW-444

본직은 9.8(일) 오전 REAZ RAHMAN 국제기구 담당 차관보를 면담(배영진 참사관 동석), 표제문제를 협의한바, 주재국은 공동제안국에 참여키로 결정, 이미 주유엔 대표부에 훈령하였다하니, 주유엔 아국 대표부로 하여금 확인바람.

(대사 신성오-국장)

19 .예고: 91.12.31 일반
의거 일반문서로 재분류됨

국기국 장관 차관 1차보 2차보 아주국 외정실 분석관 청와대
안기부

PAGE 1　　　　91.09.09 00:38
외신 2과 통제관 CF

0104

관리 번호 91-4720

원 본

외 무 부

종 별 :

번 호 : CAW-0958　　　　일 시 : 91 0908 1625

수 신 : 장관(국연)

발 신 : 주 카이로 총영사

제 목 : 남북한 유엔가입

대:WCA-0602

연:CAW-0935,0941

1. 본직은 91.9.8(일) AMD.AHMED ABU EL-GHEIT 주재국 외무장관 비서실장을 방문, 대호 주재국의 남북한 유엔가입 결의안 공동제안국 참여를 요청한바, 동실장은 주재국 정부는 동결의안 공동제안국에 참여키로 결정했으며, 이미 이를 주유엔 이집트대표부에 훈령했다고 함.

2. 본건 주유엔 이집트대표부와 접촉, 추진바람. 끝.

(총영사 박동순-국장)

~~예고:91.12.31.~~ 일반

예고문에 의거 일반문서로 재분류됨

국기국	장관	차관	1차보	2차보	외정실	분석관	청와대	안기부

PAGE 1

91.09.09 05:49

외신 2과 통제관 CF

0105

관리 번호 91-4722

원 본

외 무 부

종 별 : 지 급

번 호 : PAW-0967 일 시 : 91 0908 1900

수 신 : 장관(국연,아서),사본:주 유엔대사-필

발 신 : 주 파키스탄 대사

제 목 : 남.북한 유엔가입(총회 결의안)

대 EM(752)26, WPA-568

연 PAW-964

1. 본직은 9.7(토)오전 AKRAM ZAKI 외상대리및 SIDDIQUI 아주국장을 면담, 주재국이 대호 총회결의안을 CO-SPONSOR 하여줄것을 요청함.

2. 한편, 금 9.8(일)HAROON SHAUKAT 외무성 유엔과장도 주재국의 동결의안이 CO-SPONSOR 하기위한 필요한 절차중이며, 조만간 주재국의 공식입장과 조치사항을 당관에 통보하여줄수 있을것이라고 언급함. 끝.

(대사 전순규-국장)

예고: 91.12.31 까지

국기국	장관	차관	1차보	2차보	아주국	외정실	분석관	청와대
안기부	중계							

PAGE 1

91.09.09 00:27

외신 2과 통제관 CF

0106

관리 번호 91-4755

원 본

외 무 부

종 별 : 지 급

번 호 : PAW-0972 일 시 : 91 0909 1500

수 신 : 장관(국연,아서)사본주 유엔대표부:중계필

발 신 : 주 파키스탄 대사

제 목 : 유엔가입총회 결의안

연 PAW-967

HAROON SHAUKAT 외무성 유엔국장(대리)는 금 9.9(월)주재국이 연호, 총회 결의안을 CO-SPONSOR 하기로 최종결정하고, 주유엔대표부에 필요한조치를 취하도록 지시하였다고 당관에 통보해옴.끝.

(대사 전순규-국장)

예고 91.12.31 까지
19 에 예고문에 의거 일반문서로 재분류 됨

국기국 차관 1차보 아주국 중계

PAGE 1

91.09.09 20:00
외신 2과 통제관 CH

0107

관리 번호	91-4805

외 무 부

종 별 :

번 호 : IRW-0673 일 시 : 91 0909 1530

수 신 : 장관(중동일)

발 신 : 주 이란 대사

제 목 : 주재국 외무차관 접촉

본직은 금 9.9(월) 11:30-12:30 BESHARATI 주재국 외무부 수석차관(장관대리)을 면담 본직이 제기한 아래 관심사에 대해 의견을 교환하였음. 동인언급 주요요지 다음과같음.

1. 고위인사 교환방문

-양국관계발전은 RHETORIC 으로는 충분하지 않으며 정치와 경제가 실제운영에 있어 상호를 보완, 발전시키는 형태가 되어야할것임. 이러한 점에서 현재 검토중인 라프산자니 대통령및 VELAYATI 외무장관의 방한은 정치적으로 시사하는바가 크며, 실현시 양국관계의 전환점이 될것으로봄. 물론 동방한 추진은 대통령및외무장관이 직접 최종결정하여야 할것이나, 외무부로서는 긍정적으로 적극 검토코자함.

-이와동시에 BORUJERDI 차관의 방한중 협의된바 있는 양국간 국회의장의 상호 교환방문도 추진을 희망하며, 한국대통령및 외무장관의 방이도 한국측에서 적극 검토하여 주기바람.

2. UN 가입총회 결의안 공동제안

-이란은 한반도 통일에 지대한 관심을 갖고 있으며, 이를 주의깊게 지켜보고 있음. 본인은 과거 평양방문시 변화하는 국제환경을 북한측에 설명하며, 남. 북한 관계개선및 궁극적인 통일의 필요성을 역설한바 있음.

-이러한 맥락에서 이란은 남. 북한 유엔 동시가입을 계속 지지하여 왔으므로 이란이 결의안 공동제안국이 되도록 절차를 밟겠음.

3. 이.한 친선협회 결성

-이란은 친선협회 구성이 양국관계 증진에 크게 도움이 된다고 보며 현재 많은 나라와 친선협회를 결성하고 있음(예:북한, 중국, 파키스탄등) 한국과의 친선협회 구성에 대해서도 관심이 큼.

중아국	장관	차관	1차보	2차보	외정실	분석관	청와대	안기부

91.09.09 21:25

외신 2과 통제관 CH

0108

4. 중국에 대한 동차관의 시각

-최근 소련, 동구의 변화와 관련하여 세계는 중국의 변화여부에 관심을 갖고있는것 같음. 그러나 자신의 생각으로는 중국에는 MAXISM 이 아닌 MAOISM 이 지배하고있다고 보며(MAOISM 은 MAXISM 과 이념및 철학면에서 정반대의 개념임) 이를 뒷받침할수 있는것으로 과거 닉슨의 중공방문을 통한 미.중관계개선, 서방기술도입을 위한 합영법 채택등을 들수 있음(동인은 자신도 중국을 여러번 방문하였으나, 공산주의의 모습은 볼수 없었다고 설명)

-이러한 점에서 중국의 경우를 과거 쏘련 지배하의 다른 공산국가들과 동일시하는것은 오류임. 중국은 현재 자신의 방식에따라 차분히 변하고 있으며 변화된국제환경을 충분히 이해하고 있다고 봄.

-89 년 천안문사태가 보다 나은 미래를 향한 구체적 변화의 조짐이였으나, 미국등 서방세계가 시기적으로 부적절하게 동사태에 개입함으로서 사태를 악화시켰다고봄. 따라서 중국은 있는 그대로 놔두고 스스로의 변화를 기다려야함. 중국에대한 여하한 위협은 어떠한 성격의 것일지라도 부정적 결과만을 가져올것임. 이러한점에서 메이저 영수상의 최근 중국방문시 언급한 인권문제등은 바람직한 접근이 아니며, 오히려 중국내 RADICAL 의 입장만 강화 시켜주어 착실한 변화를 원하는 중국 지도부의 입장을 곤란케 하였을것으로봄.끝

(대사정경일-국장)

19 . . 에 예고문에 의거 일반문서로 재분류
예고:91.12.31 일반

PAGE 2

0109

관리 번호	91 -4756

원 본

외 무 부

종 별 :

번 호 : DJW-1642 일 시 : 91 0909 1500

수 신 : 장관(국연)

발 신 : 주 인니 대사

제 목 : 남북한 유엔가입

대:WASN-0045

연:DJW-1603

연호, 9.7. NAZARUDDIN 외무성 국제기구국장 대리에게 확인한바, 가나 비동맹 외상회의에 참석중인 ALATAS 외상은 주재국이 남북한 유엔가입 총회결의안 공동제안국에 가담할것을 주유엔 인니 대표부에 직접 지시하였으며, 이에 따라 주유엔 대표부에서 공동제안국 가담에 필요한 조치를 취하는 중이라함을 보고함. 끝.

(대사 김재춘-장관)

예고:91.12.31. 일반

국기국 장관 차관 1차보

PAGE 1

91.09.09 17:20

외신 2과 통제관 BN

0110

관리 번호	91 -1764

원 본

외 무 부

종 별 :

번 호 : UNW-2529 일 시 : 91 0909 2200

수 신 : 장 관(국연,기정)

발 신 : 주 유엔 대사

제 목 : 공동제안국 가담 현황(5)

연:UNW-2491

금 9.9 사무국 EJIMA 담당관이 윤참사관에게 알려온 18:00 현재 공동 제안국 가담국 현황은 아래와 같음

1. 금일 서명국:13 개국

캄보디아, 이집트, 독일, 아이슬랜드, 레소토, 파나마, 파라과이, 폴란드, 폴투갈, 싱가폴, 수리남, 태국, 우크라이나

2. 금일 현재 공동제안국 누계:69 개국, 끝

(대사 노창희-국장)

예고:91.12.31 일반

국기국 장관 차관 1차보 분석관 청와대 안기부

PAGE 1

91.09.10 13:15

외신 2과 통제관 BS

0111

관리 번호 91-4807

원 본

외 무 부

종 별 :

번 호 : NRW-0560 일 시 : 91 0910 1600

수 신 : 장관(국연,사본:주유엔대사)(중계필)

발 신 : 주 노르웨이 대사

제 목 : 남북한 유엔가입

대:WNR-291

연:NRW-542

당지 아이슬란드 BENEDIKTSSON 대사는 9.10. 본직에게 아이슬란드 정부가 남북한 유엔가입 결의안 공동제안국에 가담하기로 결정하였다고 통보하여왔음. 끝

(대사 김병연-국장)

예고:91.12.31 일반

국기국 차관 1차보 분석관 청와대 안기부 중계

PAGE 1

91.09.11 07:02

외신 2과 통제관 DO

0112

관리 번호	91 —4798

외 무 부

종 별 :

번 호 : SPW-0624 일 시 : 91 0910 1730

수 신 : 장 관(구일,구이,연일)

발 신 : 주 스페인 대사

제 목 : 외무성간부 면담

연: SPW-0625

대: WECM-0053

본직은 9.10. 신임장 사본 제출계기에 주재국 외무성 FRANCISCO VILLAR 정무차관 및 RODRIGUEZ-SPITERI 아주국장을 방문코, 부임인사에 이어 아래요지의 면담을 가졌기 보고함.

1. 아주국장 면담

가. 부임환영 및 재임중 양국관계의 계속 발전을 위해 최선의 상호협조 다짐

나. ORDONEZ 외상은 명년 1 월 예정으로 추진중인 방한에 깊은 관심을 갖고있으며 9.23, 09:00 시로 예정된 뉴욕에서의 한. 서 외상회담에서도 논의될것임.

다. 남북한 유엔가입을 환영하며, 인도측의 남북한 동시가입 제안을 EC 가 공동제안케 될것임.

라. 대호 승인정책 관련, 본직의 SHEER 불란서 외무차관의 견해 소개에 이어 주재국 입장을 문의한바, 유엔가입 찬성을 반드시 국가의 승인으로 보지는 않으며, 별도의 승인조치가 따라야 할것임. 문제관련 오는 9.18. EPC 아주국장 회의에서 토의될 예정으로 있는바, 스페인은 EC 의 콘센서스를 중시할것이나, 북한과의 관계개선을 서둘지는 않을것임. 중요한것은 북한이 남북한 대화에 성실히 임하고, 현안중인 핵안전협정 서명 및 준수를 이행토록 계속 개방압력을 가하여야할것임.

2. 정무차관 면담

가. 부임환영및 한국의 여망대로 남북한이 유엔가입케 됨을 축하함.

나. ORDONEZ 외상이 방한에 깊은 관심을 갖고 있음.

다. 92 년도는 바르셀로나 올림픽과 세비야 EXPO 행사외에 미주대륙발견 500주년 기념을 계기로한 중남미 전국가원수의 마드리드 정상회담 행사로 극히 바쁜 해가

구주국 안기부	장관	차관	1차보	2차보	구주국	국기국	분석관	청와대

PAGE 1

91.09.11 07:56

외신 2과 통제관 BS

0113

될것임.끝.

(대사 권태웅-구주국장)

19 . 예고 1991.12.31 일반

예고문에 의거 재분류됨

PAGE 2

0114

관리 번호	91 -4782

원 본

외 무 부

종 별 :

번 호 : UNW-2573 일 시 : 91 0910 2120

수 신 : 장 관(국연,기정)

발 신 : 주 유엔 대사

제 목 : 공동제안국 가담현황(6)

연:UNW-2529

1. 금 9.10(화) 18:00 현재 공동제안국 가담국 현황은 아래와같음.

가. 금일 서명국:15 개국

0. 바레인, 벨지움, 챠드, 콩고, 덴마크, 프랑스, 이태리, 말라위, 몰타, 파키스탄, PNG, 세인트루치아, 터키, 탄자니아, 우루과이

나. 금일 현재 공동제안국 누계:84 개국

2. 한편 윤참사관이 금일 JENSEN 총회 의사국장과 향후 결의안 처리방향에 관해 협의한바 (EJIMA 담당관 배석), 동인 언급요지 아래와같음.

가. (결의안 제출순서에 따라 가입순서가 결정되는것과 관련 FSM 및 MI 등 여타 국가들이 먼저 결의안을 제출할 가능성을 문의한바) FSM 및 MI 의 COORDINATOR 로 선정된 FIJI (VANUATU 에서 변경됨)가 금일 사무국에 공동제안국 서명부및 결의안을 비치한바, 동 기회에 자신이 안보리의 남북한 가입권고 결의순서,공동제안국 서명부 및 결의안 비치시기등을 감안하고 가입순서를 위요한 불필요 한 경쟁을 사전에 방지하는것이 좋겠다는 취지에서 사무국으로서는 남북한의 가입승인 결의안을 결의 1 호 (A/46/L.1) 로, FSM 을 2 호 (L.2) 로, MI 를 3 호(L.3) 로 하고자 한다고 한데 대해 FIJI 측도이를 양해하였음.

나. (아측이 결의안 배포를 위한 공식적인 요청을 별도로 해야할것인지 문의한데 대해)상기와 같은 양해에 따라 사무국으로서는 남북한 및 기타 신규가입 예정국들의 가입승인 결의안을 9.16 일괄적으로 배포하는 방향으로 추진코자 하는바, 만약 아측이 이보다 앞서 결의안을 배포코자 할경우에는 사무국측에 알려주면 되겠음. 끝

(대사 노창희-국장)

19 에 예고문에 의거 인예고:91.12.31 일반

국기국 장관 차관 1차보 분석관 청와대 안기부

PAGE 1

91.09.11 11:24

외신 2과 통제관 BS

0115

관리 번호	91-4785

원 본

외 무 부

종 별 :

번 호 : THW-1815 일 시 : 91 0911 0800

수 신 : 장 관(국연,아동)

발 신 : 주 태국 대사

제 목 : 남북한 유엔가입(총회처리방안)

대 : WASN-0045

연 : THW-1765,1799,1797

대호 정참사관이 9.10(화) MR.SUCHAT 외무성 국기국 부국장에게 주재국의 조치사항을 확인한바, 주재국은 남.북한 유엔가입 총회결의안 공동제안국으로 참여키로 결정하고 9.9(월) 주유엔태국 대표부에 공동제안국 서명부에 서명하도록 훈령을 하달 하였다고함.끝.

(대사 정주년-국장)

예 고 : 91.12.31. 일반

국기국 장관 차관 1차보 아주국 분석관 청와대 안기부

PAGE 1

91.09.11 13:32

외신 2과 통제관 BS

0116

관리 번호	91 -4842

원 본

외 무 부

종 별 :

번 호 : GAW-0138 일 시 : 91 0911 1540

수 신 : 장 관(연일,아프일)

발 신 : 주 가봉 대사

제 목 : 남북한 유엔가입(총회 처리 방안)

대:WAFM-0056

연:GAW-0132

1. 본직은 9.11 주재국 외무부 MEMIAGHE 제 1 차관보와 면담, 주재국이 대호 남북한 유엔 가입에 관한 결의안에 공동 제안국으로 가담하여 줄것을 요청함.

2. 동 차관보는 현재 불어권 정상회의 준비회의 참석차 파리에 출장중인 BONGO 외무장관에게 보고하고 주재국이 공동 제안국에 가담하도록 추진하겠다고 언급함. 끝

(대사박창일-국기국장)

예고:91.12.31 일반

국기국 장관 차관 중아국

PAGE 1

91.09.12 08:13

외신 2과 통제관 BS

0117

관리 번호 91-4831

원 본

외 무 부

종 별 :

번 호 : BBW-0625 일 시 : 91 0911 1600

수 신 : 장관(국연)

발 신 : 주 벨기에 대사

제 목 : 남북한 유엔가입(총회처리)

대:BBW-0409

룩셈부르그 외무부 KRIEGER 국제기구담당관은 9.11 당관 유서기관에게 전화연락을 통해, 룩셈부르그 정부가 한국의 유엔가입을 적극지지해 왔으므로 현지 공관의 건의에따라 금번 남북한 유엔가입의 총회결의안 초안에 공동제안국으로 서명토록 훈령하였음을 알려왔음. 끝.

(대사 정우영-국장)

19 예고:91.12.31 일반

국기국 장관 차관 1차보 청와대 안기부

PAGE 1

91.09.11 22:43

외신 2과 통제관 BW

0118

관리 번호	91 — 1077

원 본

외 무 부

종 별 :

번 호 : CMW-0302 일 시 : 91 0911 1630

수 신 : 장 관(국연)

발 신 : 주 카메룬 대사

제 목 : 남북한유엔가입

대:WAFM-0056

본직은 9.11 일 SAO 주재국 외무부국제기구국장을 접촉, 대호 공동제안국 가담요청에 대한 주재국입장을 문의하였는 바, 동국장은 주재국이 공동제안국이 되도록 내부 결재중이나 현재 장관이 지방출장중이어서 최종결정을 못하고 있다고 말하고 기간내 결재토록 노력하겠다고 하였음을 보고함 .

(대사 황남자-국장)

예고:91.12.31.

국기국

PAGE 1

91.09.12 08:25

외신 2과 통제관 FK

0119

관리 번호	91 -4837

원 본

외 무 부

종 별 :

번 호 : UNW-2602 　　　일 시 : 91 0911 1920

수 신 : 장 관(국연,기정)

발 신 : 주 유엔 대사

제 목 : 공동 제안국 가담 현황(7)

연:UNW-2573

1. 금 9.11(수)18:00 현재 공동제안국 가담 현황은 아래와 같음

가. 금일 성명국:10 개국

도미니카, 인니, 모로코, 모잠비크, 뉴질랜드, 오만, 사모아, 스페인, 수단,잠비아

나. 금일 현재 누계:93 개국

사무국측은 기 성명한 것으로 보고된 엘살바돌이 착오로 포함되었다고 하며, 이를 제외 시킴에 따라 작일 현재 누계(84 개국 아닌 83 개국)에 금일 추가국을 포함하여 93 개국이라함

2.EJIMA 담당관에 의하면 발트 3 개국의 COORDINATOR 는 스웨덴이 담당할 것이라하며, 명 9.12 오후부터 사무국에 서명부가 비치될 예정이라함. 끝

(대사 노창희-국장)

예고 91.12.31 일반

국기국 장관 차관 1차보 분석관 청와대 안기부

91.09.12 09:01

외신 2과 통제관 BS

0120

Consulate General
of the
Arab Republic of Egypt
Seoul

7/91
12. 09. 1991

The Consulate General of the Arab Republic of Egypt in Seoul presents its compliments to the Ministry of Foreign Affairs (International Organizations Department) and has the honour to inform the latter that The Egyptian Foreign Minister has instructed the Permanent Mission of the Arab Republic of Egypt to the United Nations to sponsor the resolution which will be submitted to the 46th session of the General Assembly to support the admission of both South and North Korea as full members of the United Nations.

The Consulate General of the Arab Republic of Egypt avails itself of this opportunity to renew to the Ministry of Foreign Affairs the assurances of its highest consideration.

Ministry of Foreign Affairs
International Organizations
Department

0121

공동제안국

관리 번호	91-4889

원 본

외 무 부

종 별 :

번 호 : SUW-0220　　　　일 시 : 91 0912 1500

수 신 : 장관(국연)

발 신 : 주 수리남 대사

제 목 : 유엔가입 공동제안국 서명

대: WSU-0216, 연: SUW-0202

1. 연호 남북한 동시 유엔가입을 지지하는 주재국은 유엔주재 MR. KRIESNADATH NANDOE 대사가 9.7 비동맹국 외상회의에서 귀임, 9.9(월) 유엔사무국에서 서명하였다고 LEEFLANG 국장이 본직에게 12 일 알려왔음을 보고함.

2. 동인은 한국정부의 요청에 호의적 자세로 제일먼저 서명할 예정이었으나, 유엔사무국 문서 미수령, 상부결재후 지시전문 발송지연사유와 대표부 차석이유엔기구 활동 미숙으로 인도대표부 방문을 하지 못하였으며, 유엔대사 귀임즉시 서명하였음을 이해해 달라는 설명이 있었음을 참고로 보고함. 끝.

(대사 김교식-국기국장)

예고: 91.12.31 일반

국기국　차관　1차보

PAGE 1

91.09.13　13:52

외신 2과　통제관 CE

0122

관리번호 91-4873

원 본

외 무 부

종 별 :

번 호 : GHW-0503 일 시 : 91 0912 1650

수 신 : 장 관(연일)

발 신 : 주 가나 대사

제 목 :

대:WAFM-0056

연:GHW-0459

본직은 9.12.(12:00-12:30)주재국 외무부 AGGREY-ORLEANS 국제기구국장과 면담, 남북한 유엔가입에 대한 지지 서명을 재차 요청한바, 동국장은 비록 주재국이 제 10 차 NAM 외상회의 개최의 바쁜 일정에도 불구, 남북한의 유엔가입을 지지하는 기본입장에 따라 동 NAM 회의개최 이전에 인도대표부 및 유엔사무국의 기탁지지 SIGN BOOK 두 곳 모두 서명토록 이미 자국 유엔대표부에 지시를 내린바있으며, 따라서 이미 SIGN 을 완료하였을 것이라고 하였음을 보고함. 끝.

(대사 오 정일 - 국장)

예고:91.12.31. 일반

예고문에 의거 일반문서로 재분류됨

국기국	장관	차관	1차보	청와대

PAGE 1

91.09.13 07:51

외신 2과 통제관 FI

0123

관리 번호	91 -4916

원 본

외 무 부

종 별 :

번 호 : POW-0591 일 시 : 91 0912 2000

수 신 : 장관(국연) 주유엔대사-중계필

발 신 : 주 폴투갈 대사

제 목 : 남북한 유엔가입(총회처리방향)

대: WPO-0323

연: POW-0567,0558

1. 주재국 외무성 MATOS 아주국장은 9.12 당관앞으로 자국 외상이 대호 결의안에 대한 주재국의 공동제안국 가담건의를 결재하였으며, 따라서 자국 주유엔대표부앞으로, 공동제안국 가담토록 이미 훈령을 보냈다고 알려왔음. 끝

(대사조광제-국장)

예고:91.12.31 일반

일반문서로 재분류됨

국기국 장관 차관 1차보 분석관 청와대 안기부

PAGE 1

91.09.13 20:57

외신 2과 통제관 CD

0124

관리 번호	91-4876

원 본

외 무 부

종 별 :

번 호 : UNW-2628 일 시 : 91 0912 2000

수 신 : 장관(연일,기정)

발 신 : 주 유엔 대사

제 목 : 공동제안국 가담현황(8)

연:UNW-2602

금 9.12(목) 18:00 현재 공동제안국 가담현황은 아래와같음.

1. 금일 서명국:5 개국

0. 브르키나파소, 카나다, 코모로, 코스타리카, 아일랜드.

2. 금일 현재 누계:98 개국 끝 93

(대사 노창희-국장)

예고:91.12.31 일반

국기국	장관	차관	1차보	2차보	분석관	청와대	안기부

PAGE 1

91.09.13 10:09

외신 2과 통제관 CE

0125

공동제안국

원 본

관리 번호	91-4888

외 무 부

종 별 :

번 호 : UNW-2634 일 시 : 91 0912 2230

수 신 : 장관(연일,아일)

발 신 : 주 유엔 대사

제 목 : 공동제안국 가담

연:UNW-2602,2628

금 9.12 일본 대표부 KAWAKAMI 아주 담당관은 윤참사관에게 전화, 금일 현재까지의 공동제안국 수를 문의한후, 일본이 명 9.13(금)공동제안국에 가담할 가능성이 크다고(PROBABLY)알려옴.끝

(대사 노창희-국장)

예고:91.12.31 일반

국기국 장관 차관 1차보 아주국

PAGE 1

91.09.13 13:56

외신 2과 통제관 CE

0126

관리번호 91-05975

원 본

외 무 부

종 별 : 긴 급

번 호 : YGW-0746 일 시 : 91 0913 1000

수 신 : 장관(국연,동구이)사본:주유엔대사(중계필)

발 신 : 주 유고 대사

제 목 : 남북한 유엔가입 총회 처리방안

대:WYG-643

연:YGW-704

외무부 아주담당 벨리치대사는 9.12 본직에게 연호 요청관련 유엔주재 유고대사에게 인도와 공동제안국이 되도록 지시했다고 알려왔음을 보고함

~~(대사 신두병-국장)~~

예고:91.12.31 일반

국기국 장관 차관 1차보 구주국 분석관 청와대 안기부 중계

PAGE 1

91.09.13 17:55

외신 2과 통제관 BW

0127

관리 번호 91-4914

원 본

외 무 부

종 별 :

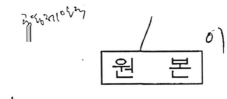

번 호 : ARW-0694　　　　일 시 : 91 0913 1700

수 신 : 장 관(국연)

발 신 : 주 아르헨티나 대사

제 목 : 남북한 유엔가입

대:WAR-423

연:ARW-678

1. 주재국 외무부 FIGUERERO 아주국장은 9.13. 본직에게 전화로 인도정부의남북한 유엔가입 총회결의안 공동제안국 가담 제의 요청관련, "아르헨티나 정부는 공동제안국이되는것이 묵시적으로 북한을 승인하는것으로 북한에 의해 오해가될 우려가 있으며, 북한과 국교 재개 이전에 해결해야될 선결문제가 있기때문에 외무성 긴급 간부회의를 열어 이문제를 토의한 결과 아르헨티나는 공동제안국이 되지않기로 결정하였다"고 통보하여왔음.

2. 동 국장은 상기 결정은 단순히 주재국의 북한과의 관계때문에 이루어진것으로 아국과의 우호관계나, 주재국이 아국의 유엔가입을 적극 지지하는 기본입장에는 하등의 변화가 없음을 강조하고, 이에대한 아국정부의 이해를 구한다고 언급하였음을 보고함.

(대사 이상진-장관)

19 예고:91.12.31. 일반

국기국	장관	차관	1차보	2차보	외정실	분석관

PAGE 1

91.09.14 07:00

외신 2과 통제관 FK

0128

관리 번호	91-4839

원 본

외 무 부

종 별 : 지 급

번 호 : UNW-2667 일 시 : 91 0913 1900

수 신 : 장관(연일,기정)

발 신 : 주 유엔 대사

제 목 : 공동제안국 가담 현황(9)

연:UNW-2628,2634,2573

1. 금 9.13(금)18:00 현재 공동제안국 현황은 아래와 같음

가. 금일 서명국:17 개국

아프가니탄, 알제리아, 바하며, 브룬디, 중앙아, 코트리브와르, 도미니카(공), 엘살바돌, 일본, 라오스, 리히텐스타인, 룩셈불그, 마다가스칼,9 몰디브, 카타르, TT, UAE

나. 금일 현재누계:115 개국

2. 사무국측에 의하면, 연호로 기보고한바와 같이 남북한(L.1), FSM(L.2), MI(L.3), 에스토니아(L.4), 라트비아(L.5), 리투아니아(L.6)의 가입승인 총회결의안을 COORDINATOR 국가의 별도 조치 없이 9.16(월)오전 일찌기 총회문서로 배포할 것이라고함. 끝

(대사 노창희-국장)

19 예고:91.12.31 일반

의거 일반문서로 재분류됨

국기국 장관 차관 1차보 분석관 정와대 안기부

PAGE 1

91.09.14 12:53

외신 2과 통제관 BN

0129

관리번호	91-4966

원 본

외 무 부

종 별 :

번 호 : IRW-0695 일 시 : 91 0915 1600

수 신 : 장관(국연)

발 신 : 주 이란 대사

제 목 :

연:IRW-0654

연호 ROUHI SEPHAT 주재국 외무부 아국담당국장은 금 9.15 본직에게 주재국이 남.북한 유엔가입 결의안의 공동제안국이 되기로 정식 결정하였다고 알려왔음. 끝

(대사정경일-국장)

예고:91.12.31 일반

19 . . 에 일반문서로 재분류됨

국기국 차관 1차보

PAGE 1

91.09.16 00:05

외신 2과 통제관 DO

0130

관리 번호	91 — 1094

원 본

01

외 무 부

연일

종 별 :

번 호 : CMW-0308 일 시 : 91 0916 1730

수 신 : 장관(국연)

발 신 : 주 카메룬 대사

제 목 : 남북한유엔가입

연:CMW-0302

1. 본직은 금일연호건 관련 SAO 외무부 국제기구 국장을 접촉한바
동국장은 공동제안국 사명에관한 대통령실의 원칙결제를 구두로 기득하였다고
말하고 문서결제가나는대로 주유엔 대표부에지시, 공동제안국 서명부에 서명토록
하겠다고 말하였음을 보고함.

2. 주재국의 자국유엔대표부에 대한 지시하달여부 확인하는 대로 추보예정임.

예고:91.12.31. 까지

(대사 황남자-국장)

국기국

PAGE 1

91.09.17 08:17

외신 2과 통제관 FK

0131

관리번호	91-4988

원 본

외 무 부

종 별 :

번 호 : UNW-2747　　　　일 시 : 91 0916 2130

수 신 : 장관(연일,기정)

발 신 : 주 유엔 대사

제 목 : 공동제안국 갈담현황(10)

연: UNW-2667

금 9.16(월) 현재 공동 제안국 현황은 아래와 같음

1. 금일 서명국:9 개국

앙골라, 볼리비아, 깝베르데, 쿠바, 이란, 말리, 니카라과, 상토메프린시페,짐바브웨

2. 금일 현재 누가 :124 개국.끝

(대사 노창희-국장)

19 . 예고 91.12.31 일반

국기국 장관 차관 1차보 분석관 청와대 안기부

PAGE 1

91.09.17 12:59

외신 2과 통제관 BW

0132

관리 번호	91-1102

원 본 이

외 무 부

종 별 :

번 호 : CMW-0310　　　　일 시 : 91 0917 1130

수 신 : 장관(국연)

발 신 : 주 카메룬 대사

제 목 :

연:CMW-0308

SAO 주재국 국제기구국장은 자국 유엔대표부에 연호 공동제안국 서명부에 서명토록 9.16 일 지시하였다고 당관에 통보하여 왔음을 보고함.

예고:91.12.31 까지

(대사 황남자-국장)

19 . . 일반문서로 재분류됨

국기국　분석관

91.09.17　21:34

외신 2과　통제관 CH

0133

남북한 유엔가입 결의안 공동제안국

91.9.17. 현재

1. 공동제안국수 : 143개국

2. 각지역별 공동제안국 참여현황
   - o 아주지역 : 27개국(미얀마제외 전회원국)
   - o 미주지역 : 31개국(알젠틴, 벨리즈 제외 전회원국)
   - o 구주지역 : 34개국(전회원국)
   - o 중동지역 : 9개국(이락, 사우디, 이스라엘 제외 전회원국)
   - o 아프리카지역 : 42개국(보츠와나, 기니, 니제, 루안다, 나이제리아, 세이셸, 우간다, 스와지랜드, 남아공 제외 전회원국)

3. 공동제안국 불참 : 16개국

0134

관리번호	91-5021

원 본

외 무 부

종 별 : 지 급

번 호 : UNW-2777　　　　일 시 : 91 0918 0030

수 신 : 장관(연일,기정)

발 신 : 주 유엔 대사

제 목 : 공동제안국 가담현황(11)

연:UNW-2747

연호, 9.17 남북한 총회결의안 통과시까지 최종집계된 공동제안국 현황은 아래와같음.

1. 금일 추가국:20 개국

0. 카메룬, 부탄, 브르나이, 감비아, 적도기니, 과테말라, 기니비소, 그리이스, 이디오피아, 하이티, 케냐, 쿠웨이트, 라이베리아, 리비아, 나미비아, 세네갈, 시에라레온, 토고, 예멘, 자이르

2. 공동제안국 총계:144 개국

끝

(대사 노창희-국장)

예고:91.12.31. 일반

국기국　장관　차관　1차보　외정실　분석관　청와대　안기부

PAGE 1

91.09.18　14:22

외신 2과　통제관 BN

0135

관리 번호	91 -5038

	분류번호	보존기간

발 신 전 보

번 호 : WUN-3073 910919 1931 FN 종별 : 지급

수 신 : 주 유엔 대사. 총영사

발 신 : 장 관 (연일)

제 목 : 공동제안국 가담현황

대 : UNW - 2777

표제 [redacted] 보고를 종합해보면 엘살바돌, 그리스, 쿠웨이트가 두번 Counting 되어 있는바, 공동제안국 총계가 얼마인지 재확인 보고바람. (본부가 Counting 하기로는 143개국임을 참고바람). 끝.

91.12.31. 예고문에 의거 일반문서로 재분류

보안 통제	

앙 고 재	91년 9월 19일	유엔 1과	기안자 성명		과 장	심의관	국 장		차 관	장 관

외신과통제

0136

관리 번호	91 -5062

원 본

외 무 부

연일

종 별 :

번 호 : UNW-2843 일 시 : 91 0919 1900

수 신 : 장관(연일)

발 신 : 주 유엔대사

제 목 : 공동 제안국 가담 현황

대 WUN-3073

연:UNW-2777

1. 대호 사무국측에 확인한바, 측계는 143 개국이 맞으며, 연호 144 개국이된것은 착오로 KUWAIT 를 이중 계산한데 기인한 것이라함

2. 상기 143 개 공동제안국 문안이 9.17 자 총회문서(A/46/L.1/ADD. 1)로 금 9.19 배포된바, 별첨 FAX 송부함

첨부:상기 ADDENDUM FAX . 끝

(대사 노창희-국장)

예고 91.12.31 일반

국기국 장관 차관 1차보 분석관 청와대 안기부

PAGE 1

91.09.20 11:22

외신 2과 통제관 BS

0137

4HW(F)-542 10919 1900 (총2매)
(연일)
A

UNITED NATIONS

General Assembly

Distr.
LIMITED

A/46/L.1/Add.1
17 September 1991

ORIGINAL: ENGLISH

Forty-sixth session
Item 20 of the provisional agenda*

ADMISSION OF NEW MEMBERS TO THE UNITED NATIONS

Afghanistan, Albania, Algeria, Antigua and Barbuda, Australia, Austria, Bahamas, Bahrain, Bangladesh, Barbados, Belgium, Benin, Brazil, Bulgaria, Burkina Faso, Burundi, Byelorussian Soviet Socialist Republic, Cambodia, Canada, Central African Republic, Chad, Chile, China, Colombia, Comoros, Congo, Costa Rica, Côte d'Ivoire, Cyprus, Czechoslovakia, Denmark, Djibouti, Dominica, Dominican Republic, Ecuador, Egypt, El Salvador, Fiji, Finland, France, Gabon, Germany, Ghana, Greece, Grenada, Guyana, Honduras, Hungary, Iceland, India, Indonesia, Ireland, Italy, Jamaica, Japan, Jordan, Kuwait, Lao People's Democratic Republic, Lebanon, Lesotho, Liechtenstein, Luxembourg, Madagascar, Malawi, Malaysia, Maldives, Malta, Mauritania, Mauritius, Mexico, Mongolia, Morocco, Mozambique, Nepal, Netherlands, New Zealand, Norway, Oman, Pakistan, Panama, Papua New Guinea, Paraguay, Peru, Philippines, Poland, Portugal, Qatar, Romania, Saint Kitts and Nevis, Saint Lucia, Saint Vincent and the Grenadines, Samoa, Singapore, Solomon Islands, Spain, Sri Lanka, Sudan, Suriname, Sweden, Syrian Arab Republic, Thailand, Trinidad and Tobago, Tunisia, Turkey, Ukraine, Union of Soviet Socialist Republics, United Arab Emirates, United Kingdom of Great Britain and Northern Ireland, United Republic of Tanzania, United States of America, Uruguay, Vanuatu, Venezuela, Viet Nam, Yugoslavia and Zambia: draft resolution

Admission of the Democratic People's Republic of Korea and the Republic of Korea to membership in the United Nations

---

* A/46/150.

91-30475 3617Z (E) /...

2-1

P.1 SEP 19 '91 18:13 KOREAN MISSION

0138

UNITED
NATIONS

A

General Assembly

Distr.
LIMITED

A/46/L.1*
18 September 1991

ORIGINAL: ENGLISH

Forty-sixth session
Item 20 of the provisional agenda**

ADMISSION OF NEW MEMBERS TO THE UNITED NATIONS

Afghanistan, Albania, Algeria, Antigua and Barbuda, Australia, Austria, Bahamas, Bahrain, Bangladesh, Barbados, Belgium, Benin, Brazil, Bulgaria, Burkina Faso, Burundi, Byelorussian Soviet Socialist Republic, Cambodia, Canada, Central African Republic, Chad, Chile, China, Colombia, Comoros, Congo, Costa Rica, Côte d'Ivoire, Cyprus, Czechoslovakia, Denmark, Djibouti, Dominica, Dominican Republic, Ecuador, Egypt, El Salvador, Fiji, Finland, France, Gabon, Germany, Ghana, Greece, Grenada, Guyana, Honduras, Hungary, Iceland, India, Indonesia, Ireland, Italy, Jamaica, Japan, Jordan, Kuwait, Lao People's Democratic Republic, Lebanon, Lesotho, Liechtenstein, Luxembourg, Madagascar, Malawi, Malaysia, Maldives, Malta, Mauritania, Mauritius, Mexico, Mongolia, Morocco, Mozambique, Nepal, Netherlands, New Zealand, Norway, Oman, Pakistan, Panama, Papua New Guinea, Paraguay, Peru, Philippines, Poland, Portugal, Qatar, Romania, Saint Kitts and Nevis, Saint Lucia, Saint Vincent and the Grenadines, Samoa, Singapore, Solomon Islands, Spain, Sri Lanka, Sudan, Suriname, Sweden, Syrian Arab Republic, Thailand, Trinidad and Tobago, Tunisia, Turkey, Ukraine, Union of Soviet Socialist Republics, United Arab Emirates, United Kingdom of Great Britain and Northern Ireland, United Republic of Tanzania, United States of America, Uruguay, Vanuatu, Venezuela, Viet Nam, Yugoslavia and Zambia: draft resolution

---

* Reissued for technical reasons.

** A/46/150.

91-30530 3620Z (E)

/...

2-2

P.2

SEP 19 '91 18:13 KOREAN MISSION

0139

정 리 보 존 문 서 목 록

기록물종류	일반공문서철	등록번호	2020090029	등록일자	2020-09-07
분류번호	731.12	국가코드		보존기간	영구
명　칭	남북한 유엔가입, 1991.9.17. 전41권				
생 산 과	국제연합1과	생산년도	1990~1991	담당그룹	
권 차 명	V.32 유엔가입 결의안 채택 : 유엔총회(9.17)				
내용목차	* 9.17 남북한 유엔가입 결의안 채택 (A/RES/46/1) - 전회원국 찬성으로 투표없이 채택 - 유엔가입 승인 직후 이상옥 외무장관 연설 [유엔총회, 제46차. V.6 유엔가입 수락연설문(9.17)]도 보시오 * 마이크로네시아,마샬군도, 에스토니아, 라트비아, 리투아니아 포함 총 7개국 유엔가입 - 유엔회원국 수 총166개국 * 9.17 국기게양식 (사진있음)				

0001

報 告 畢
(signature)

1991. 6. 28.
國際機構條約局
國際聯合課 (41)

長官報告事項

題 目 : 第 46次 유엔總會 開幕日 豫想議事 日程

第46次 유엔總會는 91.9.17. 15:00 開幕되며 (실제로는 15:30경 개막됨) 南北韓의 유엔加入 決議 採擇後 我國代表의 演說은 17:00경으로 豫想되는 바, 開幕日 豫想議事 日程을 아래 報告드립니다.

1. 總會開幕日에 통상 다루어지는 議題

- ㅇ 開 幕
- ㅇ 默 念
- ㅇ 유엔會員國 分擔金
- ㅇ 信任狀 委員會 委員國 任命
- ㅇ 總會議長 選出

(위 항목: 임시의장 사회 (통상 전 회기의장국 대표))

  - 總會議長 演說
- ㅇ 新規會員國 加入
  - 各地域代表의 祝賀演說
  - 新規會員國 代表 演說
  - 新規會員國 國旗 게양식
  - * 新規會員國 加入問題가 없을 경우 各委員會 議長 및 總會 副議長 選出이 있음.

0002

2. 各 議題別 議事 進行

가. 開　　幕

o 總會 開幕日時는 9月 3번째 火曜日 15:00시 (실제로는 15:30경 개막됨.)

나. 默　　念

o 9월 3번째 화요일은 "世界平和의 날"(International Day of Peace)로서 世界平和와 人類의 發展을 기리는 1분간의 默念을 올림.

다. 유엔會員國 分擔金

o 유엔憲章 第19條 낭독

참고	헌장 제 19조 내용 : 2년이상 유엔분담금을 체납한 회원국은 총회에서의 투표권을 상실함.

o 통상 每年 3-4個國(남아공 포함)이 憲章 第 19條의 規定에 따라 投票權을 喪失함.

라. 信任狀 委員會 委員國 任命

o 信任狀 委員會 構成 : 통상 美.中.蘇를 包含한 9個國으로 構成

마. 總會議長 選出

o 第46次 總會議長은 亞洲그룹에서 選出될 豫定인 바, 亞洲그룹에서 1人의 候補를 推薦할 경우에는 票決없이 박수로서 新任議長을 맞이하나 候補者가 2人이상일 경우에는 秘密投票를 통해 多數得票者가 議長으로 選出됨.

* 91.6.現在 議長立候補 希望國家 : PNG, 예멘, 사이프러스, 사우디아라비아 (4個國)

* 信任議長 選出에 앞서 臨時議長이 5-10분간 演說을 하는 경우도 있음.

0003

바. 總會議長 演說

ㅇ 통상 20-30분간 就任 演說을 행함.

사. 新規會員國 加入

ㅇ 議長이 安保理의 勸告決議 內容 및 新規會員國 決議案 說明

ㅇ 新規會員國 加入 決議案을 박수로서 採擇

- 加入承認에 따라 유엔의전장이 新規加入國 代表團을 會議場內 議席으로 案內

ㅇ 議長의 祝賀演說 (2-3분)

ㅇ 各地域 그룹代表의 祝賀演說 (각대표별 3-4분내외, 총 30분내외)

- 아프리카, 아시아, 동구권, 라틴 및 카리브, 서구, 아랍지역 대표 및 미국 (host country) 대표 (7명내외)

아. 新規會員國 代表 演說

(유엔의전장이 알파벳순서에 따라 북한대표를 먼저 단상으로 안내)

ㅇ 北韓代表 演說 (10분내외로 예상)

(北韓代表 演說終了後 유엔의전장이 北韓代表를 議席으로 案內한 후 我國代表를 단상으로 案內)

ㅇ 我國代表 演說 (17:00 경으로 예상)

(我國代表 演說終了後 유엔의전장이 我國代表를 議席으로 案內)

자. 新規會員國 國旗게양식 開催

ㅇ 總會가 끝날무렵 통상 議長이 會議終了後 新規加入國의 國旗게양식이 擧行될 豫定임을 言及

- 國旗게양식은 總會 會議場 앞 國旗게양대에서 행해지며 國家別 알파벳순으로 게양됨.

0004

차. 備　考

o 83年度 Saint Christopher & Nevis 및 84年度 브루네이 加入時에는 開幕日에 新規會員國 加入問題를 處理하지 않고 開幕後 4일째에 同 案件을 處理하였음.

* 總會開幕日에 各委員會議長 및 總會 副議長 選擧를 하는 경우 第2日 및 第3日에는 總會 本會議는 休會하고, 運營委員會를 開催하게 되므로 開幕 4일째에 新規會員國 加入問題가 處理됨.

- 끝 -

0005

공 란

공 란

공 란

공 란

공 란

공 란

공　　　란

공 란

공 란

관리 번호	91 -4632

	분류번호	보존기간

발 신 전 보

번 호 : WUN-2175 910814 1145 FN 종별 :

수 신 : 주 유엔 대사. 총영사 (국연)

발 신 : 장 관

제 목 : 가입축하발언

대 : UNW-2105

대호 3 - 가항 관련, 각 지역그룹 대표의 축하발언에 우리의 희망사항이 적절히 반영될 수 있도록 사전교섭을 시행하는 것이 좋겠다고 사료되는 바, 이와관련 하기사항에 관한 귀견 보고바람.

1. 남북한 가입축하발언이 예상되는 각 지역(및 기타)그룹 대표국 명단
2. 교섭시행의 적절한 시기
3. 발언포함 요망사항
   * 본부에서 실무적으로 검토한 내용은 하기와 같음.
     - 최근의 냉전종식으로 조성된 화해와 협력의 국제분위기 속에서 이루어진 남북한의 유엔가입은 한반도 및 동북아에 있어 긍정적이고 건설적인 정세 발전
     - 남북한의 유엔가입은 한반도지역의 긴장을 완화시키고 양국간의 신뢰구축을 증진시키는 유리한 여건을 마련할 것으로 기대되며, 남북한의 건설적 대화노력 당부

/계속/

보안 통제	(서명)

앙 고 재	91년 8월 14일	유엔과	기안자 성명		과 장	심의관	국 장		차 관	장 관
			(서명)		(서명)	(서명)	(서명)			

외신과통제

0015

- 남북한은 유엔의 정회원국으로서 유엔의 목적과 원칙을 더욱 존중하는 가운데 유엔의 효과적 활동수행에 긍정적 기여를 하게되길 기대함. 특히 유엔가입은 국제규범 준수에 대한 서약인 바, 남북한은 새롭게 조성되고 있는 세계적인 화해와 협력의 분위기가 한반도에도 도래할수 있도록 가속적인 노력 경주 당부. 끝.

(국제기구조약국장 문동석)

예고 : 91.12.31. 일반

0016

공 란

공 란

공 란

관리 번호	11-4683

원 본

외 무 부

종 별 :

번 호 : UNW-2176 일 시 : 91 0816 1830

수 신 : 장관(이규형 유엔과장)

발 신 : 주 유엔서 대원

제 목 :

대:WUN-2195

1. 대호관련 RUSSEL 담당관과 접촉한바 동인이 금번 출장준비로 (P 대사의 서울, 동경, 북경, 뉴데리, 모스코 순방 단독수행후 9.23 귀임) 분주하여 구체적인 의견교환을 갖지못하였으며 내주초 ROSENSTOCK 참사관과 면담예정임.

2. 사무국 접촉은 일단 미측의 견해를 들은후 갖고자하며 필요하다면 중.쏘와도 접촉예정임. 건승기원함. 끝.

예고:91.12.31. 일반

국기국

PAGE 1

91.08.17 09:43

외신 2과 통제관 BS

0020

관리 번호	91-4490

원 본

외 무 부

종 별 : 지 급

번 호 : UNW-2181 일 시 : 91 0816 2400

수 신 : 장 관(국연,기정)

발 신 : 주 유엔 대사

제 목 : 가입축하발언

대:WUN-2175

연:UNW-2105

대호 가입축하 발언사전 교섭관련 당관 의견을 아래보고함.

1. 축하발언 대상국 관행및 명단

0. 통상 지역그룹대표 5 개국, 미국(HOST COUNTRY), 아랍그룹대표가 축하발언함.

0. 이어 추가하여 신규 가입국과 관련된 여타그룹 대표내지 국가가 발언하는 경우도 있음.

-90.9 LIECHTENSTEIN 가입시 오지리(COORDINATOR 국가)

-90.4. NAMIBIA 가입시 사무총장, 이집트(OAU 대표), 이디오피아(탈식민 특위의장), 잠비아(유엔나미비아 이사회 의장)

-73.9 동서독 가입시 소련, 유고, 폴랜드, EC 겸 덴마크, 헝가리, 불란서, 이스라엘, 루마니아, 체코, 라이베리아, 몽고, 핀랜드, 알바니아, 스페인, TNT, 카나다, 이태리, 토고, 쿠바, 우크라이나, 벨지움, 백러시아, 소말리아(친소련 국가들은 동독가입 환영에 역점)

0.9 월중 지역그룹 의장대상국

-아프리카: 적도기니 (통상 의장직을 사양하므로 이디오피아 예상)

-아시아: 이란

-동구:우크라이나

-중남미:가이아나

-서구:말타

-아랍그룹:카타르

2. 교섭시행의 적절한 시기

국기국 장관 차관 1차보 분석관 청와대 안기부

PAGE 1

91.08.17 12:45

외신 2과 통제관 BS

0021

0. 지역그룹 의장직을 알파벳 순서로 맡는것이 일반적이나 소규모공관, 대사 부재 또는 기타 사유로 상기 대상국이 이를 양보하는 경우가 있으므로, 교섭시행시기는 일단 그룹별 차기의장국이 확정되는 8 월말경이 적절하다고 봄.

-단, 상기 대상국 주재공관에 대하여는 사전에 동 가능성을 주지시켜 놓는것이 좋을것임.

3. 발언포함 요망사항

0. 일반적인 축하내용(보편성원칙 구현, 유엔활동에 기여희망등)은 해당국에 맡기되, 교섭시에는 크게 (1) 대호 본부 실무검토안과 같이 남북한 동시 가입의 의의와 향후 한반도 평화정착 (및 궁극적 통일)촉진 기대와 아울러 (2) 미국등 우방국의 경우 한국의 국력과 국제적 지위에 비추어 아국의 가입이 유엔활동에 대한 큰 도움이 될것이라는 점을 별도로 부각시킬 수 있도록함. 끝.

(대사 노창희-국장)

19 예고:91.12.31. 일반

PAGE 2

0022

공 란

공 란

공 란

공　　란

공 란

공 란

공 란

관리 번호	91 -4327

	분류번호	보존기간

발 신 전 보

번 호 : WUN-2334 910824 1554 FO 종별 : 지 급

수 신 : 주 유엔 대사. 총영사

발 신 : 장 관 (국연)

제 목 : 총회 처리방안

대 : UNW-2196, 2213

1. 대호 총회의장 발의방식에 관하여 미측은 사무국 법률국장의 의견도 들어 문제가 없다고 한반면, 사무국 총회담당 Maldonado 선임 담당관은 최소한 절차상의 문제점을 들고 있음.

2. 이에따라 앞으로의 대책수립에 ~~참고~~대비코자 하니 귀관은 Spiers 총회담당 사무차장을 직접 접촉 ~~타진하여~~, ~~동 결과를 토대로하여 총회의장 발의방식에 대한 귀관의 종합적 의견을 회신~~ 타진하고 그 결과를 보고바람. 끝.

(국2과 기국 과장)

예고 : 91.12.31. 일반

보안 통제	

앙 고 재	91년 8월 24일	유엔과	기안자 성명		과 장	심의관	국 장		차 관	장 관

외신과통제

0030

(안)

이

원 본

외 무 부

종 별 :

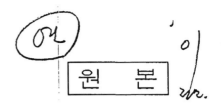

번 호 : UNW-2290 일 시 : 91 0826 1900

수 신 : 장 관(국연,동구일,북일,아이,기정)

발 신 : 주 유엔 대사

제 목 : 소련 사태

1.8.25 유엔 사무총장은 발트 3국의 유엔가입문제에 대해 동 문제가 아직 시기상조이며, 안보리가 결정할 문제 라고 언급하였음

2.한편 우크라이라, 백러시아의 독립 움직임과 관련 8.26 사무총장 대변인은 정오 브리핑시 기자질문에 대해 양 공화국의 소련으로부터 완전 독립되는 경우 법적인 검토를 해본바는 아니나유어엔 회원국으로서의 지위에 별다른 변화가있을 것으로는 보지 않는다고 언급하였음.

첨부(FAX)

1. 사무총장 논평(8.25)

2. NYT 지 사설및 기사(엔친의 과제 ,각공화국분리 움직임)

3. WSJ 지 사실(8.26)

UNW(F)-464

(대사 노창희-국장)

* Baltic 3국 유엔가입하는 경우 9.17 총회 또 다른 차질요인

* 안보리 비토 북한 대비

국기국 장관 차관 1차보 2차보 아주국 미주국 구주국 경제국
청와대 안기부

PAGE 1

91.08.27 11:14 WG

외신 1과 통제관

0031

UNW(F)-464 10 1900
(국연. 동구일. 북일. 아 . 기전) 총7매

SECRETARY-GENERAL'S REMARKS ON PRESIDENT GORBACHEV

Made to the press in Geneva, 25 August 1991

(translated from the French)

Question: How are you going to deal with the request of the Baltic States for membership in the United Nations?

Secretary-General: It is still premature. Besides it is not for me to take a decision; it is up to the Security Council. But of course I am following very closely the situation in the Soviet Union and am very happy to see that stability is apparently returning.

At the same time, let me express, as Secretary-General of the United Nations, my profound gratitude to President Gorbachev for the incredible support that he has given to our Organization in the last four or five years. I have a good memory, and I would like to express my gratitude at a time when everyone is making rather derogatory comments about Mr. Gorbachev. As Secretary-General, let me emphasize that nothing that occurred in the Soviet Union would have been possible had that man not had the courage to launch perestroika and glasnost. But it seems that people have a short memory. I however have a long one, and I am grateful to Mr. Gorbachev for the advice he gave me as Secretary-General. It is he who has given new life to this Organization.

fg3-65

유UNW-2290
첨부물

7-1

0032

The Parties, After the Party

It will take months, even years, for the world to grasp fully the implications of the Soviet Union's most incredible week since the Bolsheviks seized power in 1917. But in all the turmoil, few events matched the drama of Mikhail Gorbachev's renunciation on Saturday of the Communist Party. And few events hold out as much promise for a true turn toward multi-party democracy.

By resigning as the party's chief and calling for the dissolution of its Central Committee, Mr. Gorbachev ratified the rebellious popular judgment on decades of Communist tyranny. Only the day before, he had loyally pleaded the party's cause; hooted down by the Russian Parliament, he abandoned overnight a lifetime's allegiance. His turnabout may enable him to stay on as symbolic head of state in a radically altered union.

As George Bush is already learning, it is far from clear who speaks for this new Soviet Union — Mr. Gorbachev, or Boris Yeltsin, who has emerged as the dominant political figure. What is clear is that the Soviet Union is no longer a multi-ethnic empire dominated by the Communists and controlled from Moscow. And as the party collapses, so too do the impediments to political pluralism and regional autonomy. Already the Ukraine and the Baltic states want out and the list is growing.

This unraveling is happening so fast that there are only proximate answers to new questions. Who will manage the economy? And who will control the defense establishment? These are questions for Soviet citizens, freed now from the party's yoke, to decide. For this has been their revolution. The collapse of Communism was not brought about by Western military might, though years of patient NATO resolve played a big part. Nor was this revolt spawned at C.I.A. headquarters in McLean, Va.

What undid the Communist Party and Lenin's revolution was massive questioning of inherited ideas and the growing ascendancy of new and predominantly Western values. This, together with the market economy's promise of a more prosperous life, was what emboldened Soviet demonstrators to face tanks in Moscow.

Some hopes of the new revolutionaries may prove as impossible to realize as the dreams of universal justice that invigorated the original Communists. And it's true that the Soviet rebels and their leaders have tasted freedom only briefly, and that in good part thanks to Mr. Gorbachev.

Genuine democrats everywhere have learned that the essential corollary of majority rule is respect for minority rights, and that a multiplicity of factions is the best safeguard against single-party despotism. This is a lesson that enthusiastic Soviet recruits to the fledgling democratic order need, in their moment of euphoria, to weigh.

7-2

0033

The Uphill Task Confronting Yeltsin: Achieve Change and Stave Off Chaos

By CELESTINE BOHLEN

Special to The New York Times

MOSCOW, Aug. 25 — For months now, Boris N. Yeltsin, president of the Russian republic, has been arguing that his plans for a radical overhaul of his republic's economy would have already gone into effect were it not for the "center" — a word that encompasses the Kremlin, the lumbering bureaucracy of the Soviet Union's huge ministries and the long hand of the Communist Party.

News Analysis

In the last 48 hours, in a blizzard of decrees, Mr. Yeltsin removed the center from his path. He seized control of the party's Moscow-based media apparatus, took over communications networks, and kicked the struts out from under Gosplan and Gosnab, the two state agencies that once controlled planning and distribution for the entire Soviet Union, by banning their activity on the vast territory of the Russian republic.

Today, after President Mikhail S. Gorbachev's order to the party to cease its meddling in government and economic affairs, Mr. Yeltsin would seem to be free to work his will inside Russia and, to some extent, beyond, in what will be left of the Soviet Union. But with events moving more rapidly than even Mr. Yeltsin can issue decrees, the question is whether even he, with his enormous popularity and bulldog ways, can bring about change in a land that could be on the brink of chaos, and hold the remnants of the union together.

In an interview televised tonight, Mr. Yeltsin called on his battered nation to get back to work, after the week's tumultuous events. "The situation is very hard, but I think that people are now very eager to do business," he said. "We must not interfere and just give them freedom of the free market."

An Appeal for Calm

"The people should be calmed down and we all must part with euphoria, including the euphoria of victory," he said. "And no euphoria of revenge, or else we will lose our self-respect as democrats."

From the White House, as the Russian government building is called these days, Mr. Yeltsin's team, fresh from its triumph over the coup and the outpouring of public support, speaks with the self-assurance of a civics text book as its worka to fill the vacuum opening up at the top and the bottom of the Soviet power structure.

"The first task is to create an executive system in the localities, that will be able to function locally," said Pavel Voshanov, a top aide to Mr. Yeltsin, in an interview today.

"The goal is take economic reform to the end, to realize the reforms," Mr. Voshanov said. "The strategy is the old one, to move quickly to a market economy, privatization, private property and to start on land reform, which is already late in getting started."

The Same Old Problems

But as they look out across a land that stretches across 10 time zones, encompasses 31 autonomous regions and is home to scores of non-Russian nationalities, the Yeltsinites find themselves inheriting problems much like those that bedeviled Mr. Gorbachev when he first embarked on his program of change.

There are problems of personnel, of expectations and of a clash of national identities that has already begun to emerge. With the party in tatters, a new system of administration will have to be put in place, drawing on the small pool of people who are both uncompromised and qualified. Although he is now riding high in popularity, Mr. Yeltsin will now soon have to answer for an economic crisis that is sure to get worse for the average Russian citizen, as unemployment rises and shortages linger.

> Russian calls on his nation to get back to work.

This week Mr. Yeltsin moved quickly to eradicate the obvious pockets of resistance — those places where in the early hours of the Monday coup, local party and government leaders set up local "state of emergency" committees, and issued orders reflecting the junta's harsh directives. Speaking at the funeral services on Sunday for the three young men killed in the coup, Mr. Yeltsin said again that those who supported the coup would be removed from their posts and investigated by the prosecutor's office.

As Mr. Gorbachev's power goes into eclipse, Mr. Yeltsin has emerged as the caretaker of the Soviet Government, adding its complex problems to the ones he faces in the Russian republic.

Chief Champion of Unity

He has also become the chief champion of the union treaty, a document he negotiated with Mr. Gorbachev and eight other republic leaders that redistributes power from the center to the republics. The treaty was to have been signed by most major repbulics on Aug. 20, but was suspended by the government takeover last Monday.

In his interview tonight, Mr. Yeltsin said he would now wait until Sept. 15 for the signing, to see which way the Ukraine goes, now that it has broken ranks — together with the Baltic republics, Georgia, Moldavia and Armenia — and declared its independence.

The prospect of a defection by the Ukraine, the second largest republic in population with historic links to Russia, from even the loose bonds of the proposed union treaty poses problems for Russia, which could find itself alone in a union dominated by the Muslim republics of Central Asia.

Mr. Yeltsin today also proposed in the television interview to cut short the session of the Supreme Soviet that opens on Monday, and to move quickly to convene a Congress of People's Deputies "to solve all the problems at once — both on the participation of the cabinet of ministers, on its replacements, on its structure, on new cadres etc."

Yeltsin Aides in Key Posts

Of the four people named on Saturday to the interim committee that will be running the national economy, three were drawn from the Yeltsin camp — including the chairman, Ivan Silayev, who is now the Russian Prime Minister, and Grigory Yavlinsky, the young economist who has drafted the most radical plan to date for the rescue of the Soviet economy.

Mr. Yeltsin and Mr. Gorbachev have also agreed that the next Prime Minister will be nominated by the Russian republic, as well as the new Vice President, replacing former Prime Minister Valentin Pavlov and Vice president Gennadi Yanyev, who were both members of the eight-man junta.

No Prime Minister has yet been named because, according to Mr. Voshanov, the first task is to redraw the composition of the Cabinet of Ministers itself, a group that includes more than 50 ministries and state committees representative of the old older. Mr. Voshanov predicted that this number would be cut drastically.

"We have to change the whole structure because in one week, some of these ministries will be gone," he said. "The committee has to work out a new model, and then after the model, will come the appointments."

7-3

0034

Steps Toward Independence In the Soviet Republics

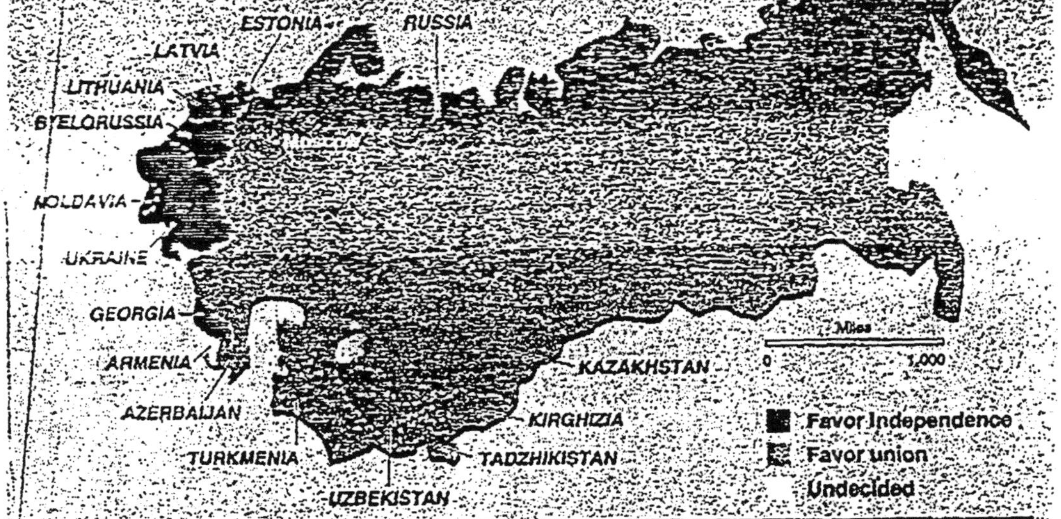

ARMENIA
President Levon Ter-Petrosian has indicated he might sign a new union treaty that had the support of 8 of the 15 Soviet republics before the coup last week. But Armenia has a strong independence movement that opposes the treaty, which would establish a looser federation and transfer considerable powers from the Kremlin to republican leaders.

AZERBAIJAN
Supports the new union treaty.

BYELORUSSIA
Parliament voted yesterday to proclaim independence.

ESTONIA
Parliament declared independence on Tuesday.

LATVIA
Declared independence on Wednesday, saying it was nullifying the transition period that followed its decision last May to seek independence.

LITHUANIA
Declared independence in March 1990, then suspended the declaration in the face of a Kremlin economic blockade.

GEORGIA
Declared in November that it would seek independence.

KAZAKHSTAN
President Nursultan Nazarbayev wants to keep the republic in the Soviet Union but now insists that the draft union treaty be reworked.

KIRGHIZIA
In December 1990 became the last of the 15 republics to declare sovereignty, meaning its laws take precedence over those of the central Government on its territory. Supports the new union treaty.

MOLDAVIA
Has refused to sign the new union treaty. A special parliamentary session was scheduled for Tuesday to discuss a declaration of independence.

RUSSIA
President Boris N. Yeltsin announced plans yesterday to seek wholesale revisions of the union treaty.

TADZHIKISTAN
Supports the new union treaty.

TURKMENIA
Supports the new union treaty.

UKRAINE
Declared independence on Saturday and scheduled a Dec. 2 referendum to ratify it.

UZBEKISTAN
Supports the new union treaty.

7-4

0035

Chinese Aides See Cooler Soviet Ties

By SHERYL WuDUNN
Special to The New York Times

BEIJING, Aug. 25 — Chinese officials interviewed privately say that although they believe China's politics are unlikely to be immediately affected by the collapse of the Communist Party in the Soviet Union, they generally foresee a slowing down in the pace of improvement of relations with Moscow and an intensification of political education throughout China.

Vice President Wang Zhen was quoted on the television news today as emphasizing the Communist Party leadership role in the army and the importance the party played in helping the army quell the "counter-revolutionary rebellion," an allusion to the pro-democracy demonstrations of 1989.

On Saturday Mr. Wang completed a nine-day trip to the northwestern province of Xinjiang, which borders on the Soviet Union and which saw unrest last year that reportedly left 22 people dead.

In many neighborhoods of Beijing, where at night the sidewalks fill with families escaping the indoor heat, the talk in the last few nights has reflected both elation at the decay of the Soviet Communist Party and fear that the events in the Soviet Union may bring tighter controls in China.

In the big cities, many citizens are raising their glasses to celebrate. But they also worry that a more isolated Chinese leadership may also be a more repressive one.

Few Signs of Tension

"After this, they'll have to boost propaganda in the army to make sure soldiers fire on the people instead of backing off as they did in Moscow," said a woman in her 30's. "Everybody noticed the difference between what the papers said was happening in the Soviet Union and what we heard on Voice of America and the BBC and that just got people more annoyed at the Government."

So far there have been few signs of tension or stricter patrol measures in Beijing, but the Chinese leadership has been watching events with great concern, officials say. Already there have been subtle changes in official propaganda, with articles appearing praising the elderly, an apparent reference to the octogenarians who now rule China.

"Old cadres are the treasures of the party and nation," read an article in the official People's Daily on Saturday. An article in the same newspaper today described the achievements of a model Communist Party member.

China has also been concerned that unrest in the Soviet Union's minority areas will spill over into China, an official said, adding that the propaganda in recent days seemed to try to promote harmony among China's minorities and the Han ethnic group. In today's People's Daily, a front-page photograph displaying minorities in traditional costume seemed to be an attempt to do just that. Inside, the paper reported Friday's news that activities of the Communist Party had been halted in the Russian republic.

The New York Times

Some fear the Government in Beijing will use repression to keep unrest from creeping over the border from the Soviet Union.

Leaders Shown Video

Today the local paper, The Beijing Evening News, but not the national television news, reported that President Mikhail S. Gorbachev had resigned as Communist Party Secretary General.

Officials say the Government has not broadly circulated any documents carrying significant comments by Chinese leaders on the Soviet Union. The party's internal documents, however, carried scores of translations of foreign news reports and commentary about the Soviet Union. Many employees in military units were read cables describing the events as they happened.

Chinese leaders were apparently able to learn of the daily events in the Soviet Union by watching a video each day compiled from television footage from various countries. During this week's political study session, some officials watched a long video with clips of events from each day of the week.

"They definitely will issue a document with their comment and a conclusion, but only after they see how the situation develops," said an official with access to Government documents. "After Romania, China officials learned they had to be more careful. They were too quick to support Ceausescu, and then all of a sudden, he fled, and it was very embarrassing for China."

Political Turmoil Expected

Another official said the party had been planning to publish a secret comprehensive analysis of the Soviet Union and Eastern Europe, but that the work had not yet been completed. Still, Chinese leaders had been expecting for many months that political turmoil would break out in the Soviet Union.

"They had predicted something like this would happen," said an official in his 40's. "But it would not really influence China. The situation, the economies, the traditions are very different in the two countries."

"China is now very stable," he added. "It won't be like June 4 again." He was alluding to the crackdown of two summers ago.

Part of the reason for this, he and other officials said, was that since the collapse of Communism in Romania and other Eastern European countries, the Chinese Government, party and military apparatus have been steadily increasing re-education and political study at all levels.

Indeed, many officials say the Soviet coup failed because its leaders did not have enough control over the military, as the hard-line leaders in China have.

"In a coup, you don't look for a legal means to justify it — you grab power, make sure you have it, and then explain it," said a Chinese employee at a military unit. "The other problem is that they didn't grab Yeltsin."

Only bits and pieces about the breakdown of Communism in the Soviet Union have trickled down to the people, many of whom listen to foreign radio broadcasts.

"The Government was probably sad but ordinary people were rejoicing and toasted Gorbachev when they heard he was back in power," said a middle-aged official. "There was a lot of wine drunk that night. But it's hard to say which way the Government reaction will go. After Ceausescu fell, even though people were very happy about it, controls got tighter."

7-5

0036

Those Who Served

The Communist Party of the Soviet Union collapsed this weekend with breathtaking suddenness. But the enemies of communism have been grinding away at its foundations for nearly a century.

How much more impoverished would the Soviet people be, for example, but for the four decades of honest broadcasts from Radio Liberty, which has endured many an attack from the international left because of its U.S. ties. RL had two reporters in the Russian parliament building through last week's coup, and it was through their facilities that Boris Yeltsin was able to broadcast to the Russian people. Mikhail Gorbachev, held in captivity, tuned in. Elena Bonner, widow of the late dissident Andrei Sakharov, paid Radio Liberty a high compliment: "Boys, during these days you were on the barricades with us."

Amid our admiration for the Russian people who manned those barricades, it is fitting to pay tribute to the Western anti-communists who over the long decades discredited communism as an idea.

The historian Richard Pipes has exposed the myth that the Russian Revolution merely continued the long tradition of Russian authoritarianism. Lenin's atheism and totalitarianism were alien to Russian tradition. Communism was, instead, a secular religion that corrupted Western intellectuals, and it was other Western intellectuals who debunked it.

While political pilgrims such as George Bernard Shaw flooded into the Soviet Union and saw what they wanted to see, others such as Rosa Luxembourg and Max Eastman looked honestly and came away shaken. Eastman returned home in 1924, and brought back the first evidence of a reign of terror.

Sidney Hook, the prototypical anti-communist, later wrote, "The intensity of the animus generated by political differences among intellectuals during the last half-century can hardly be exaggerated."

One of the astonishing facts of the century was that it was not until 1968, when Robert Conquest published "The Great Terror" that one could speak authoritatively about the terror without being contradicted by those who minimized or denied it. In a later book, Mr. Conquest compared the terror and collectivization of Ukraine agriculture to World War I, pointing out that the terror took about as long as the war, and involved an operation about as large. More were killed in Ukraine than in all the battles of World War I.

The fury that greeted the Western critics of communism can scarcely be imagined in today's world, but during the 1930s, 40s and 50s, conservative philosophers as well as liberals in the classic tradition systematically dismantled Marxist logic.

In the July, 1947 edition of Foreign Affairs, the early George Kennan gave a voice to the containment policy that was to prove so successful over the next decades, based on "the adroit and vigilant application of counterforce at a series of constantly shifting geographical and political points."

Many American strategists worked in anonymity to implement and sustain that counterforce for four decades.

In September of 1948, Whittaker Chambers said that top Roosevelt aide Alger Hiss had been a fellow communist agent. Rarely has a campaign of vilification been so virulent as the one launched against Chambers, who had dared besmirch Hiss, the upper-class Harvard Law grad and everybody's model progressive. But history has supported Chambers' claim, and his account of his journey through communism, "Witness" is among the most eloquent anti-Communist documents. "You know, we are leaving the winning world for the losing world," he told his wife when he quit the communist party for Christianity and democracy. He prayed he was wrong, and he was.

The Hiss-Chambers confrontation crystallized the anti-communist movement. Among those who publicly acknowledged the strength of Chambers' evidence was the celebrated historian Arthur Schlesinger, an emblem of liberal anti-communism. Mr. Schlesinger was also an officer in the Congress for Cultural Freedom, along with Hook, James Burnham, Irving Kristol, Ignzio Silone and others. The organization once and for all destroyed communism as a force in Western intellectual life, especially through its group of magazines, including the British magazine Encounter.

After destroying communism as an idea, these intellectuals shifted their emphasis in the 1960s to how to confront communist expansionism. William F. Buckley wrote in a 1962 column, for example, "We view our atomic arsenal as proudly and as devotedly as any pioneer ever viewed his flintlock hanging over the mantel as his children slept and dreamed." George Meany, leader of the AFL-CIO was a stalwart enemy of totalitarianism, siding with free workers against what professed to be a working class ideology.

George Orwell, who had devastated Soviet-style rhetoric in "1984," once wrote, "We have now sunk to a depth at which the re-statement of the obvious is the first duty of intelligent men." After the New Left inroads of the late 60s and the detente of the 1970s, the West had reached a similar state of high folly, in which Gerald Ford would not meet with Aleksandr Solzhenitsyn for fear of upsetting the Soviets, and Jimmy Carter warned of an "inordinate fear of communism."

A family of intellectuals around The Committee for the Free World and Commentary magazine restated the cold warrior's creed. The joke at their conferences was, "That argument is so old I've forgotten the answer to it." Freedom House also kept the flame alive.

Western anti-communists did not face the gulag or the firing squad, as did so many millions of their Soviet counterparts. And it was Russians and Lithuanians who had the courage to face the tanks last week. But in the long struggle against communism and Soviet power, there were Western heroes as well.

7-6

0037

China's Writing on the Wall

For anyone of a mind to be making deals with Communist China these days, it is worth noting the conspicuous hush in Beijing over the collapse of the coup and of Soviet communism. Consider what it must do to the minds of the Chinese Communist cells to see a Boris Yeltsin and Soviet republic leaders across that great land uniting to drive the communists into the darkness.

China's leaders are entrenched behind a Great Wall of communist rhetoric and brutal control, hailing fictitious heroes such as PLA do-gooder Lei Feng and jailing democratic dissidents such as Wang Juntao and Chen Zemin. Meanwhile the world political tide is sweeping democracy into power. Not only in Eastern Europe, Nicaragua and Angola, but now even in the Mother of All Communist Nations, the Soviet Union.

The communist retreat in Moscow is the latest in a series of reminders that what was embarrassingly billed in 1989 as "the Chinese solution" to liberal change—sending a communist nation's army to shoot its own protesting people—has in every other case so far proved a flop. China's Supreme Untitled Leader Deng Xiaoping, Premier Li Peng and their comrades must wonder whether it would work again even in China.

This is a question that anyone dealing with China might want to ponder as well. When Japan's Prime Minister Kaifu two weeks ago became the first leader of a major industrialized nation to visit China since 1989, he was consorting with people who are about as much hated in China as the hard-line leaders of last week's failed coup turned out to be in the Soviet Union. When President Bush receives high-ranking Chinese officials at the White House, or sends negotiators to try to curb Chinese arms sales, he is treating with a government that rules by the firepower of its PLA guns.

The sight of tanks on the Moscow ring-roads and protesters in the streets evoked enough memories of Tiananmen, and we will no doubt be hearing debate these next few weeks over the similarities and differences. China went further in economic reform; the Soviets went first for political liberalization. The Chinese democratic protesters had no leader with a clear mandate to speak for them; the Russians had an elected president, Boris Yeltsin.

But most significant in all this is that both dramas have centered on the same basic issue: A people sick to death of decades of communist misrule have risked their lives to insist that communism is a despised failure and that whether people are born in Shanghai, Leningrad, Bonn or Boston, they have a right to the same full measure of liberty.

It no longer looks as if the Tiananmen uprising, and the protests supporting it across China, were flukes. Nor does it seem likely that China's leaders can achieve the improbable feat of persuading themselves and their 1.1 billion subjects that such black holes as Burma and North Korea will join them as the way of the future. (Not to mention the otherworldly political models plied by the other two big supporters of the coup—Iraq and Libya.) Boris Yeltsin's victory in Moscow serves notice to Beijing of the writing on the wall.

7-7

0038

관리 번호	91 -4312

원 본

외 무 부

종 별 :

번 호 : UNW-2296　　　　일 시 : 91 0826 2200

수 신 : 장관(국연,기정)

발 신 : 주 유엔 대사

제 목 : 지역그룹의장

연:UNW-2181,2294,2295

연호, 금 8.26(월) 사무국(총회담당)으로 부터 확인한 9 월중 각지역 그룹의장국 및 아랍그룹대표 명단(CONFIRMED LIST) 은 아래와같음.

1. 아프리카: 적도기니
2. 아시아: 이란
3. 동구:우크라이나
4. 중남미:가이아나
5. 서구및 기타: 말타
6. 아랍그룹:팔레스타인.끝

(대사 노창희-국장)

예고:91.12.31. 일반

19 의거 일반문서로 재분류

국기국 장관 차관 1차보 분석관 청와대 안기부

PAGE 1

91.08.27 11:26

외신 2과 통제관 BS

0039

공 란

공 란

공 란

공 란

공 란

관리 번호	91 -4502

	분류번호	보존기간

발 신 전 보

번 호 : WNP-0204 외 별지참조 종별 : 지급

수 신 : 주 수신처 참조 대사.총영사(사본 : 주유엔대사)

발 신 : 장 관 (국연)

제 목 : 남북한 유엔가입 (총회처리방안)

1. 남북한의 유엔가입 권고 결의안이 지난 8.8(목) 유엔 안보리에서 만장일치로 채택된 이후 그간 몇차례에 걸쳐 총회처리방안에 관한 남북한 대표부간 협의가 있었음. 동결과 지난 8.26(월) 남북한 대사간 인도를 총회결의안 최초발의국(coordinator)으로 지명키로 합의, 8.29(목) 남북한 및 인도대사간 3자 협의가 있었음.

2. 상기 8.29. 협의에서 남북한 유엔가입의 총회결의안 초안을 확정하고 인도의 주관하에 다음일정에 따라 동결의안 공동제안국(co sponsor)을 모으기로 합의함.

- o 8.30(금) 주유엔 인도대사, 남북한의 요청에 의거 공동제안국 가담을 요청하는 서한을 모든 유엔회원국에게 발송
- o 9.2(월)-9.6(금) 공동제안국 서명부 주유엔 인도대표부에 비치
- o 9.9(월)-9.17(화) 공동제안국 서명부 유엔사무국에 비치

/계속/

보 안 통 제	

앙 고 재	91년 8월 30일	유엔 과	기안자 성 명		과 장	심의관	국 장	1차보	차 관	장 관
			(서명)				(서명)	(서명)	(서명)	3

외신과통제

0045

3. 상기관련, 귀직은 주재국이 남북한 동시수교국이며 또한 유엔의 보편성 원칙의 실현이라는 점, 남북한의 유엔가입이 한반도에서의 신뢰구축과 남북한 관계개선, 발전에 기여할 계기가 되기를 기원한다는 뜻에서 동 결의안 공동제안국에 가담하여 줄 것을 주재국측에 지급 요청하고 결과 보고바람.

4. 총회결의안 별전 타전함. 끝.

(장 관)

19 91. 12. 31. 일반

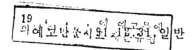

수신처 : 남북한 동시수교국 주재공관

0046

수신처 : 주 네팔, 말레이지아, 방글라데시, 스리랑카, 싱가폴,

인니, 태국, 파키스탄, 파푸아뉴기니, 몽고, 멕시코,

베네주엘라, 수리남, 트리니다드토바고, 자마이카, 콜롬비아,

페루, 놀웨이, 덴마크, 스웨덴, 오지리, 포르투갈, 불가리아,

핀랜드, 헝가리, 폴란드, 유고, 체코, 루마니아, 소련, 리비아,

모리타니아, 수단, 요르단, 이란, 튀니지, 모로코, 알제리,

예멘, 카메룬, 가봉, 가나, 나이지리아, 말라위, 모리셔스,

세네갈, 우간다, 씨에라레온, 이디오피아, 자이르, 케냐,

코트디브와르, 나미비아, 잠비아 대사 (54국)

0047

WNP-0204 910830 2014 FN

WASN-0045	WBA -0279	WSK -0328	WPA -0568	WPN -0154
WMG -0428	WMX -0721	WVZ -0274	WSU -0126	WTT -0102
WJM -0226	WCL -0236	WPU -0330	WNR -0291	WDE -0297
WSD -0474	WAV -0920	WPO -0323	WBL -0464	WFN -0205
WHG -0650	WPD -0753	WYG -0643	WCZ -0640	WRM -0517
WSV -2894	WLY -0347	WMT -0159	WSS -0257	WJO -0520
WAFM-0056	WIR -0610	WTN -0230	WMO -0297	WAG -0295
WYM -0289	WUN -2444			

0048

관리 번호 91-4522

원 본

외 무 부

종 별 :

번 호 : UNW-2374　　　　　일 시 : 91 0830 1900

수 신 : 장관(국연,기정)

발 신 : 주 유엔 대사

제 목 : 총회 결의안 공동제안국

연:UNW-2352

인도대표부는 금 8.30(금) 오전 연호 문안과 동일(일부 오자만 수정)한 별첨회람 공한을 전 유엔회원국에 발송조치함.

첨부:UNW(F)-488 끝

(대사 노창희-국장)

19 예고:91.12.31. 일반

국기국　안기부

PAGE 1

91.08.31　16:34

외신 2과　통제관 CE

0043

AUG 30 '91 17:44 KOREAN MISSION
SENT BY:MISSION of INDIA,UN A; 8-30-91 11:35AM ; 2127511393 P.1

+별첨 UNW(F)-488 10830 1900 (국연.기정) 총2매

संयुक्त राष्ट्र स्थित भारत का स्थायी मिशन
866 यू०एन० प्लाज़ा
न्यूयॉर्क, एन०वाई० 10017

PERMANENT MISSION OF INDIA
TO THE UNITED NATIONS
866 UN PLAZA #505
NEW YORK, N.Y. 10017

No.NY/PM/104/15/91

August 30, 1991

The Permanent Mission of India to the United Nations presents its compliments to the Permanent Missions to the United Nations and has the honour to inform them that, at the joint request of the Permanent Observer Missions of the Democratic People's Republic of Korea and the Republic of Korea, India will co-sponsor and will be the initiator of the attached draft resolution on the admission of the Democratic People's Republic of Korea and the Republic of Korea to membership in the United Nations, which will be presented under item 20 of the Provisional Agenda at the 46th General Assembly.

2. The Permanent Mission of India to the United Nations will furthermore maintain for one week, starting Monday, September 2, 1991, at the Permanent Mission of India to the United Nations, Suite No.505, No.866, U.N. Plaza, a list of co-sponsors for delegations wishing to co-sponsor the resolution. Subsequently, from the week starting September 9, 1991, the co-sponsors' list will be available for signature with Ms. Kiyomi Ejima, Room No.3670B, United Nations, (Telephone No.963-2333).

3. For further information, delegations may wish to contact Mr. Nikhil Seth, First Secretary, Permanent Mission of India to the United Nations, at Telephone No.751-1258/751-0900 (Fax No.751-1393).

4. The Permanent Missions wishing to co-sponsor the resolution could do so either by signing the co-sponsors' list or by confirming the co-sponsorship by Fax Message at No.(212)-751-1393.

5. The Permanent Mission of India to the United Nations urges Permanent Missions to the United Nations to co-sponsor this important resolution which reconfirms the validity of basic ideal of universality of the United Nations and avails of this opportunity to renew to the Permanent Missions to the United Nations, the assurances of its highest consideration.

All Permanent Missions
to the United Nations,
New York

2-1

0050

Distr.
LIMITED

A/46/L.
September 1991

ORIGINAL: ENGLISH

Forty-sixth session
Item 20 of the provisional agenda*

ADMISSION OF NEW MEMBERS TO THE UNITED NATIONS

...: draft resolution

Admission of the Democratic People's Republic of Korea
and the Republic of Korea to membership
in the United Nations

The General Assembly,

Having received the recommendation of the Security Council of 8 August 1991 that the Democratic People's Republic of Korea and the Republic of Korea should be admitted to membership in the United Nations, 1/

Having considered separately the application for membership of the Democratic People's Republic of Korea 2/ and the application for membership of the Republic of Korea, 3/

1. Decides to admit the Democratic People's Republic of Korea to membership in the United Nations;

2. Decides to admit the Republic of Korea to membership in the United Nations.

---

* A/46/150.

1/ A/46/354.

2/ A/46/293-S/22777.

3/ A/46/294-S/22778.

2-2

0051

Having considered separately the application for membership of the Democratic People's Republic of Korea and the application for membership of the Republic of Korea,

1. Decides to admit the Democratic People's Republic of Korea to membership in the United Nations;

2. Decides to admit the Republic of Korea to membership in the United Nations.

(국제기구국장 문동석)

~~예고 : 1991.12.31. 일반.~~

0052

관리 번호	91-4485

원 본

외 무 부

종 별 : 지 급

번 호 : UNW-2377 일 시 : 91 0830 2200

수 신 : 장관(국연)

발 신 : 주 유엔 대사

제 목 : 유엔가입문제

대:WUN-2440,2384,1997

금 8.30 11:00-13:00 당관 서참사관은 사무국 JENSEN 의사국장을 면담 대호건 협의를 가진바 주요내용 아래보고함.

1. 총회결의안 문제

가. 서참사관은 총회결의안 공동제안국 발의방식에 남북한이 완전히 합의하여 인도를 COORDINATOR 로 지명, 내주부터 서명을 받을 예정이며,9.9 부터는 사무국에 서명부를 비치할것이라 하고 적극적인 협조를 당부함.

나. 동국장은, 이에대해 아래와같이 언급함.

0. 인도대표부로 부터 이에대한 통보를 받아 알고있음.

0. 사무국으로서는 공동제안국 방식으로 결정되어 한국이 각별히 관심을 가지고 있는 총회개막일 가입을 차질없이 처리하는데 일하기가 쉽게되었으며, 적극지원하겠음.

0. 특히 한국과 같은 국제사회의 중요한 나라가 가입하게 된데 대하 한국의역할과 기여에 대한 유엔내의 기대가 큰바, 다수회원국이 공동제안국에 참여할것을 의심치 않음.

다. 서참사관이 결의안 배포(ISSUE) 시기 관련 의견을 참고로 구한바, 동인은

첫째, 결의안은 아측이 요청하는 일자에 배포해줄것이며 사무국으로서는 의사규칙상 늦어도 9.16(월) 까지만 배포하면 됨.

둘째, 배포결의안에 최대한의 공동제안국을 포함시키기를 원한다면 (결의안배포후 가담하는 국가의 LIST 는 ADDENDUM 형식으로 추후배포됨) 9.16 , 배포하는 것이 좋을것임.

셋째, 결의안 배포순서에 따라 문서번호가 부여되며 이에따라

국기국 장관 차관 1차보 2차보 분석관 청와대 안기부

91.08.31 12:58

외신 2과 통제관 BN

0053

총회의제순서(가입순서)가 결정되는바, 가입순서를 고려할 경우에는 FSM 및 MARSHALL 군도보다 앞서 결의안을 배포하도록 조처하여야 할것임.

2. 총회개막일 가입문제(대:WUN-1997,2384)

가. 서참사관은 대호에따라 가입신청이 개막일에 처리되지 못할 모든 가능성에 대하여 의견을 구한바, 동인은

첫째, 신규회원국 가입은 개막일 의제중 가장 중요한 실질사항이며 우선순위 의제인바, 의사진행상의 문제등으로 가입문제가 개막일에 처리되지 못하는 상황을 상정하기 어려움.브르나이가 개막일에 가입되지 않은것은 동국측 사정(PREFERENCE AND CONVENIENCE) 에 의해 사무국측과 상호합의하에 이루어진 것임.(동국 국가원수의 유엔방문일정과 관련되었던 것으로 기억한다함.)

둘째 ,(의장선출 지연가능성 관련)

단일후보가 달성되지 않아 부표를 행할 경우에도 부표는 2 회에 한하는바 (1차 부표에서 과반수 득표자가 없을때) , 의장선출에 시간이 오래 소요되더라도(2 차 부표까지 갈 경우 1 시간에서 최장 1 시간 반 예상) 가장 중요한 가입문제처리를 다음날로 연기하는 이례적인 상황은 예상하기 어려움.

셋째,(가입신청국 추가 가능성 관련)

0.BALTIC 3 국등의 유엔가입 신청 가능성관련 우선 이들이 46 차 총회개막일에 가입하려면 안보리처리등 제반절차에 소요되는 기간감안, 지금당장 사무국에 신청서를 제출하더라도 시간이 촉박한 실정이며

0. 적어도 유엔내에서는 미.영. 중.등 주요국가가 이들이 현단계에서 유엔에 가입하는 것은 소련국내문제를 더욱 어렵게 만든다는데 의견이 일치하고 있어가입신청은 가능성이 매우 희박하고(HIGHLY UNLIKELY)보고 있으며

0. 만약 이들 국가의 가입이 이루어지는 상황이 되어 안보리의 권고결정이 있게되면 총회처리는 여타 신청국가 마찬가지로 ROUTINE 하게 될것임.

넷째,(가입신청국 증가가 개막일 의사진행에 미칠 영향관련)

0. 사무국에서 작성한 9.17 46 차 총회개막일 의사일정(잠정)

3 시 개막(봉상 3:30 시작)

-OPENING OF THE SESSION BY THE CHAIRMAN OF THE DELEGATION OF MALTA (45차 총회의장)

-MINUTE OF SILENT PRAYER OR MEDITATION

-APPOINTMENT OF THE MEMBER OF THE CREDENTIALS COMMITTEE
-ELECTION OF THE PRESIDENT
-CONSECUTIVE MEETINGS OF THE MAIN COMMITTEES (ELECTION OF THE CHAIRMAN)
-ELECTION OF THE VICE-PRESEDENTS OF THE GENERAL ASSEMBLY

0. 상기중 신규회원 가입의제는 의장선거 다음순서이나, 동 의제는 가입결의안이 제출된후 의제에 포함됨.

0. 상기 의장 개회사, 묵념 , 신임장위원회 임명등에는 10 여분정도 소요되며, 의장선출에 1 시간 이상이 소요되더라도 5 시경부터는 가입안건 처리가 가능할 것인바, 남북한, FSM 마샬군도의 3 개 가입안건 처리관련 의사국이 상정하고 있는 SCENARIO 는 아래와 같다함.

-가입안건(I) 의제채택 및 결의채택(BY ACCLAMATION) 대표단의석 착석
-가입안건(II) 의제채택 및 결의채택 및 착석
-가입안건(III) 의제채택및 결의채택 및 착석
-의장 축하발언(4 개국 가입을 하나로 묶어)
-5 개 지역대표 축하발언(4 개국 가입을 하나로 묶어)
-미국대표 축하발언(4 개국 가입을 하나로 묶어)
-PALESTINE 대표 축하발언(4 개국 가입을 하나로 묶어)
-신규가입국 대표발언

0. 상기 가입안건 처리에 적어도 한시간이 소요될 것으로 예상되며, 이어 주요위원회의장 및 총회 부의장단 선출안건을 처리해야 함을 감안, 사무국으로서는 지역그룹대표외의 축하발언을 가급적 억제하고자 함.

0. 팔레스타인 대표의 축하발언 참여는 사무국으로서는 가능한한 배제하고자 하는 입장이나 (지역그룹 대표자격 불인정) 동 참여가 이미 관행으로 굳어져가고 있어 어려울 것으로 봄.

3. 회원기 게양식

0. 통상 개막일 회의일정이 종료된후 개회되는 바, 금년의 경우 회의종료 시간이 늦어질 가능성이 크기때문에 일몰시간 관계로 당일 개최가 불가능하게 될수도있음.

0. 이경우 다음날중 적당한 시간을 정해 개최하면 될것인바, 본건 TEYMOUR 의전장과 추후협의결정 예정임.

(다수 대표가 모일수있는 시간을 선택할수 있으며, JOURNAL 에 사전공보함.)

4. 총회개막 첫주일정(잠정)은 별첨 1 과 같음.

5. 의사국에서 준비한 46 차 총회회의장 좌석배치도를 별첨 FAX 송부함.

(한국은 2 열 맨우측, VIP 석 앞, 북한은 8 열 우측에서 세번째).

첨부 FAX:UNW(F)-489 끝

(대사 노창희-장관)

19 . 의거 일반문서로 재분류

예고:91.12.31. 일반

PAGE 4

0056

관리 번호	91-1364

외 무 부

종 별 :

번 호 : UNW-2379 일 시 : 91 0830 2400

수 신 : 장관(국연,기정)

발 신 : 주 유엔 대사

제 목 : 총회결의안

대:WUN-2440,2384

1. 금 8.30 서참사관은 소련대표부 ILLITCHEV 참사관과 접촉, 대호내용을 알려준바, 동인은 총회에서도 안보리와 같이 단일 결의안, 불토의, 불표결 방식으로 처리될것인지를 문의, 확인하고 소련으로서는 안보리와 같은 방식으로 처리되기만 하면 결의안 발의방식은 어느방식이든 상관하지 않는다고 함.

2. 서참사관이 대호 관련 타진한바, 동인은 소련의 현행 헌법하에서 각공화국은 유엔에 가입할수 있게 되어있다고 전제하고, 사견임을 전제, 각공화국이 독립을 달성하는데 있어 유엔가입을 먼저[5H달성하는데 있어 유엔가입을 먼저 추구하는것이 효과적인 방법으로는 생각지
않을것으로 본다고함. 끝

(대사 노창희-장관)

예고:91.12.31. 일반

1991.12.31에 예고문에 의거 일반문서로 재분류

국기국 장관 차관 1차보 2차보 청와대 안기부 국추국

PAGE 1

91.08.31 13:01

외신 2과 통제관 BN

0057

AUG 30 '91 19:58 KOREAN MISSION

P.1 첨부 1.

UNW(F)-489 10830 2200
(국연) 총 204

별첨

Tuesday, 17 September

3 p.m. - Opening of the session by the Chairman of the delegation of Malta
- Minute of silent prayer or meditation
- Appointment of the members of the Credentials Committee
- Election of the President
- Consecutive meetings of the Main Committees (election of the Chairmen)
- Election of the Vice-Presidents of the General Assembly

Wednesday, 18 September

10 a.m. - Meetings of the General Committee
3 p.m. (organization of the session, adoption of the agenda and allocation of items)

Thursday, 19 September

10 a.m. - Meeting of the General Committee, if necessary

Friday, 20 September

10 a.m. - Consideration by the plenary of the report of the General Committee
3 p.m. - Meetings of the Main Committees (election of the Vice-Chairmen and Rapporteurs)

Monday, 23 September

10 a.m. - Opening of the general debate
- Meetings of the Main Committees
3 p.m. - Continuation of the general debate
- Meetings of the Main Committees

2-1

0058

첨부 2

GENERAL ASSEMBLY HALL

Seating arrangement for the opening of the forty-sixth session of the General Assembly

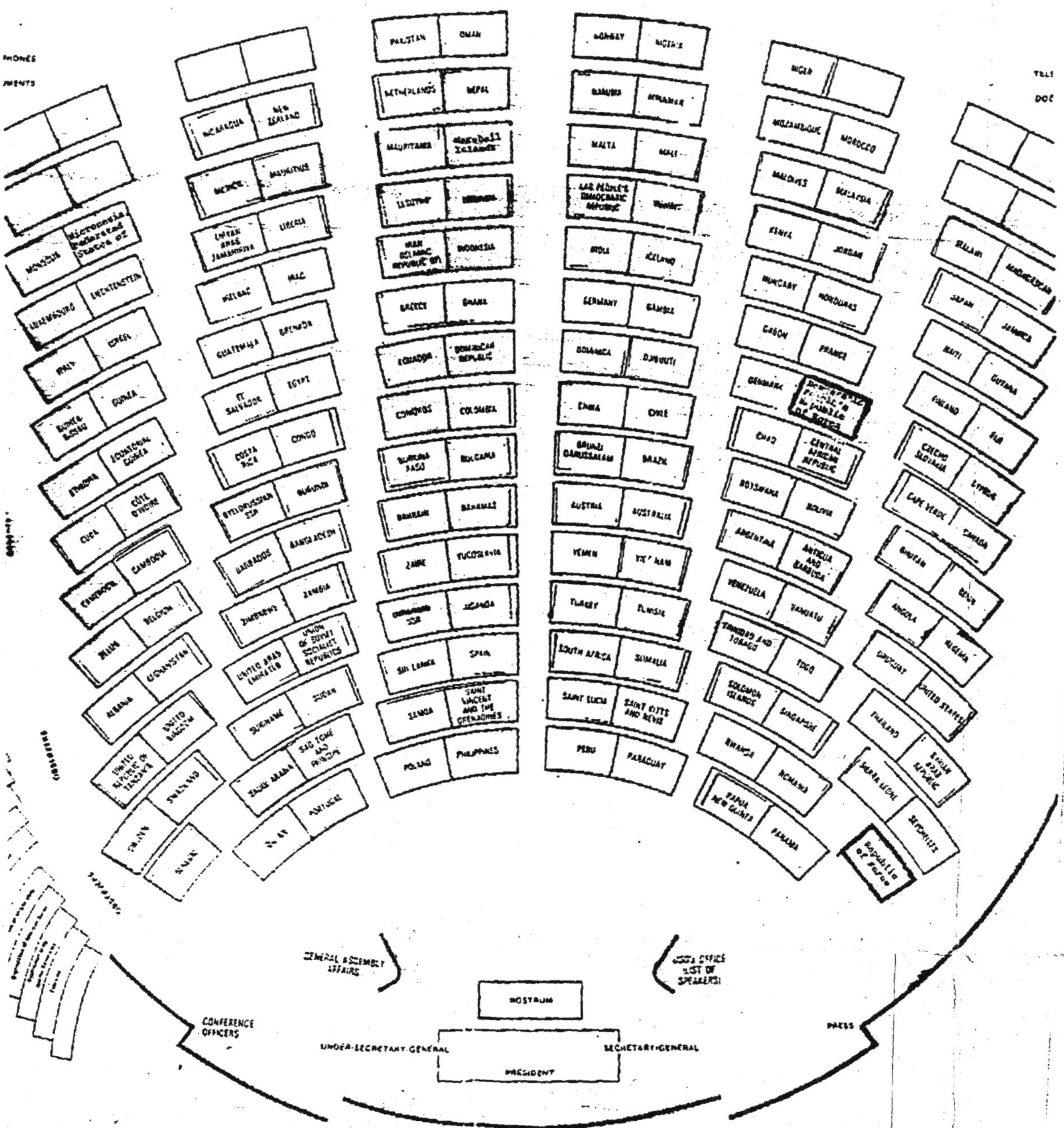

Planning & Meetings Servicing Section
September 1991

2-2

0053

원 본

외 무 부

종 별 : 지 급

번 호 : UNW-2394 일 시 : 91 0903 1530

수 신 : 장관(국연,동구일,기정)

발 신 : 주유엔대사

제 목 : 발트 3국 유엔가입 신청서 제출

1. 금 9.3(화) 주유엔 불란서 및 영국대사는 양국정부 훈령에따라 에스토니아, 라트비아, 리투아니아등 발트 3국의 유엔가입 신청서를 사무총장에게 제출하였음.(양국 공동 서한 및 3국가입 신청서 별첨 FAX 송부)

2. 상기 3개국은 유엔이 동가입 신청서를 우선적으로 처리해줄것과 (3국 공통), 이에따라 46차총회부터 정식 참가할수 있기를요망(리투아니아,라트비아) 하여옴.

3. 상기관련동향 추보 예정임.

첨부:상기 영.불측 공동서한 및 3국가입 신청서:UNW(F)-494 끝

(대사 노창희-국장)

국기국 장관 차관 1차보 구주국 외정실 분석관 청와대
안기부

PAGE 1

91.09.04 05:44 DU
외신 1과 통제관

0060

UNW(F)-494 10903 15
(국련. 동구일. 기정) 총 407

Mission permanente de la France
auprès de de l'Organisation des
Nations Unies
245 East 47th Street
New York, New York 10017

Mission permanente du Royaume-Uni
de Grande-Bretagne et d'Irlande
du Nord auprès de l'Organisation
des Nations Unies
845 Third Avenue
New York, New York 10022

New York, le 3 Septembre 1991

Monsieur le Secrétaire Général,

D'ordre de nos Gouvernements, nous avons l'honneur de vous transmettre les demandes d'admission aux Nations Unies de l'Estonie, de la Lettonie et de la Lituanie.

Ces trois Etats ont l'intention d'engager des consultations intensives en vue de leur admission à l'ONU à une date rapprochée permettant leur participation aux travaux de la 46ème session de l'Assemblée Générale.

Nous vous prions, Monsieur le Secrétaire Général, d'agréer l'expression de notre très haute considération.

Jean-Bernard Mérimée
Représentant Permanent de
la France

Sir David Hannay
Représentant permanente du
Royaume-Uni de Grande-Bretagne
et d'Irlande du Nord

Son Excellence
Monsieur Javier Perez de Cuellar
Secrétaire Général de
l'Organisation des Nations Unies

#UNW-2394 첨부물 4-1

0061

LIETUVOS RESPUBLIKOS AUKŠČIAUSIOJI TARYBA

THE SUPREME COUNCIL OF THE REPUBLIC OF LITHUANIA

VYTAUTAS LANDSBERGIS
PRESIDENT

Vilnius, 29 August 1991

His Excellency Javier Pérez de Cuéllar
Secretary-General
United Nations

Dear Mr. Secretary-General,

The Republic of Lithuania, having a centuries long history of statehood, participated in the activities of international organizations until the Second World War as a full-fledged member. The Supreme Council of the Republic of Lithuania, by the declaration of 11 March 1991, restored the execution of sovereign power of the State of Lithuania, abolished by foreign forces in 1940 and is [illegible] The Republic of Lithuania is fully executing governing control over all its territory and is pursuing peaceful policies in accordance with the principles and purposes of the United Nations.

Permit me, in accordance with the 11 February 1991 Declaration of the Supreme Council of the Republic of Lithuania On the Participation of the Republic of Lithuania as an Equal Member of the World Community of Nations, by this letter to present a request for the admission of the Republic of Lithuania into the United Nations in accordance with Article 4 of the United Nations Charter.

Believing that our request will be favorably received, the Republic of Lithuania formally assumes the obligations of the United Nations Charter which it is able and willing to carry out.

Your Excellency, the Republic of Lithuania would be very grateful that debate concerning this request be given precedence, and for the opportunity for a delegation from the Republic of Lithuania to participate in the next session of the United Nations General Assembly.

Mr. Secretary-General, at this opportunity, please accept the assurances of my deepest respect.

Vyt. Landsbergis

Vytautas Landsbergis

4-2

SEP 02 '91 14:22 KOREAN MISSION P.2

0062

LATVIJAS REPUBLIKAS
AUGSTĀKĀ PADOME

SUPREME COUNCIL
OF THE REPUBLIC OF LATVIA

Riga, August 30, 1991
His Excellency Javier Pérez de Cuéllar
Secretary-General
United Nations

Dear Mr. Secretary-General,

The Republic of Latvia, having enjoyed statehood and participated as a full-fledged member in the activities of international organizations until the Second World War, and taking into consideration the declarations of May 4, 1990, and August 21, 1991 by the Supreme Council of the Republic of Latvia, which restored sovereign power of the state of Latvia that was abolished by foreign forces in 1940, is now once again an independent state.

The Republic of Latvia is fully executing government control in all its territory and is pursuing peaceful policies in accordance with the principles and purposes of the United Nations.

Permit me in accordance with the May 4, 1990, and August 21, 1991 declarations of the Supreme Council of the Republic of Latvia request the participation of the Republic of Latvia as an equal member of the world community of nations. Please regard this letter as a formal application for membership by the Republic of Latvia to the United Nations in accordance with Article 4 of the United Nations Charter.

Believing that our request will be favorably received, the Republic of Latvia formally assumes the obligations of the United Nations Charter which it is able and willing to carry out.

Your Excellency, the Republic of Latvia would be very grateful that debate concerning this request be given precedence, and for the opportunity for a delegation from the Republic of Latvia to participate in the next session of the United Nations General Assembly.

Mr. Secretary-General, at this opportunity, please accept the assurances of my deepest respect.

Dainis Ivāns

Dainis Ivāns
Vice-Chairman
Supreme Council
Republic of Latvia

4-3

P.3

SEP 05 '91 14:35 KOREAN MISSION

0063

EESTI VABARIIGI
ÜLEMNÕUKOGU
ESIMEES

Tallinn, August 30, 1991

Excellency,

On behalf of the Republic of Estonia and in my capacity as Chairma[illegible] of the Supreme Council, I have the honour to inform you that th[illegible] Republic of Estonia herewith applies for membership in the Unite[illegible] Nations.

I would be grateful if Your Excellency would place this applicatio[illegible] before the Security Council at the earliest opportunity.

A declaration made in pursuance of rule 58 of the Provisional Rule[illegible] of Procedure of the Security Council and rule 134 of the Rules o[illegible] Procedure of the General Assembly is set out hereunder.

Declaration

In connection with the application of the Republic of Estonia fo[illegible] membership in the United Nations, I have the honour, on behalf o[illegible] the Republic of Estonia and in my capacity as Chairman of th[illegible] Supreme Council, to declare that the Republic of Estonia accept[illegible] the obligations contained in the Charter of the United Nations an[illegible] solemnly undertakes to fulfill them.

Rüütel

Arnold Rüütel,
Chairman of the Supreme Council
Republic of Estonia

H.E.
Javier Pérez de Cuéllar
Secretary-General
United Nations

4-4

P.4

SEP 03 '91 14:27 KOREAN MISSION

0064

관리 번호 91-4583

원 본

외 무 부

종 별 :

번 호 : NDW-1418 일 시 : 91 0903 1800

수 신 : 장 관(국연,아서) 사본:주유엔대사(중계필)

발 신 : 주 인도 대사대리

제 목 : 유엔가입

연:NDW-1387

연호 표기관련 금 9.3. 주재국 외무부 SHARMA 한국과장은 당관 이석조참사관에게 주재국 외무부가 인도의 COORDINATOR 역할 수락을 공식 결정하고 이미 주유엔 자국대사에게 COORDINATOR 로서의 필요한 임무를 수행할 것을 골자로 하는 지시를 내렸다고 알려옴.끝

(대사대리-국장)

예고:91.12.31 일반

국기국 장관 차관 1차보 아주국 분석관 청와대 안기부 중계

PAGE 1

91.09.04 08:06

외신 2과 통제관 FK

0065

관리 번호	91 -4582

원 본

외 무 부

종 별 : 지 급

번 호 : UNW-2409 일 시 : 91 0903 1920

수 신 : 장 관(국연,기정)

발 신 : 주 유엔 대사

제 목 : BALTIC 3국 유엔가입신청

9.3 당관 서참사관이 관계관접촉 파악한 내용 아래보고함.

1. 미대표부 RUSSEL 담당관

0. 금일 오전의 안보리 비공식협의(양자)에서 BALTIC 3 국의 가입신청처리문제가 거론되었음.

0. 소련측으로부터 , 동가입신청이 문제가 있다고 보지는 않으나 현재 CONGRESS OF PEOPLE'S DEPUTIES 회의가 진행중에 있어 동 회의가 종료된후 금주 후반에 처리하는것이 좋겠다는 제의가 있었으며, 각 회원국은 이에 양해하고 있는 것으로 듣고있음.

0. 미국으로서는 소련이 이의를 제기하지 않는한, 아무 문제가 없으며 여타 상임이사국도 같은 입장인 것으로 봄.

2. 소련대표부 ILLITCHEV 참사관

0. 소련으로서는 BALTIC 3 국의 UN 가입에 대해 기본적으로 반대하지 않는입장이나, 안보리 처리시기는 다소 늦추는 것이 좋겠다는 생각임.(금주말경 또는내주초)끝.

~~(대사 노창희-국장)~~

예고:91.12.31. 일반

국기국 안기부	장관	차관	1차보	2차보	구주국	외정실	분석관	청와대

PAGE 1

91.09.04 08:32

외신 2과 통제관 BS

0066

관리 번호	91 —4595

원 본

외 무 부

종 별 :

번 호 : UNW-2412 일 시 : 91 0903 2030

수 신 : 장 관(국연)

발 신 : 주 유엔 대사

제 목 : 유엔가입문제

1. 당관 서참사관은 금 9.3. BALTIC 3 국의 가입신청 관련 사무국 JENSEN 의사국장을 면담한바, 동인 반응 아래보고함.

가. BALTIC 3 국이자신의 예상보다 빨리 가입신청서를 제출하였고 이에대해 소련이 반대하지 않는다는 입장을 보임으로써 이들이 46 차 총회 개막일에 가입될 가능성이 커졌다고 봄.

나. 이들이 개막일에 가입될경우 의사일정상 가입의제처리에 시간이 더 소요되게되어 전체의사일정에 영향을 미칠가능성도 없지 않으나 자신으로서는 아국의 개막일 가입처리 희망에 유념, 의사일정을 진행하고자함.

다. 의장선출관련 일부후보가 사퇴할 것이라는 소문이 있는바 이렇게되면 선출절차가 간소화될 수있어 의사진행에 크게 도움이 될것으로 봄.

2. 동국장에 의하면 지난주말 우크라이나 소비에트 사회주의 공화국이 (UKRAINIANSSR) 국명표기를 변경 UKRAINE 으로 할것을 사무국에 통보하여 왔다함. 끝

(대사 노창희-국장)

예고:91.12.31. 일반

국기국	장관	차관	1차보	2차보	분석관	청와대	안기부

PAGE 1

91.09.04 11:02

외신 2과 통제관 BS

0067

관리 번호	91 -4643

원 본

외 무 부

종 별 :

번 호 : UNW-2442 일 시 : 91 0904 2230

수 신 : 장관(국연,기정)

발 신 : 주 유엔 대사

제 목 : BALTIC 3국 유엔가입

연:UNW-2409

당관 서참사관은 9.4. 중국대표부 왕광아 참사관면담시 표제동향관련 의견교환한바 동인언급요지 아래보고함.

1. BALTIC 3 국의 유엔가입 자체는 소련의 태도에 비추어 아무문제가 없는것으로 봄.

2. 다만 현재 진행중인 비공식 양자협의 과정에서 소련측은 BALTIC 3 국의 유엔가입과 관련하여 소련내 모든 공화국이 유엔가입자격이 있으며 또 가입되어야 한다는 종래입장을 새로이 거론하였는바 만약 소련이 동입장을 BALTIC 3 국가입과 연계시켜 여타 공화국의 유엔가입 추진의 발판으로 삼고자 한다면 안보리에서 여러가지 복잡한 문제가 제기될 것으로 봄.(각 공화국이 유엔회원국이 되는경우 소련연방은 UN 내에서 EC 나 OAU 와 같은 OBSERVER 지위로 전락될것인지, 안보리 상임이사국 의석은 누가갖게 될것인지의 문제등)

3. 소련의입장은 CONGRESS OF PEOPLES DEPUTIES 에서의 본건 토의가 끝나야 보다 명확해질것으로 보이는바 동추이를 지켜본후 내주초에나 안보리심의 일정에 관한 구체적 협의가 시작될 것으로 봄.끝

(대사 노창희-국장)

19 에 예고 의거 일반 예고:91.12.31. 일반

국기국 장관 차관 1차보 2차보 분석관 청와대 안기부

PAGE 1

91.09.05 11:31

외신 2과 통제관 DO

0068

관리번호 91-4641

원 본

외 무 부

종 별 :

번 호 : UNW-2437 　　　　일 시 : 91 0904 2100

수 신 : 장관(국연,기정)

발 신 : 주 유엔 대사

제 목 : FSM 등 유엔가입

9.4 미대표부 RUSSEL 담당관이 알려온바에 의하면 FSM 및 마샬군도 가입 결의안의 COORDINATOR 역할은 SOUTH PACIFIC FORUM 의 의장국인 VANUATU 가 담당키로 하였다함. 끝

(대사 노창희-국장)

예고:91.12.31. 일반

국기국 장관 차관 1차보 2차보 분석관 청와대 안기부

PAGE 1

91.09.05 11:01

외신 2과 통제관 DO

0063

Ou 01

원 본

외 무 부

종 별 :

번 호 : UNW-2463 일 시 : 91 0905 2230

수 신 : 장 관(국연,동구일,기정)

발 신 : 주 유엔 대사

제 목 : 발트3국 유엔가입 신청안보리 문서

연: UNW-2394

연호 영국및 불란서의 공동서한 및 발트3국의 유엔가입 신청서가 각각 9.3 및 9.4 자 안보리 및 총회문서로 작성, 금 9.5 배포된바, 별첨 FAX송부함.

첨부:상기문서: UNW(F)-508 끝

(대사 노창희-국장)

국기국 구주국 외정실 안기부

PAGE 1

91.09.06 11:39 WI

외신 1과 통제관

0070

SEP 05 '91 21:16 KOREAN MISSION P.1

UNW(F)-508 10905 2210
(국연.동구일.기정) 총1004

UNITED NATIONS

A S

General Assembly Security Council

Distr.
GENERAL

A/46/407
S/22999
3 September 1991
ENGLISH
ORIGINAL: ENGLISH/FRENCH

GENERAL ASSEMBLY
Forty-sixth session
Item 20 of the provisional agenda*
ADMISSION OF NEW MEMBERS TO THE UNITED NATIONS

SECURITY COUNCIL
Forty-sixth year

Letter dated 3 September 1991 from the Permanent Representatives of France and the United Kingdom of Great Britain and Northern Ireland to the United Nations addressed to the Secretary-General

On instructions from our Governments, we have the honour to transmit to you applications from Estonia, Latvia and Lithuania for membership in the United Nations (see annexes I-III).

Those three States intend to undertake intensive consultations with a view to being admitted to the United Nations at an early date, so as to be able to participate in the work of the General Assembly at its forty-sixth session.

We should be grateful if you would have the three applications for membership and this letter circulated as a document of the General Assembly, under item 20 of the provisional agenda, and of the Security Council.

(Signed) Jean-Bernard MERIMEE
Permanent Representative of France

(Signed) Sir David HANNAY
Permanent Representative of the United Kingdom of Great Britain and Northern Ireland

---

* A/46/150.

91-28540 3250a (E) /...

#UNW-2463
첨부

10-1

0071

ANNEX I

Letter dated 30 August 1991 from the Chairman of the Supreme Council of the Republic of Estonia addressed to the Secretary-General

On behalf of the Republic of Estonia and in my capacity as Chairman of the Supreme Council, I have the honour to inform you that the Republic of Estonia herewith applies for membership in the United Nations.

I would be grateful if you would place the present application before the Security Council at the earliest opportunity.

A declaration made in pursuance of rule 134 of the rules of procedure of the General Assembly and rule 58 of the provisional rules of procedure of the Security Council is set out hereunder.

Declaration

In connection with the application of the Republic of Estonia for membership in the United Nations, I have the honour, on behalf of the Republic of Estonia and in my capacity as Chairman of the Supreme Council, to declare that the Republic of Estonia accepts the obligations contained in the Charter of the United Nations and solemnly undertakes to fulfil them.

(Signed) Arnold RÜÜTEL
Chairman of the Supreme Council
Republic of Estonia

10-2

/...

ANNEX II

Letter dated 30 August 1991 from the Vice-Chairman of the Supreme Council of the Republic of Latvia addressed to the Secretary-General

The Republic of Latvia, having enjoyed statehood and participated as a full-fledged member in the activities of international organizations until the Second World War, and taking into consideration the declarations of 4 May 1990 and 21 August 1991 by the Supreme Council of the Republic of Latvia, which restored the sovereign power of the State of Latvia, which was abolished by foreign forces in 1940, is now once again an independent State.

The Republic of Latvia is fully executing government control in all its territory and is pursuing peaceful policies in accordance with the principles and purposes of the United Nations.

Permit me, in accordance with the 4 May 1990, and 21 August 1991 declarations of the Supreme Council of the Republic of Latvia, to request the participation of the Republic of Latvia as an equal member of the world community of nations. Please regard the present letter as a formal application for membership by the Republic of Latvia to the United Nations in accordance with Article 4 of the Charter of the United Nations.

Believing that our request will be favourably received, the Republic of Latvia formally assumes the obligations of the Charter of the United Nations, which it is able and willing to carry out.

The Republic of Latvia would be very grateful for debate concerning the present request to be given precedence and for the opportunity for a delegation from the Republic of Latvia to participate in the next session of the General Assembly of the United Nations.

(Signed) Dainis IVĀNS
Vice-Chairman
Supreme Council
Republic of Latvia

10-3 /...

ANNEX III

Letter dated 29 August 1991 from the President of the Supreme Council of the Republic of Lithuania addressed to the Secretary-General

The Republic of Lithuania, having a centuries-long history of statehood, participated in the activities of international organizations until the Second World War as a full-fledged member. The Supreme Council of the Republic of Lithuania, by the declaration of 11 March 1991, restored the execution of sovereign power of the State of Lithuania, abolished by foreign forces in 1940, and is once again an independent State.

The Republic of Lithuania is fully executing governing control over all its territory and is pursuing peaceful policies in accordance with the principles and purposes of the United Nations.

Permit me, in accordance with the 11 February 1991 Declaration of the Supreme Council of the Republic of Lithuania on the Participation of the Republic of Lithuania as an Equal Member of the World Community of Nations, by the present letter to submit a request for the admission of the Republic of Lithuania into the United Nations in accordance with Article 4 of the Charter of the United Nations.

Believing that our request will be favourably received, the Republic of Lithuania formally assumes the obligations of the Charter of the United Nations, which it is able and willing to carry out.

The Republic of Lithuania would be very grateful for debate concerning the present request to be given precedence and for the opportunity for a delegation from the Republic of Lithuania to participate in the next session of the General Assembly of the United Nations.

(Signed) Vytautas LANDSBERGIS

10-6

0074

UNITED NATIONS

A S

General Assembly Security Council

Distr.
GENERAL

A/46/411
S/23002
4 September 1991

ORIGINAL: ENGLISH

GENERAL ASSEMBLY
Forty-sixth session
Item 20 of the provisional agenda*
ADMISSION OF NEW MEMBERS TO THE UNITED NATIONS

SECURITY COUNCIL
Forty-sixth year

Application of the Republic of Estonia for admission to membership in the United Nations

Note by the Secretary-General

In accordance with rule 135 of the rules of procedure of the General Assembly and rule 59 of the provisional rules of procedure of the Security Council, the Secretary-General has the honour to circulate herewith the application of the Republic of Estonia for admission to membership in the United Nations, contained in a letter dated 30 August 1991 from the Chairman of the Supreme Council of the Republic of Estonia addressed to the Secretary-General.

---

* A/46/150.

10-5

91-28563 2688d (E) /...

0075

A/46/411
S/23002
English
Page 2

ANNEX

<u>Letter dated 30 August 1991 from the Chairman of the Supreme Council of the Republic of Estonia addressed to the Secretary-General</u>

On behalf of the Republic of Estonia and in my capacity as Chairman of the Supreme Council, I have the honour to inform you that the Republic of Estonia herewith applies for membership in the United Nations.

I would be grateful if you would place the present application before the Security Council at the earliest opportunity.

A declaration made in pursuance of rule 134 of the rules of procedure of the General Assembly and rule 58 of the provisional rules of procedure of the Security Council is set out hereunder.

<u>Declaration</u>

In connection with the application of the Republic of Estonia for membership in the United Nations, I have the honour, on behalf of the Republic of Estonia and in my capacity as Chairman of the Supreme Council, to declare that the Republic of Estonia accepts the obligations contained in the Charter of the United Nations and solemnly undertakes to fulfil them.

(<u>Signed</u>) Arnold RÜÜTEL
Chairman of the Supreme Council
Republic of Estonia

10-6

0076

UNITED NATIONS

A S

General Assembly Security Council

Distr.
GENERAL

A/46/412
S/23003
4 September 1991

ORIGINAL: ENGLISH

GENERAL ASSEMBLY
Forty-sixth session
Item 20 of the provisional agenda*
ADMISSION OF NEW MEMBERS TO THE UNITED NATIONS

SECURITY COUNCIL
Forty-sixth year

Application of the Republic of Latvia for admission to membership in the United Nations

Note by the Secretary-General

In accordance with rule 135 of the rules of procedure of the General Assembly and rule 59 of the provisional rules of procedure of the Security Council, the Secretary-General has the honour to circulate herewith the application of the Republic of Latvia for admission to membership in the United Nations, contained in a letter dated 30 August 1991 from the Vice-Chairman of the Supreme Council of the Republic of Latvia addressed to the Secretary-General.

---

* A/46/150.

91-28569 2665j (E) /...

10-7

0077

ANNEX

Letter dated 30 August 1991 from the Vice-Chairman of the Supreme Council of the Republic of Latvia addressed to the Secretary-General

The Republic of Latvia, having enjoyed statehood and participated as a full-fledged member in the activities of international organizations until the Second World War, and taking into consideration the declarations of 4 May 1990 and 21 August 1991 by the Supreme Council of the Republic of Latvia, which restored the sovereign power of the State of Latvia, which was abolished by foreign forces in 1940, is now once again an independent State.

The Republic of Latvia is fully executing government control in all its territory and is pursuing peaceful policies in accordance with the principles and purposes of the United Nations.

Permit me, in accordance with the 4 May 1990 and 21 August 1991 declarations of the Supreme Council of the Republic of Latvia, to request the participation of the Republic of Latvia as an equal member of the world community of nations. Please regard the present letter as a formal application for membership by the Republic of Latvia to the United Nations in accordance with Article 4 of the Charter of the United Nations.

Believing that our request will be favourably received, the Republic of Latvia formally assumes the obligations of the Charter of the United Nations, which it is able and willing to carry out.

The Republic of Latvia would be very grateful for debate concerning the present request to be given precedence and for the opportunity for a delegation from the Republic of Latvia to participate in the next session of the General Assembly of the United Nations.

(Signed) Dainis IVĀNS
Vice-Chairman
Supreme Council
Republic of Latvia

10-8

0078

A S

UNITED NATIONS

General Assembly **Security Council**

Distr.
GENERAL

A/46/413
S/23004
4 September 1991

ORIGINAL: ENGLISH

GENERAL ASSEMBLY
Forty-sixth session
Item 20 of the provisional agenda*
ADMISSION OF NEW MEMBERS TO THE UNITED NATIONS

SECURITY COUNCIL
Forty-sixth year

Application of the Republic of Lithuania for admission to membership in the United Nations

Note by the Secretary-General

In accordance with rule 135 of the rules of procedure of the General Assembly and rule 59 of the provisional rules of procedure of the Security Council, the Secretary-General has the honour to circulate herewith the application of the Republic of Lithuania for admission to membership in the United Nations, contained in a letter dated 29 August 1991 from the President of the Supreme Council of the Republic of Lithuania addressed to the Secretary-General.

* A/46/150.

91-28575 2569f (E) /...

10-P

0079

ANNEX

Letter dated 29 August 1991 from the President of the Supreme Council of the Republic of Lithuania addressed to the Secretary-General

The Republic of Lithuania, having a centuries-long history of statehood, participated in the activities of international organizations until the Second World War as a full-fledged member. The Supreme Council of the Republic of Lithuania, by the declaration of 11 March 1991, restored the execution of sovereign power of the State of Lithuania, abolished by foreign forces in 1940, which is once again an independent State.

The Republic of Lithuania is fully executing governing control over all its territory and is pursuing peaceful policies in accordance with the principles and purposes of the United Nations.

Permit me, in accordance with the 11 February 1991 Declaration of the Supreme Council of the Republic of Lithuania on the Participation of the Republic of Lithuania as an Equal Member of the World Community of Nations, by the present letter to submit a request for the admission of the Republic of Lithuania into the United Nations in accordance with Article 4 of the Charter of the United Nations.

Believing that our request will be favourably received, the Republic of Lithuania formally assumes the obligations of the Charter of the United Nations, which it is able and willing to carry out.

The Republic of Lithuania would be very grateful for debate concerning the present request to be given precedence and for the opportunity for a delegation from the Republic of Lithuania to participate in the next session of the General Assembly of the United Nations.

(Signed) Vytautas LANDSBERGIS

10—10

ON

관리 번호 91-46A2

원 본

외 무 부

종 별 :

번 호 : UNW-2483 일 시 : 91 0906 1900

수 신 : 장 관(국연)

발 신 : 주 유엔 대사

제 목 : BALTIC 3국 유엔가입

연:UNW-2442

금 9.6 사무국 CHAN 담당관이 당관 서참사관에게 알려온바, 소련측이 BALTIC 3 국 유엔 가입에 완전한 동의를 표시해 옴에 따라 안보리 처리 일정이 다음과 같이 예정되고 있다함

9.9(월) 오후 비공식협의(양자)

9.10(화)오전:비공식 협의(전체)및 공식회의(의제채택)

오후:가입 심사위

9.11(수)오전 공식회의(가입권고결정)끝

(대사 노창희-국장)

예고:91.12.31 일반

국기국 장관 차관 1차보 2차보 분석관 청와대 안기부

PAGE 1

91.09.07 08:20

외신 2과 통제관 BS

0081

	분류번호	보존기간

발 신 전 보

번 호 : AM-0193 910913 1816 FO 종별 :

수 신 : 주 AM 대사. [redacted]

발 신 : 장 관 (연일)

제 목 : 유엔총회 개막일

1. 금차 유엔총회는 9.17(화) 10:00 개막하여 오전중에는 신임장 위원회 임명, 총회의장 선출등을 행하고, 15:00에 회의를 속개, 신규회원국의 가입문제를 처리할 예정임.

2. 유엔총회 개막일(9.17) 오후 일정

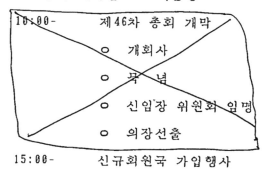

~~10:00- 제46차 총회 개막~~
- ~~o 개회사~~
- ~~o 묵 념~~
- ~~o 신임장 위원회 임명~~
- ~~o 의장선출~~

15:00- 신규회원국 가입행사
- o 회의속개
- o 7개국(북한, 한국, 마이크로네시아, 마샬군도, 에스토니아, 리투아니아, 라트비아) 가입의제 일괄상정
- o 남북한 가입결의 채택
  - 북한대표단, 의석 착석
  - 한국대표단, 의석 착석

/계속/

보 안 통 제	

앙 고 재	91년 9월 13일	유엔 과	기안자 성 명		과 장	심의관	국 장		차 관	장 관
							전결			

외신과통제

0082

o 여타 5개국 가입결정 및 착석

o 각국의 환영발언

- 의 장
- 5개지역 그룹대표
- HOST COUNTRY

o 신규가입국의 수락연설

- 북 한
- 한 국
- 여타 5개국

o 위원회 의장 및 총회부의장 선출

18:00경 o 국기게양식

- 사무총장 좌우로 가입국별 대표 2명씩 도열
- 사무총장이 7개국을 알파벳순으로 호명, 간략히 가입환영 발언(가입국 대표발언 없음)
- 국기게양(알파벳순)

18:20경 주유엔대표부 현판식

3. 유엔총회 개막일의 개막시간은 통상 15:00이나 오전 10:00으로 결정된 것은 우리나라를 포함한 7개국의 유엔 신규가입문제~~를 다루기~~로 개막일에 처리할 의안이 많기 때문임 ~~위함임~~. 끝.

(국제기구국장 문동석)

0083

第46次 유엔總會 開幕 豫定

第46次 유엔總會가 9.17(火) 10:00(韓國時間 9.17. 23:00)에 開幕될 豫定인 바, 우리의 유엔加入을 비롯한 開幕日 行事 關聯事項을 아래와 같이 報告드립니다.

1. 開幕日 議事日程

가. 午前會議(10:00-13:00)

o 開幕宣布, 默念, 信任狀委員會 委員任命, 總會議長選出 順으로 進行豫定

＊ 今次總會 議長職은 아주그룹에서 맡게 되어 있는 바, 현재 사우디, 예멘, 파푸아뉴기니가 競合中임.

나. 午後會議(15:00-18:00)

o 新規會員國 加入問題 處理

- 南.北韓, 마샬군도, 마이크로네시아, 발트3국(7개국)

＊ 全會員國의 贊成으로 投票없이 處理豫想

o 加入 祝賀發言

- 總會議長, 6개지역 그룹대표, 美國代表(유엔本部 所在國)

o 新規加入國 代表演說

- 新規加入國 7個國 代表가 각각 5-10분 發言

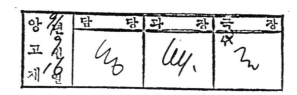

앙 고 재	담 당	과 장	국 장

0084

- 韓國代表인 이상옥 外務長官은 16:00경(韓國時間
  : 9.18. 05:00) 演說豫定

* 北韓은 강석주 外交部 第1副部長이 演說豫定

o 新規加入國 國旗揭揚式

  - 會議日程 終了後(18:00경) 開催(韓國時間 07:00). 끝.

0085

연일

관리 번호	91 -4986

원 본

외 무 부

종 별 :

번 호 : UNW-2735 일 시 : 91 09161 1930

수 신 : 장관(연일,기정)

발 신 : 주 유엔 대사

제 목 : 총회결의안 배포

연 : UNW-2667

연호 남북한(A/46/L.1)및 여타 5 개국 가입관련, 총회결의안이 9.13 자 총회문서로 작성 금 9.16 오전 배포 되었음

첨부:FAX, UNW(F)-535 상기 결의안 6. 매.끝

(대사 노창희-국장)

예고:91.12.31 일반

국기국 장관 차관 1차보 분석관 청와대 안기부

PAGE 1

91.09.17 11:35

외신 2과 통제관 BW

0086

UNITED NATIONS

General Assembly

Distr.
LIMITED

A/46/L.1
13 September 1991

ORIGINAL: ENGLISH

Forty-sixth session
Item 20 of the provisional agenda*

ADMISSION OF NEW MEMBERS TO THE UNITED NATIONS

Afghanistan, Albania, Algeria, Antigua and Barbuda, Australia, Austria, Bahamas, Bahrain, Bangladesh, Barbados, Belgium, Benin, Brazil, Bulgaria, Burkina Faso, Burundi, Byelorussian Soviet Socialist Republic, Cambodia, Canada, Central African Republic, Chad, Chile, China, Colombia, Comoros, Congo, Costa Rica, Côte d'Ivoire, Cyprus, Czechoslovakia, Denmark, Djibouti, Dominica, Dominican Republic, Ecuador, Egypt, El Salvador, Fiji, Finland, France, Gabon, Germany, Ghana, Greece, Grenada, Guyana, Honduras, Hungary, Iceland, India, Indonesia, Ireland, Italy, Jamaica, Japan, Jordan, Kuwait, Lao People's Democratic Republic, Lebanon, Lesotho, Liechtenstein, Luxembourg, Madagascar, Malawi, Malaysia, Maldives, Malta, Mauritania, Mauritius, Mexico, Mongolia, Morocco, Mozambique, Nepal, Netherlands, New Zealand, Norway, Oman, Pakistan, Panama, Papua New Guinea, Paraguay, Peru, Philippines, Poland, Portugal, Qatar, Romania, Saint Kitts and Nevis, Saint Lucia, Saint Vincent and the Grenadines, Samoa, Singapore, Solomon Islands, Spain, Sri Lanka, Sudan, Suriname, Sweden, Syrian Arab Republic, Thailand, Trinidad and Tobago, Tunisia, Turkey, Ukrainian Soviet Socialist Republic, Union of Soviet Socialist Republics, United Arab Emirates, United Kingdom of Great Britain and Northern Ireland, United Republic of Tanzania, United States of America, Uruguay, Vanuatu, Venezuela, Viet Nam, Yugoslavia and Zambia: draft resolution

Admission of the Democratic People's Republic of Korea and the Republic of Korea to membership in the United Nations

The General Assembly,

---

* A/46/150.

6-1

91-30087 3612Z (E) /...

0087

UNITED NATIONS

A

General Assembly

Distr.
LIMITED

A/46/L.2
13 September 1991

ORIGINAL: ENGLISH

Forty-sixth session
Item 20 of the provisional agenda*

ADMISSION OF NEW MEMBERS TO THE UNITED NATIONS

Albania, Antigua and Barbuda, Argentina, Australia, Austria, Bahamas, Bangladesh, Barbados, Belgium, Brazil, Bulgaria, Cambodia, Canada, Chile, China, Colombia, Comoros, Costa Rica, Côte d'Ivoire, Cyprus, Czechoslovakia, Denmark, Djibouti, Ecuador, El Salvador, Fiji, Finland, France, Gabon, Germany, Greece, Grenada, Guyana, Honduras, Hungary, Iceland, India, Ireland, Israel, Italy, Jamaica, Japan, Lao People's Democratic Republic, Lebanon, Lesotho, Liechtenstein, Luxembourg, Maldives, Malta, Mexico, Mongolia, Nepal, Netherlands, New Zealand, Norway, Pakistan, Papua New Guinea, Paraguay, Peru, Philippines, Poland, Portugal, Romania, Samoa, Sao Tome and Principe, Singapore, Solomon Islands, Spain, Suriname, Sweden, Trinidad and Tobago, Turkey, Union of Soviet Socialist Republics, United Arab Emirates, United Kingdom of Great Britain and Northern Ireland, United States of America, Uruguay, Vanuatu and Viet Nam: draft resolution

Admission of the Federated States of Micronesia to membership in the United Nations

The General Assembly,

Having received the recommendation of the Security Council of 9 September 1991 that the Federated States of Micronesia should be admitted to membership in the United Nations, 1/

---

* A/46/150.

1/ A/46/355.

6-2

91-30093 36072 (E) /...

0088

UNITED NATIONS

A

General Assembly

Distr.
LIMITED

A/46/L.3
13 September 1991

ORIGINAL: ENGLISH

Forty-sixth session
Item 20 of the provisional agenda*

ADMISSION OF NEW MEMBERS TO THE UNITED NATIONS

Albania, Antigua and Barbuda, Argentina, Australia, Austria, Bahamas, Bangladesh, Barbados, Belgium, Brazil, Bulgaria, Cambodia, Canada, Chile, China, Colombia, Comoros, Costa Rica, Côte d'Ivoire, Cyprus, Czechoslovakia, Denmark, Djibouti, Ecuador, El Salvador, Fiji, Finland, France, Gabon, Germany, Greece, Grenada, Guyana, Honduras, Hungary, Iceland, India, Ireland, Israel, Italy, Jamaica, Japan, Lao People's Democratic Republic, Lebanon, Lesotho, Liechtenstein, Luxembourg, Maldives, Malta, Mexico, Mongolia, Nepal, Netherlands, New Zealand, Norway, Pakistan, Papua New Guinea, Paraguay, Peru, Philippines, Poland, Portugal, Romania, Samoa, Sao Tome and Principe, Singapore, Solomon Islands, Spain, Suriname, Sweden, Trinidad and Tobago, Turkey, Union of Soviet Socialist Republics, United Arab Emirates, United Kingdom of Great Britain and Northern Ireland, United States of America, Uruguay, Vanuatu and Viet Nam: draft resolution

Admission of the Republic of the Marshall Islands to membership in the United Nations

The General Assembly,

Having received the recommendation of the Security Council of 9 September 1991 that the Republic of the Marshall Islands should be admitted to membership in the United Nations, 1/

* A/46/150.

1/ A/46/356.

UNITED NATIONS

A

General Assembly

Distr.
LIMITED

A/46/L.4
13 September 1991

ORIGINAL: ENGLISH

Forty-sixth session
Item 20 of the provisional agenda*

ADMISSION OF NEW MEMBERS TO THE UNITED NATIONS

Albania, Antigua and Barbuda, Argentina, Australia, Austria, Bahamas, Barbados, Belgium, Benin, Brazil, Bulgaria, Byelorussian Soviet Socialist Republic, Canada, Central African Republic, Chile, Comoros, Costa Rica, Côte d'Ivoire, Cyprus, Czechoslovakia, Denmark, Djibouti, Ecuador, El Salvador, Fiji, Finland, France, Germany, Greece, Grenada, Honduras, Hungary, Iceland, India, Ireland, Israel, Italy, Jamaica, Japan, Jordan, Lao People's Democratic Republic, Lebanon, Lesotho, Libyan Arab Jamahiriya, Liechtenstein, Luxembourg, Maldives, Malta, Mexico, Morocco, Nepal, Netherlands, New Zealand, Nicaragua, Norway, Pakistan, Papua New Guinea, Poland, Portugal, Romania, Saint Lucia, Samoa, Saudi Arabia, Singapore, Solomon Islands, Spain, Suriname, Sweden, Thailand, Turkey, Ukrainian Soviet Socialist Republic, Union of Soviet Socialist Republics, United Arab Emirates, United Kingdom of Great Britain and Northern Ireland, United States of America, Uruguay, Venezuela and Viet Nam: draft resolution

Admission of the Republic of Estonia to membership in the United Nations

The General Assembly,

Having received the recommendation of the Security Council of 12 September 1991 that the Republic of Estonia should be admitted to membership in the United Nations, 1/

---

* A/46/150.

1/ A/46/460.

91-30105 36092 (E)

6-4

/...

0090

UNITED NATIONS

A

General Assembly

Distr.
LIMITED

A/46/L.5
13 September 1991

ORIGINAL: ENGLISH

Forty-sixth session
Item 20 of the provisional agenda*

ADMISSION OF NEW MEMBERS TO THE UNITED NATIONS

Albania, Antigua and Barbuda, Argentina, Australia, Austria, Bahamas, Barbados, Belgium, Benin, Brazil, Bulgaria, Byelorussian Soviet Socialist Republic, Canada, Central African Republic, Chile, Comoros, Costa Rica, Côte d'Ivoire, Cyprus, Czechoslovakia, Denmark, Djibouti, Ecuador, El Salvador, Fiji, Finland, France, Germany, Greece, Grenada, Honduras, Hungary, Iceland, India, Ireland, Israel, Italy, Jamaica, Japan, Jordan, Lao People's Democratic Republic, Lebanon, Lesotho, Libyan Arab Jamahiriya, Liechtenstein, Luxembourg, Maldives, Malta, Mexico, Morocco, Nepal, Netherlands, New Zealand, Nicaragua, Norway, Pakistan, Papua New Guinea, Poland, Portugal, Romania, Saint Lucia, Samoa, Saudi Arabia, Singapore, Solomon Islands, Spain, Suriname, Sweden, Thailand, Turkey, Ukrainian Soviet Socialist Republic, Union of Soviet Socialist Republics, United Arab Emirates, United Kingdom of Great Britain and Northern Ireland, United States of America, Uruguay, Venezuela and Viet Nam: draft resolution

Admission of the Republic of Latvia to membership in the United Nations

The General Assembly,

Having received the recommendation of the Security Council of 12 September 1991 that the Republic of Latvia should be admitted to membership in the United Nations, 1/

---

* A/46/150.

1/ A/46/460.

6-5

91-30111 36102 (E) /...

0091

UNITED NATIONS

A

General Assembly

Distr.
LIMITED

A/46/L.6
13 September 1991

ORIGINAL: ENGLISH

Forty-sixth session
Item 20 of the provisional agenda*

ADMISSION OF NEW MEMBERS TO THE UNITED NATIONS

Albania, Antigua and Barbuda, Argentina, Australia, Austria, Bahamas, Barbados, Belgium, Benin, Brazil, Bulgaria, Byelorussian Soviet Socialist Republic, Canada, Central African Republic, Chile, Comoros, Costa Rica, Côte d'Ivoire, Cyprus, Czechoslovakia, Denmark, Djibouti, Ecuador, El Salvador, Fiji, Finland, France, Germany, Greece, Grenada, Honduras, Hungary, Iceland, India, Ireland, Israel, Italy, Jamaica, Japan, Jordan, Lao People's Democratic Republic, Lebanon, Lesotho, Libyan Arab Jamahiriya, Liechtenstein, Luxembourg, Maldives, Malta, Mexico, Morocco, Nepal, Netherlands, New Zealand, Nicaragua, Norway, Pakistan, Papua New Guinea, Poland, Portugal, Romania, Saint Lucia, Samoa, Saudi Arabia, Singapore, Solomon Islands, Spain, Suriname, Sweden, Thailand, Turkey, Ukrainian Soviet Socialist Republic, Union of Soviet Socialist Republics, United Arab Emirates, United Kingdom of Great Britain and Northern Ireland, United States of America, Uruguay, Venezuela and Viet Nam: draft resolution

Admission of the Republic of Lithuania to membership in the United Nations

The General Assembly,

Having received the recommendation of the Security Council of 12 September 1991 that the Republic of Lithuania should be admitted to membership in the United Nations, 1/

---

* A/46/150.

1/ A/46/460.

6-6

91-30117 3611Z (E)

/...

0092

UNITED
NATIONS

A

General Assembly

Distr.
LIMITED

A/46/L.1
13 September 1991

ORIGINAL: ENGLISH

Forty-sixth session
Item 20 of the provisional agenda*

ADMISSION OF NEW MEMBERS TO THE UNITED NATIONS

Afghanistan, Albania, Algeria, Antigua and Barbuda, Australia, Austria, Bahamas, Bahrain, Bangladesh, Barbados, Belgium, Benin, Brazil, Bulgaria, Burkina Faso, Burundi, Byelorussian Soviet Socialist Republic, Cambodia, Canada, Central African Republic, Chad, Chile, China, Colombia, Comoros, Congo, Costa Rica, Côte d'Ivoire, Cyprus, Czechoslovakia, Denmark, Djibouti, Dominica, Dominican Republic, Ecuador, Egypt, El Salvador, Fiji, Finland, France, Gabon, Germany, Ghana, Greece, Grenada, Guyana, Honduras, Hungary, Iceland, India, Indonesia, Ireland, Italy, Jamaica, Japan, Jordan, Kuwait, Lao People's Democratic Republic, Lebanon, Lesotho, Liechtenstein, Luxembourg, Madagascar, Malawi, Malaysia, Maldives, Malta, Mauritania, Mauritius, Mexico, Mongolia, Morocco, Mozambique, Nepal, Netherlands, New Zealand, Norway, Oman, Pakistan, Panama, Papua New Guinea, Paraguay, Peru, Philippines, Poland, Portugal, Qatar, Romania, Saint Kitts and Nevis, Saint Lucia, Saint Vincent and the Grenadines, Samoa, Singapore, Solomon Islands, Spain, Sri Lanka, Sudan, Suriname, Sweden, Syrian Arab Republic, Thailand, Trinidad and Tobago, Tunisia, Turkey, Ukrainian Soviet Socialist Republic, Union of Soviet Socialist Republics, United Arab Emirates, United Kingdom of Great Britain and Northern Ireland, United Republic of Tanzania, United States of America, Uruguay, Vanuatu, Venezuela, Viet Nam, Yugoslavia and Zambia: draft resolution

Admission of the Democratic People's Republic of Korea and the Republic of Korea to membership in the United Nations

The General Assembly,

---

* A/46/150.

91-30087 3612Z (E)

/...

0093

Having received the recommendation of the Security Council of 8 August 1991 that the Democratic People's Republic of Korea and the Republic of Korea should be admitted to membership in the United Nations, 1/

Having considered separately the application for membership of the Democratic People's Republic of Korea 2/ and the application for membership of the Republic of Korea, 3/

1. _Decides_ to admit the Democratic People's Republic of Korea to membership in the United Nations;

2. _Decides_ to admit the Republic of Korea to membership in the United Nations.

1/ A/46/354.

2/ A/46/295-S/22777.

3/ A/46/296-S/22778.

UNITED
NATIONS

A

General Assembly

Distr.
GENERAL

A/RES/46/1
20 December 1991

Forty-sixth session
Agenda item 20

RESOLUTION ADOPTED BY THE GENERAL ASSEMBLY

[without reference to a Main Committee (A/46/L.1 and Add.1)]

46/1. Admission of the Democratic People's Republic of Korea and the Republic of Korea to membership in the United Nations

The General Assembly,

Having received the recommendation of the Security Council of 8 August 1991 that the Democratic People's Republic of Korea and the Republic of Korea should be admitted to membership in the United Nations, 1/

Having considered separately the application for membership of the Democratic People's Republic of Korea 2/ and the application for membership of the Republic of Korea, 3/

1. *Decides* to admit the Democratic People's Republic of Korea to membership in the United Nations;

2. *Decides* to admit the Republic of Korea to membership in the United Nations.

1st plenary meeting
17 September 1991

1/ A/46/354.

2/ A/46/295-S/22777.

3/ A/46/296-S/22778.

91-42156

0095

이

외 무 부

종 별 :

번 호 : USW-4660 일 시 : 91 0917 1900

수 신 : 장 관(미일,국연)

발 신 : 주 미 대사

제 목 : 남북한 동시 가입(국무성 논평)

1. 금 9.17 국무성 정례 브리핑시 RICHARD BOUCHER부대변인은 남.북한을 포함 7개국의 유엔가입을 환영하고 보편성 원칙을 고양시키고 유엔의 위상을 높이는 것이라고논평함.

2. 상이 내용 별전 USWF-3802 편 송부함.

(대사 현홍주 - 국장)

미주국 1차보 국기국 외정실 분석관 정와대 안기부

PAGE 1

91.09.18 10:10 WG

외신 1과 통제관

0096

09/17/91 19:19 ☎202 797 0595 EMBASSY OF KOREA →→→ W01 ☑001

: USW(F) - 3862

: 장 관 (미일, 국연) 발신 : 주미대사

보안 통제	[illegible]

: 남북한 동시가입 국무성논평 (1 매)

STATE DEPARTMENT REGULAR BRIEFING BRIEFER: RICHARD BOUCHER
12:24 P.M., EDT TUESDAY, SEPTEMBER 17, 1991

Q One more question. It's certain **North Korea** will get a seat of the United Nations later today. Would you comment on that?

MR. BOUCHER: There are a number of countries that we expect will be admitted to the United Nations. We expect the General Assembly will act to admit seven new states to membership. The seven states are the **Republic of Korea**, the Democratic People's Republic of Korea, the Federated States of Micronesia, the Republic of the Marshall Islands, the Republic of Estonia, the Republic of Latvia, and the Republic of Lithuania.

The United States is pleased to sponsor their admission into the United Nations. We believe that their presence will further the principle of universality of UN membership and will increase the stature of the United Nations. We'd also note that 1991 will mark the largest expansion of UN membership in 30 years.

[illegible]	장관실	차관실	1차보	2차보	기획실	외정실	분석관	[illegible]	[illegible]	[illegible]	[illegible]	[illegible]	[illegible]	[illegible]	[illegible]	[illegible]	[illegible]	[illegible]	[illegible]	[illegible]	[illegible]	[illegible]
처	/	/	/	/		/	/			O			/			/					/	/

0097

To: H.E. Yoo Chong Ha 유종하
Vice Minister of Foreign Affairs, ROK.
From: H.E. Oleg Sokolov,
USSR Ambassador to ROK

ZCZC MSW003 1 38663
TASS E220-002 3

SPOKESMAN-SUMMARY

.BRIEFING BY FOREIGN MINISTRY SPOKESMAN-SUMMARY.
17/9 TASS 120

MOSCOW SEPTEMBER 17 TASS - BY TASS DIPLOMATIC CORRESPONDENTS ALEXANDER KROLIKOV, SERGEI RYABIKIN AND VASILY TITOV:

CHURKIN SAID THAT THE SOVIET UNION WELCOMES THE DECISION OF THE TWO KOREAN STATES TO JOIN THE UNITED NATIONS. THE SOVIET SIDE MADE APPROPRIATE STATEMENTS APPROVING THIS STEP AS SUITING THE PRINCIPLES OF THE UNITED NATIONS UNIVERSAL CHARACTER AND EXPRESSED THE HOPE THAT THEIR ENTRY INTO THE UNITED NATIONS WILL HELP TO REALISE THE DREAM OF ALL KOREANS ABOUT THE COUNTRY'S UNIIFICATION.

ITEM ENDS

0098

91.9.17. 1200 이)

1. <u>第46次 유엔總會 開會 豫定</u>

o 表題總會가 9.17(화) 10:00(韓國時間 9.17 23:00)에 開會될 예정이며, 우리의 유엔 加入을 비롯한 開幕日 行事 關聯 事項은 아래와 같음.

- 午前會議(10:00-13:00) : 開會宣布, 默念, 信任狀 委員會 委員 任命, 總會議長 選出順으로 진행
  * 금차總會 議長職은 亞洲그룹에서 맡게 되어있는 바, 現在 사우디, 예멘,파푸아뉴기니가 競合中임.

- 午後會議(15:00-18:00) : 新規會員國 加入案件(南.北韓, 마샬群島, 마이크로네시아, 발트3國, 총7개국) 處理, 總會議長等의 加入 祝賀演說, 新規加入國 代表演說 및 國旗揭揚式

o 南.北韓 유엔加入 共同提案國은 9.16(월) 현재 安保理 常任理事國 5個國을 包含 總121個國에 달함.

o 李相玉 外務長官은 同日 16:00경(한국시간 9.18 05:00) 演說 예정이며, 北韓은 강석주 外交部 第1副部長이 演說 예정임.

0093

第46次 유엔總會, 南北韓 유엔加入 承認

1991. 9. 18.

外 務 部

第46次 유엔總會는 9.17(火) 15:25時(韓國時間 : 9.18. 04:25時) 南北韓의 유엔加入을 承認하였는 바, 關聯事項을 아래와 같이 報告드립니다.

1. 南北韓 유엔加入承認 決議 採擇

   o 決議案 提出

     - 印度(조정국)의 主導下에 美, 英, 佛, 中, 蘇를 비롯한 125個國 共同發議

   o 決議採擇

     - 유엔 全會員國의 贊成으로 投票없이 決議採擇

     * 南北韓에 이어 마샬군도, 마이크로네시아, 발트3국의 유엔加入 決議도 採擇

2. 유엔加入 承認後 發言

   o 新規會員國 加入祝賀發言

     - 總會議長, 5個地域그룹 代表, 美國代表 發言

0100

o 韓國 發言要旨(이상옥 外務長官)

- 韓國은 유엔의 正會員國으로서 應分의 責任과 役割 積極 遂行豫定
- 유엔加入을 계기로 南北韓間 對話와 協力을 통해 信頼를 構築하고 韓半島에서의 恒久的 平和定着과 窮極的 統一을 앞당기고자 하는 意志 闡明

* 北韓 發言要旨(강석주 外交部 第1副部長)

- 急變하는 國際情勢下에 重要性을 더해가는 유엔의 目的成就 및 諸問題解決 努力에 寄與豫定
- 主體思想下의 社會主義 體制確立 및 早速한 統一實現을 위하여 努力豫定

o 南北韓에 이어 마샬군도, 마이크로네시아, 발트3국 代表도 發言

3. 國旗揭揚式 開催

o 會議終了後 18:00시(한국시간 9.18. 07:00시) 유엔事務總長, 總會議長 및 會員國 代表 參席下에 유엔本部内 國旗揭揚臺에서 新規會員國(7個國)의 國旗揭揚式 開催

4. 其 他(第46次 總會議長 選出)

o 總會開幕 直後 시하비 駐유엔 사우디大使가 今次 總會 議長으로 被選. - 끝 -

0101

0102

0102

0103

0103

분류번호	보존기간

발 신 전 보

번 호 : AM-0198 910918 0628 DU 종별 :

수 신 : 주 AM 대사.총영사 (주유엔대사' 제외)

발 신 : 장 관 (연일)

제 목 : 남북한 유엔가입 승인

1. 제46차 유엔총회는 9.17(화) 개막되어 남북한의 유엔가입 결의안을 전회원국 찬성으로 투표없이 채택함.(남북한의 유엔가입에 이어 마샬군도, 마이크로네시아, 발트 3국도 유엔에 가입하여 유엔 회원국수는 166개국으로 증가)

2. 이상옥 외무장관이 우리의 유엔가입 승인후 행한 연설문 (국.영문)은 금파편 송부함. 끝.

(국기국장대리 금정호)

보안통제	(서명)

앙고재	91년 9월 17일	연신과	기안자 성명		과 장	심의관	국 장		차 관	장 관
			송영완		(서명)	대결				(서명)

외신과통제

0104

분류번호	보존기간

발 신 전 보

번 호 : WUN-3631 911018 1847 FN 종별 : 지 급

수 신 : 주 유엔 대사. 총영사

발 신 : 장 관 (연일)

제 목 : 국기게양식시 사무총장 연설문

9.17. 유엔 신규가입국(7개국)의 국기게양식시 국기게양대 앞에서 행한 유엔사무총장의 연설문 text를 10.19(토)한 본부 필착토록 FAX 송부바람. 끝.

(국제기구국장 문동석)

보안 통제	

앙 고 재	91 년 10월 18일	연 과	기안자 성명		과 장	심의관	국 장		차 관	장 관
							전결			

외신과통제

0105

#본첨 UNW(F)-536 10918 #0030 총5매
(연일, 해기, 기정)

Democratic People's Republic of Korea
PERMANENT MISSION TO THE UNITED NATIONS
225 East 86th Street, New York, N.Y. 10028
TEL (212) 722-3536 FAX (212) 534-3612

Press Release

STATEMENT

BY

H.E. MR. KANG SOK JU,
FIRST DEPUTY MINISTER FOR FOREIGN AFFAIRS
OF THE DEMOCRATIC PEOPLE'S REPUBLIC OF KOREA

AT

46TH SESSION OF UN GENERAL ASSEMBLY

SEPTEMBER 17, 1991

5-1

0106

1

Your Excellency esteemed Secretary-General of the United Nations Mr. Javier Perez de Cuellar,

Your Excellency esteemed President of the 46th Session of the United Nations General Assembly Mr. Samir S. SHIHABI,

Distinguished delegates,

I should like to begin by conveying the respect and the friendly greetings of the Government and people of the Democratic People's Republic of Korea to the Secretary-General of the United Nations and Mr. President and the delegates of all the UN member-states.

On behalf of my delegation I would like to warmly congratulate H.E. Mr. Samir S. SHIHABI on his election as the President of the 46th Session of the UN General Assembly.

I would like to extend my wholehearted thanks to the representatives of all the member-states for their sincere efforts in support of our UN membership and also to those representatives who have just made congratulatory speeches welcoming our UN membership.

Mr. President, We share our pleasure with all other representatives at the unanimous decision on our UN membership.

I believe that the unanimous adoption of our application for UN membership without voting is an indication of the deep attention paid by the international community to the Korean peninsula and also of the equal desire of the member-states for friendship and harmony among all regions and countries in the world. It is at the same time an expression of their expectation from us deriving from this desire.

I think that our country's UN membership is really significant at this particular time when the world's people each day expect more of the United Nations and accordingly the need to further enhance the role of this Organization is felt more clearly than ever before.

In recent years, the United Nations has achieved a number of tangible successes in its activities aimed at attaining world peace and security and promoting friendship and cooperation among nations.

However, today when the situation is changing rapidly and this era poses numerous tasks in reality, the United Nations should further strengthen its role.

Today the international community is faced with an important task to build a world free, fair and peaceful.

6-2

0107

2

In order to build the new world aspired to by mankind, it is necessary to abolish the unequal old international order at all fields of politics, the economy and culture and establish an equitable new international order.

There are large and small countries in the world, but there can not be major and minor countries; there are developed nations and less developed nations, but there can not be nations destined to dominate other nations or those destined to be dominated.

The United Nations should do whatever it can to fulfill its responsibilities and role in establishing a new international order on the principle of mutual respect, non-interference in the affairs of other countries, equality and mutual benefit.

I would like to assure you that the Democratic People's Republic of Korea, as a member-state of the United Nations, will remain faithful to the purposes and principles enshrined in the UN Charter and make its due contributions through its active participation in the UN activities.

The foreign policy of the Government of our Republic based on the main ideals of independence, peace and friendship is in accord with the purposes and ideals of the United Nations Charter.

Our people have, through their daily lives, experienced the precious value of peace, unity and cooperation and therefore, the principles and purposes of the United Nations also represent the aspirations of our people.

Mr. President,

The political philosophy of our State is the Juche idea which demands that central consideration be given to the human being in viewing everything and that everything be placed at the service of the human being.

We take the Juche idea as the guiding principle in our State activities, and the socialism we have built up is a socialism centered on the human being under which everything is placed at the service of the people.

Our socialist society, which was chosen and built by our people themselves, enjoys their absolute support and trust.

Our people are very proud of the fact that they have built socialism of their own style and are determined to constantly follow their road.

We consider that the unanimous support shown by the UN member-states to the admission of the Democratic People's Republic of Korea to the U.N. is the manifestation of their respect to the choice of our people.

6-3

3

Today our people are striving to achieve the independent and peaceful reunification of the fatherland.

Korea's reunification is not only a question related to the destiny of our fellow countrymen but also an urgent question that should be solved as early as possible in the interests of peace in Asia and the rest of the world.

The Korean people are a homogeneous nation that has lived through generations on one and the same territory with a time-honored history, excellent traditions of culture and with one language.

Our national reunification is a question of relinking the artificially severed arteries of our nation and achieving national reconciliation.

I avail myself of this opportunity to express once again the firm intention of the Government of our Republic to actively join in UN activities for the sake of world peace and security by achieving peace and reunification on the Korean peninsula.

We are convinced that although the north and south join the United Nations separately today, there will come day when our nation will take a single seat at the United Nations by the united efforts of the Korean people and the cooperation of the member-states.

I hope that the member-states which value justice and democracy will pay a deep attention to the reunification issue directly related to the destiny of our nation and render an active cooperation for its earliest solution.

With firm conviction that our admission to the U.N. will open a good prospect for a new start in the relations between the Democratic People's Republic of Korea and the United Nations, I also hope that appropriate measures be taken relevant to the settlement of past abnormal relations.

Thank you.

5-4

0109

UNITED STATES MISSION TO THE UNITED NATIONS

799 United Nations Plaza
New York, N.Y. 10017

Tel. 212-415-4050
FAX 212-415-4053

PRESS RELEASE

FOR RELEASE ON DELIVERY
CHECK TEXT AGAINST DELIVERY

Press Release USUN 37-(91)
September 17, 1991

Statement by Ambassador Thomas R. Pickering, United States Representative to the 46th Session of the United Nations General Assembly, in Plenary, on the Admission of New Members to the United Nations, September 17, 1991

Mr. President, first, I would like to congratulate you upon your election this morning. My delegation looks forward to working with you throughout this General Assembly.

We have in our midst today three new member nations from the European continent and four from East Asia and the Pacific. I would like to give a very warm welcome to the seven nations that are becoming part of the United Nations family today.

From East Asia, our close friend and ally, the Republic of Korea, and the Democratic Peoples Republic of Korea are joining us as new members. The United States is pleased to have sponsored their admission into the United Nations and believes that their presence will help increase stability and reduce tension in the Korean peninsula as well as throughout northeast Asia. It is the hope of the United States that the admission of both Koreas will foster continued dialogue between North and South, and promote a process leading to the peaceful unification of Korea on terms agreeable to all Koreans.

It is with great satisfaction that we also welcome as new members of the United Nations the Federated States of Micronesia and the Republic of the Marshall Islands. The successful transformation of these two young nations from United Nations Trust Territories to sovereign countries desirous and deserving of membership in the U.N. reaffirms the value of the United Nations. As the former U.N. Trustee for the Federated State of Micronesia and the Republic of the Marshall Islands, the United States is particularly gratified by their acquisition of membership. We offer them our most sincere congratulations.

6-5

0110

- 2 -

Lastly, and certainly marking a momentous occasion in the history of the United Nations, the U.S. is pleased to join with the rest of the international community in welcoming Estonia, Latvia and Lithuania back into the family of fully independent nations. We in the U.S. never lost hope that the peoples of Estonia, Latvia and Lithuania would succeed in rejoining the community of free nations. We never wavered in our commitment to them. We take this opportunity to affirm our continued commitment to working with the democratically elected governments and the peoples of Estonia, Latvia and Lithuania, as they confront the many challenges that lie ahead. Thank you, Mr. President.

* * * * *

6-6

0111

<5일이내 파기> 회이

제 809 호 일시 : '91. 9.18.07:03

방송 : 중. 평 방

북한 외교부 성명

조선민주주의 인민공화국의 유엔가입이 만장일치로 결정됐습니다.

조선민주주의 인민공화국 외교부는 유엔총회 제46차총회에서 참가국들의 한결같은 지지 찬동속에 우리나라의 유엔가입이 만장일치로 결정된것과 관련하여 다음과 같은 성명을 발표했습니다.

'조선민주주의 인민공화국 외교부 성명 '

유엔총회 제46차총회에서는 참가국들의 한결같은 지지 찬동속에 조선민주주의 인민공화국의 유엔가입이 만장일치로 결정되였다. 이것은 유엔성원국들이 조선민주주의 인민공화국의 자주권과 존엄을 존중시하며 인류공동위업 수행을 위하여 우리 공화국과 긴밀히 협조해 나갈데 대한 진지한 염원을 뚜렷히 표시한 것으로 된다.

- 1 -

0112

이것은 우리 공화국이 시종일관하게 견지하고있는 자주, 평화, 친선의 대외정책적 이념이 현시대적 추세를 정확히 반영하고 있으며 국제관계를 발전시키는데서 보편적 의의를 가지고 있다는 것을 보여준다.

조선민주주의 인민공화국 정부와 조선인민은 우리나라의 유엔가입을 지지 환영한 모든 유엔성원국들에 깊은 사의를 표한다.

오늘 세계 인민들속에서는 자유롭고 평화로운 새세계를 창조해 나가려는 지향과 열망이 고조되고 있으며 유엔의 기능과 역할을 높일데 대한 요구가 더욱 커가고있다.

이러한 역사의 흐름과 요구를 힘있게 떠밀어주고 실현하는 것은 유엔앞에 나서고있는 시대적 사명이다.

인류가 지향하는 새세계를 건설하려면 정치, 경제, 문화의 모든 분야에서 불평등한 국제질서를 마수고 공정한 새로운 국제질서를 수립하며 국제사회와 세계정치의 민주화를 실현함으로써 모든 나라와 민족들이 국제공동체의 동등한 성원으로서 자주적이며 평등한 권리를 누리도록 하여야할 것이다.

우리공화국은 유엔에 가입하게 됨으로써 세계에 더욱더 많은 나라들과 자주, 평등, 호혜의 원칙에서 친선협조관계를 발전시키며 세계 평화와 안전을위하여 보다 힘차게 전진할수 있게 되었다.

조선민주주의 인민공화국 정부는 지난 시기와 마찬가지로 앞으로도 유엔헌장을 존중하고 헌장에 따르는 기구의 활동에 적극 참가하며 유엔성원국으로서의 임무와 역활을 다할 것이다.

조선민주주의 인민공화국 정부는 공화국의 유엔 가입이 결정된 오늘 유엔가입 이전 시기의 우리나라와 유엔사이의 있었던 과거사의 유산이 옳게 청산되고 조선통일문제의 공정한 해결에 유엔이 응당한 기여를 하게되리라고 기대한다.

우리공화국이 유엔에 가입하였다고 하더라도 하나의 조선으로 조국과 민족을 통일할데 대한 기본정책에는 변함이 없다

원래 우리공화국은 창건된 첫날부터 유엔에 가입할 것을 희망하였다.

우리는 다만 나라와 민족이 일시 분열되어 있는 실정에서 유엔가입문제를 통일지향적 견지에서 고찰하지 않을 수 없었으며 이에 따라 연방제통일이 실현된 다음 단일한 국호를 가지고 유엔에 들어가던가 만일 통일 이전에 가입하려 한다면 하나의 의석으로 들어갈데 대한 입장을 견지하여 왔다.

최근 시기 유엔가입이 국제적 공간을 이용하여 나라와 민족의 분열을 영구화 합법화 하려는 시도가 명백해진 조건에서 우리는 이로부터 초래되는 엄중한 후과를 막기위하여 유엔에 가입하는 결단적인 조치를 취하였다.

- 3 -

0114

우리는 이제 조선의 북과 남이 각각 유엔에 가입한 조건에 맞게
조선의 통일을 다그치기 위한 길이 계속되어야 한다고 인정한다.
유엔가입을 기화로 하여 두개조선으로 나라의 분열을 고정화
하려는 어떠한 시도도 허용되지 말아야 한다.
조선민주주의 인민공화국 정부는 하나의 민족, 하나의 국가,
두개제도, 두개정부에 기초한 연방제 방식으로 나라의 통일을
실현하는 것이 현단계에서 누구에게나 접수될수 있는 가장 공명
정대하고 합리적인 방안이라고 생각한다.
이것은 승공과 적화도, 북침과 남침도 다 용납하지 않는 평화적
인 통일방안이다.
이 방안은 국제관계에서 평화와 정의를 수호할 사명을 지닌
유엔의 고상한 목적과도 일치되는 것이다.
조선민주주의 인민공화국 정부와 조선인민은 자기들의 정당한
민족적 염원이 유엔성원국들의 지지와 동정을 받게될 것이며
오늘은 비록 북과 남이 각각 유엔에 들어가지만 통일된 조선이
유엔에서 하나의 의석을 차지하게될 날은 반드시 오게될 것이라고
확신한다.
조선민주주의 인민공화국 정부는 앞으로 유엔의 당당한 성원국으
서 다른 모든 성원국들과 함께 세계평화를 수호하고 국제관계

건전한 발전과 나라들 사이의 친분과 협조를 확대 발전시키기 위하여 적극 노력할 것이라는 것을 천명한다.

1991. 9. 18. 평 양

- 5 -

0116

駐 日 大 使 館

(Page 1 — 1)

JAW(F) : 04170 日 時 :

受 信 : 長 官 (주유엔대사 경유) 사본 : 본부 공보관실

発 信 : 駐日大使 (일정, 일경)

題 目 강석주 북한 외교부 부부장 일본 기자단 회견

(9.18 朝、夕 刊)

'91 9-18 15:54

북한 강석주 외교부 부부장은 9.17(뉴욕시간) 남.북한 유엔가입 승인후, 일본 기자단과 회견한바, 금 9.18(수)오후 당지 공동통신에 보도된 내용 아래 팩시 보고함.

◎国連で南北外相会談の用意
北朝鮮外務次官
【編注】夕刊メモ（１）の（ル）
（35行）

【ニューヨーク17日共同】朝鮮民主主義人民共和国（北朝鮮）の姜錫柱第一外務次官は十七日、北朝鮮と韓国の同時加盟が承認された後、日本人記者団と会見し、国連での韓国との南北対話を積極的に推進する方針で、南北外相会談にも応じる用意があることを明らかにした。

姜次官は「わが国が国連に加盟したことで、日本がわれわれを認める上でも楽になったのではないか。今回の加盟に日本は共同提案国として熱心に協力してくれた」と語り、国連加盟が日朝国交正常化交渉の進展にも大きく寄与するとの見解を示した。

姜次官は「加盟によりわが国が合法政府であり、平和愛好国であることが認められた」とし「朝鮮戦争の相手がわれわれを認めた形となった。このため、国連軍司令部の解体、休戦協定の修正、国連軍の帽子をかぶった（在韓）米軍の撤退問題などを解決しなければならない」と指摘した。

また「ソ連・東欧の社会主義とわれわれの社会主義とは根本的に異なる。われわれ式の社会主義の優越性と正当性は確固としたものだ」と強調した。

0117

한국 관계 기사 (나봉)

외 무 부

암호수신

종 별 :

번 호 : GAW-0144　　　　일 시 : 91 0918 0940

수 신 : 장관(연일,아프일)

발 신 : 주 가봉 대사

제 목 : 남북한 유엔가입 보도

1. 본직은 9.17 남북한 유엔가입과 관련, 주재국 L'UNION 지의 외신부장 MOUKETOU 와 회견을 가졌는바, 동 회견 기사가 동지 9.18 자에 4 단으로 보도됨.

2. 동 기사는 차파편 송부함. 끝

(대사 박창일-국제기구국장)

국기국　　1차보　　중아국

PAGE 1

91.09.18　19:09

외신 2과　통제관 BW

0118

원 본

외 무 부

종 별 : 지 급

번 호 : JAW-5363 일 시 : 91 0918 1459

수 신 : 장 관(연일,아일,사본:주유엔 대사)

발 신 : 주 일 대사(일정)

제 목 : 남.북한 유엔가입에 대한 주재국 반응

남.북한 및 여타 5개국 유엔가입에 대해 금 9.18(수) 일정부 대변인인 사까모또 관방장관은 아래 담화를 발표하였음.

- 아 래 -

'남.북한, 발트 3국, 마샬, 미크로네시아의 유엔가입에 관한 내각 관방장관담화(91.9.18)

1.9.17 오후 (현지시간, 일본시간 9.18 오전), 뉴욕에서 개최된 제 46회 유엔총회 개시일에 남.북한, 발트 3국 (에스토니아 공화국, 라트비아공화국, 리투아니아 공화국), 마샬 제도공화국, 미크로네시아 연방, 이상 7개국의 유엔가입승인 결의가 채택 되었음. 정부로서는 냉전구조의 종전과 함께 새로운 국제질서가 모색되고 있고, 유엔의 역할이 점점 중요해 지고있는 이시기에 이들 신가입국들이 탄생한것은 유엔의 보편성을 더욱 고양 시키는 것으로서 진심으로 기쁘게 생각함.

2.남.북한에 대해서는 여기에 달하기까지의 양측의 노력에 대해 깊이 경의를 표하고자 함. 이를 계기로 금후 남.북대화를 통하여 한반도에 있어서의 긴장완화가 일층 진전되어 평화적통일 촉진으로 연결되기를 강력히 희망함. 한국과의 관계에 있어서는 작년 5월 노태우 대통령의 방일, 금년 1월 카이후 수상의 방한을 양국관계의 틀을 벗어나 세계적 시야에서서 새로운 미래지향적 우호협력관계를 구축하기위해 함께 노력하고 있는바, 금후에는 '유엔의 장'에 있어서도 국제사회가 안고있는 제반문제 해결에 함께 공헌하기 위해 긴밀한 신뢰.협력관계를 구축해 나가고 싶음. 또한, 북한과는 국교정상화교섭을 행하고있는바, 금후 북한의 IAEA 핵안전협정체결.이행문제, 남.북대화등에 진전이 보이기를 기대함과 더불어 일본으로서도 원칙적 입장을 견지해 나가면서 계속해서 끈질기게 교섭에 임하고 자함.

3.발트 3국에 대해서는 정부는 이미 8.26 이들 3국의 독립지지를 표명하고, 이어서

국기국 1차보 아주국 외정실 분석관 청와대 안기부

91.09.18 15:43 WG

외신 1과 통제관

0119

9.6 승인한바있음. 일본으로서는 이들 3국과의 우호친선관계의 증진을 위해 조속 외교관계를 개설하고 싶음.

4.마샬 제도 공화국, 미크로네시아 연방에 대해서는 역사적으로도 우리와의 관계가 깊고 일본으로서도 아시아.대양주의 일원으로서 양국의 유엔가입을 환영하는 바임.끝

(대사 오재희-국장)

南.북한등 유엔가입에 관한 내각관방장관 담화

1991.9.18.

1. 9.17.오후(현지시간) 뉴욕에서 개최된 제46차 유엔총회 첫날 남.북한, 발트 3국등 7개국의 유엔가입승인 결의가 채택되었다.
정부로서는 냉전구조의 종언과 함께 새로운 국제질서가 모색되고 있는 가운데 유엔이 해야할 역할이 점차 중요해지고 있는 이 기기에 이들 신가맹국이 탄생한 것은 유엔의 보편성을 한층 더 높이는 것으로서 매우 기쁜 일이라고 생각한다.

2. 남.북한에 있어서는 지금에 이르기까지의 쌍방의 노력에 대하여 깊이 경의를 표하자 함. 이를 계기로 하여 금후 남북대화를 통하여 한반도에 있어서의 긴장완화가 한층 더 진전되어 평화적 통일 촉진에 연결되기를 강력히 희망 한다.
한국과의 관계에 있어서는 작년 5월의 노태우 대통령의 방일, 금년 1월 가이후 총리의 방한을 계기로 양국간 관계의 틀을 넘어 세계적 시야에 입각한 새로운 미래지향적 우호협력관계를 구축하기 위하여 함께 노력하고 있는 바, 금후에는 유엔에서도 국제사회가 안고 있는 여러가지 문제의 해결에 함께 공헌하기 위하여 긴밀한 신뢰.협력관계를 구축해 가고자 함.
또한, 북한과의 사이에 있어서는 국교정상화 교섭을 진행하고 있는 중인 바, 금후 북한의 IAEA 보장조치 협정체결.이행문제나 남.북대화등에 진전이 있을 것을 기대함과 동시에 일본으로서도 원칙적입장을 견지해 가면서 계속 끈질기게 교섭에 임할 생각이다.

3. 발트 3국에 대하여는 정부는 이미 8.26.에 이들 3국의 독립지지를 표명하였으며, 이어 9.6. 3국을 승인한 바 있다. 일본으로서는 이들 3국과의 우호 친선관계의 증진을 위해 조속히 외교관계를 개설하고자 한다.

0121

4. 마살제도공화국, 미크로네시아연방에 대하여는 역사적으로도 일본과의 관계가 깊으며, 일본으로서도 아시아.대양주의 일원으로서 양국의 유엔가입을 환영하는 바이다.

0122

수신 : 청와대 外交
발신 : 동북아1과

南北朝鮮、バルト三国、マーシャル、ミクロネシアの国連加盟に関する
内閣官房長官談話

平成三年九月十八日

一　九月十七日午後（現地時間、日本時間九月十八日午前）、ニューヨークにおいて開催された第四十六回国連総会の初日において、南北朝鮮、バルト三国（エストニア共和国、ラトヴィア共和国、リトアニア共和国）、マーシャル諸島共和国、ミクロネシア連邦、以上七カ国の国連加盟承認決議が採択された。

政府としては、冷戦構造の終焉と共に新たな国際秩序が模索される中、国連の果たす役割はますます重要になっているこの時期に、これら新加盟国が誕生したことは、国連の普遍性を一層高めるものであり、誠に喜ばしいと考える。

二　南北朝鮮については、ここに至るまでの双方の努力に対し深く敬意を表したい。これを契機として、今後、南北対話を通じ朝鮮半島における緊張緩和が一層進み、その平和的統一の促進につながることを強く希望する。

0123

韓国との関係では、昨年五月の盧泰愚大統領の訪日、本年一月の海部総理の訪韓を経て、二国間関係の枠組みを越え、世界的視野に立った新しい未来志向的な友好・協力関係を構築すべく共に努力しているところであるが、今後は、国連の場においても、国際社会の抱える様々な問題の解決に共に貢献するため、緊密な信頼・協力関係を築き上げていきたい。

また、北朝鮮との間では、国交正常化交渉を行っているところであるが、今後、北朝鮮のIAEA保障措置協定締結・履行問題や南北対話等に進展が見られることを期待するとともに、我が国としても原則的立場を堅持しつつ、引き続き粘り強く交渉に臨む所存である。

三　バルト三国については、政府は、既に八月二十六日これら三国の独立支持を表明し、これを受けて今月六日、承認したところである。我が国としてはこれら三国との友好親善関係の増進のため早急に外交関係を開設したいと考えている。

四　マーシャル諸島共和国、ミクロネシア連邦については、歴史的にも我が国との関係が深く、我が国としても、アジア・大洋州の一員として両国の国連加盟を歓迎するものである。

0124

駐日大使館 (Page 1 - 1)

0416[illegible] 日時:

(9.18 朝、夕刊)

南北韓 [illegible]加盟에 즈음한

[illegible] 明 書

우리가 [illegible] 念願해 왔던 南北韓 國連加盟이 9月17日 드디어 實現되었다.

[illegible] 韓半島에 [illegible] 冷戰[illegible]의 終焉을 告하는 歷史的인 事變이[illegible], 南北韓의 共存共[illegible] 統一에의 새로운 章을 여는 커다란 契機가 [illegible] 것으로 믿어, 全 [illegible] 衷心으로 이를 歡迎하는 바이다.

世界的으로 冷戰[illegible] 무너지고 [illegible] 中心으로 한 平和와 相互協力의 새로운 秩序[illegible] 摸索하고 있는 이때, 南北韓이 다 같이 國際社会의 一員으로서 世界平和와 [illegible]立에 貢獻할 수 있게 된 [illegible] 마음속으로 [illegible].

[illegible] 南北[illegible] 國連加盟이 南北韓이 國連憲章을 遵守하면서 [illegible] 民族의 平和統一 [illegible] 바이다.

在日同胞社会[illegible] 分裂과 對立의 不幸한 [illegible] 和合과 交流의 時代를 열어, [illegible] 統一을 [illegible] 一層 努力해 나갈 것을 다짐하 [illegible] 바이다.

1991年 9月 18日

在日本大韓民國居留民團中央本部
團長 丁 海 龍

0125

원 본

외 무 부

종 별 :

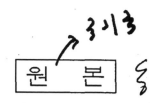

번 호 : NRW-0581 　　일 시 : 91 0918 1540

수 신 : 장관(국연,구이,기정동문)

발 신 : 주노르웨이대사

제 목 : 유엔 가입

1.주재국 외무부 METTE RAVN 유엔과장은 9.18.남북한 유엔가입을 환영한다고 말하고, 이로인해 한국민의 소망인 통일의 길이 조속히 열리게 되기를 진심으로 기원한다고 소감을 밝혔음.당관은 그간 주재국이 유엔가입문제와 관련하여 보여준 지지와 성원에 사의를 표하였음

2.주재국 언론과 방송은 9.18.남북한 유엔가입을 사실 보도하였으며,특히 최대일간지 AFTENPOSTEN은 한국은 유엔가입을 계기로 월등한 경제력을 통해 세계에서 몇 남지 않은 공산정권을 개방시키고 통일을 달성하고자 한다고 간단히 논평하였음.끝

(대사 김병연-국장)

조약국 1차보 구주국 외정실 분석관 안기부

PAGE 1

91.09.19 07:41 DQ

외신 1과 통제관

0126

외 무 부

연일

종 별 :

번 호 : USW-4678 일 시 : 91 0918 1744

수 신 : 장관(미일,국연,정특)사본:주유엔대사(직송필)주라성총영사경유주미대사

발 신 : 주 미 대사

제 목 : 북한 UN 가입

1. 금 9.18 국무부 정례브리핑시 북한의 UN가입과 관련, (1) 북한의 IAEA 핵안전협정, (2) MIA 문제, (3) 미국의 대북한 정책등에 어떠한 영향이 있을지에 대한 질문이 제기됨.

2. 이에대해 BOUCHER 대변인은 구체적인 답변은 하지 않고, (1) 미국은 남.북한의 UN가입을 발의한 것을 기쁘게 생각하며, (2) UN가입이 남북대화의 계속에 도움이 되기를 바란다는 일반적 답변을 하였음.

3. 동 내용 FAX 송부함.(USW(F)-3827). 끝.

(대사 현홍주-국장)

미주국	1차보	국기국	외정실	분석관	정와대	안기부

PAGE 1

91.09.19 09:42 WG

외신 1과 통제관

0127

USW(F) - 3827

수신: 장관 (미여, 국기, 정특) 발신: 주미대사

(사본: 주유엔대사, [illegible])

제목: 북한 UN 가입

보안	
통제	

STATE DEPARTMENT REGULAR BRIEFING BRIEFER: RICHARD BOUCHER
12:59 P.M. (EDT) WEDNESDAY, SEPTEMBER 18, 1991

Q Concerning **North Korea.** North Korea yesterday became a member of the United Nations. And the UN, with the resolution power or resolution process, could press North Korea to comply with the safeguard agreement or **MIA, KIA** problem clarification, something like that. Could you expect?

MR. BOUCHER: I don't know of any plans at this point. I just don't have any information on that.

Q You have no policy change of -- with the North Korean entrance to the United Nations, toward North Korea?

MR. BOUCHER: Just what I think we've made clear before, that we were pleased to have sponsored the admission of our long-standing friend and ally, the **Republic of Korea,** and the Democratic Republic of Korea as well, as new members of the United Nations this year. We believe that the admission of both Koreas to the United Nations will contribute to stability, and we hope it will foster continued dialogue between North and South.

배부처	장관실	차관실	1차보	2차보	기획실	외정실	분석관	[illegible]	아주국	미주국	구주국	중아국	국기국	경제국	통상국	정문국	영교국	총무과	감사관	공보관	외연원	청와대	총리실	안기부	공보처	
	/	/	/	/		/	/			O			/									/		/		

0128

관리 번호	91 -1104

원 본

외 무 부

종 별 :

번 호 : AVW-1161 일 시 : 91 0918 2000

수 신 : 장 관(연일,구이)

발 신 : 주 오스트리아대사

제 목 : 유엔가입 반응

1. 외무성 LICHEM 국제기구 담당대사는 9.18 조창범공사와의 면담시 금번한국의 유엔가입은 그간 한국의 북방외교등 능숙한 외교의 개가라고 축하하면서, 한국의 국력과 국제적 역할에 비추어 유엔으로서도 금번 한국의 가입으로 유엔의기능과 역할 강화에 도움이 될것이라고 말하였음.

2. 또한 동인은 주재국으로서는 그간 대외정책의 근간인 대유엔 외교에 많은 경험을 축적해온 만큼 이를 한국과 SHARE 하고(특히 유엔평화 유지군 활동문제등) 유엔무대에서 한국과 긴밀히 협조할 용의가 있다고 하면서 아국 유엔담당 부서 책임자의 주재국 방문기회가 있으면 여사한 협조방안에 관한 심도있는 협의회를 갖게 되길 희망한다 하였음. 끝.

~~예 고:91.12.31 까지~~

19 . . . 예 고문에 의거 일반문서로 재분류됨

국기국 차관 1차보 구주국

PAGE 1

91.09.19 04:25

외신 2과 통제관 FM

0123

1. Korean Herald

원 본

외 무 부

종 별 :

번 호 : UNW-3418 일 시 : 91 1019 0400

수 신 : 장관(연일)

발 신 : 주유엔대사

제 목 : 국기게양식 사무총장 연설문

2. 사본: ...

대: WUN-3631

대호 연설문 별첨송부함.

첨부:연설문: UNW(F)-682 끝

(대사 노창희-국장)

국기국 1차보 외정실 청와대 안기부

PAGE 1

91.10.19 17:45 BU

외신 1과 통제관

0130

United Nations

UNW(FI)-682 11019 0400
Press Release 종304

Department of Public Information • News Coverage Service • New York

SG/SM/4619
HQ/516
17 September 1991

SECRETARY-GENERAL'S REMARKS AT FLAG RAISING CEREMONY FOR SEVEN NEW MEMBER STATES

Following is the text of the remarks by Secretary-General Javier Pérez de Cuéllar, delivered this afternoon at a ceremony raising the flags of seven new Member States:

Today is a big day for the United Nations. The entire membership joins in welcoming into the Organization seven new Member States.

With this event, the United Nations takes a further important step towards the goal of universality of membership -- a goal that it has embraced since its inception, over four and a half decades ago.

As it moves towards a more universal basis, the world Organization reflects increasingly the great diversity of mankind and brings together, within its councils, all quarters of the modern international community. Today's occasion demonstrates, moreover, the important changes that have taken place in international relations over recent years and the enhanced cooperation that has been developing among the Organization's Member States.

The diversity of the Organization's membership is well represented by the group of new Members which we welcome here today. Two among them, the Democratic People's Republic of Korea and the Republic of Korea, have been Observer States for many years. A further two, Micronesia and the Marshall Islands, have long had a special relationship with the Organization, as Non-Self-Governing Territories. Finally, the three Baltic Republics of Estonia, Latvia and Lithuania have recently resumed the national independence which they enjoyed even before the founding of this Organization.

Consensus and cooperation governed the consideration given by the Security Council and by the General Assembly to the admission of the Democratic People's Republic of Korea and that of the Republic of Korea. The north-east Asia region, and the Korean peninsula, in particular, have not been unaffected by the evolution in international relations which I have already

#UNW-341 첨부 (more) 3-1

0131

For information media—not an official record

mentioned. It is my hope that these developments will, in time, help to pave the way for the unification of the peninsula in peace and democracy, and the coming together of Korea's long-divided people.

The admission of the Federated States of Micronesia is the culmination of an effort sustained over decades by the Trusteeship Council and the Security Council to enable the people of Micronesia to take charge of their destiny and to assume their rightful place in the community of nations. By the same token, the people of the Marshall Islands have realized their right to self-determination and the independence of their republic through a referendum promoted and observed by the world Organization.

On this special occasion, I should like to join all of those across the globe who are observing the restoration of independence to the three Baltic Republics. The raising here of the flags of Estonia, Latvia and Lithuania symbolizes the self-determination of their peoples, the upholding of the rule of law and the purposes and principles of the Charter. Indeed, this event bears witness to the tenet, increasingly recognized at the international level, that the wishes of the people of a country should determine the form and the manner of their governance. There is widespread gratification that a combination of quiet determination, on the one hand, and considerable sagacity on the other, have facilitated these important developments. There is equally a confidence that these will represent a further enhancement of the rule of law and of respect for the human rights of all.

Each of the new Member States is represented today by a high-level delegation and I should like, in particular, to acknowledge the presence of:

-- President Landsbergis of Lithuania;
-- Chairman Ruttel of Estonia;
-- Chairman Gorbunovs of Latvia;
-- Speaker Fritz of Micronesia;
-- Foreign Minister Lee of the Republic of Korea;
-- Foreign Minister Kijiner of the Marshall Islands; and
-- Deputy Minister Kang of the Democratic People's Republic of Korea.

Through each of them, I extend my heartfelt congratulations to the respective Governments and peoples of our new Member States. I am certain that the world Organization will benefit enormously from the rich traditions, talents and energies which each one of them will bring to our work on behalf of mankind.

The flag of the Democratic People's Republic of Korea should now be raised.

Now, the flag of the Republic of Korea should be raised.

The flag of Micronesia.

(more)

3-2

0132

4408P

The flag of the Marshall Islands.

The flag of Estonia.

The flag of Latvia.

And finally, the flag of Lithuania.

This very happy event crowns with success efforts which have been made by millions of people in diverse areas of the world. It also brings immense satisfaction to the entire United Nations. In bringing these proceedings to a conclusion, let me thank each one of you for your participation, and wish each of our new Member States every success in the future.

* *** *

3-7

0133

4408P

관리 번호	91-1127

원 본

외 무 부

연일

종 별 :

번 호 : GHW-0516　　　　일 시 : 91 01919 2130

수 신 : 장 관(연일,아프일,기정)

발 신 : 주 가나 대사

제 목 : 아국 유엔가입 주재국 반응

주재국 CHAMBAS 외무차관은 9.18. 저녁 본직의 관저를 방문한 자리에서 정부를 대표하여 아국의 유엔가입을 진심으로 축하하며, 양국의 유대관계가 더욱 공고해지고 한국이 국제사회에서 더욱큰 책임과 역할을 하기를 기대한다고 했음을 보고함. 끝.

(대사 오 정일 - 국장)

예고:91.12.31 까지 에 의거 일반문서로 재분류

국기국 차관 1차보 중아국 청와대 안기부

PAGE 1

91.09.20 21:37

외신 2과 통제관 FI

0134

관리 번호	91-1122

외 무 부

종 별 :

번 호 : AVW-1186 일 시 : 91 0920 1900

수 신 : 장 관(연일,구이,연기)

발 신 : 주 오스트리아 대사

제 목 : 유엔가입 반응

연:AVW-1161

9.19 주재국 WALDHEIM 대통령은 당지 개최 외교연구원장 회의 참석자를 위한 리셉션 석상에서 임동원 외교안보연구원장에게 금번 한국의 유엔가입을 축하하면서 특히 자신은 유엔사무총장 재임시 부터 한국의 유엔가입문제에 지대한 관심을 갖고 있었는바, 드디어 가입이 실현되어 기쁘게 생각한다고 하고 이를 계기로 북한도 변화, 한국민들의 통일 노력에 큰 진전이 있게 되길 기대한다고 하였음. 끝.

예 고:91.12.31 까지

일반문서로 재분류

국기국 구주국 외연원

PAGE 1

91.09.21 09:53

외신 2과 통제관 EE

0135

원 본

연일 개/이

외 무 부

종 별 :

번 호 : SVW-3602 일 시 : 91 0924 2200

수 신 : 장 관(연일,동구일)

발 신 : 주 소 대사

제 목 : 남.북한 유엔가입에 대한 소외무성 성명 발표

9.17(화) 소 외무성이 발표한 남.북한의유엔가입에 대한 논평 및 9.23(월) 타스신문이 게재한 논평 기사 요지를 아래 보고함.

1. 외무성 논평

0 남.북한의 유엔가입은 한반도및 아시아에서의 평화와 안정을 강화시키는 중요한 과정임. 이과정은 남북한이 여러 분야에서의 접촉을촉진시키고 장차 한반도 문제의 평화적 민주적해결을 촉진시킬 것임.

2. 타스 논평기사

0 지역 분쟁 해결에 있어서 유엔의 역할이 크게 향상된 현시점에서 한국 문제 해결도 세계사회와의 상호 교류를 통하여 보다 쉽고 빠르게 이루어질 수 있음.

0 분단국가였던 독일과 예멘의 예를 보아 분단된 양측이 서로 성의만 있다면 유엔에의 분리 가입은 통일의 장애가 될 수 없다는 것을알 수 있음.

0 남북한의 유엔강비으로 150-53년간 한국 동란으로 빚어진 문제들 즉 유엔군 문제, 휴전 협정의평화 조약으로의 대체 문제들을 논의할 수 있게되었음. 유엔이 자신의 회원국가와 전쟁상태에 있다는 것은 정상적이 아니며 논리적이 아님.

0 장차 남.북한은 유엔에서 단일 국가로 회원국이 되기를 희망하며 남부한의 유엔 강비으로 유엔기구들의 활동이 더욱 활발해짐으로써 유엔의 보편성을 확인하게 되기를 희망함.

0 남북한이 한반도에서의 정치, 군사적 대결을 완화하고 IAEA, 유엔에너지기구등 유엔 전문가기구와의 관계를 조정하고 상호 선린 협력관계를 증진시킴으로써 유엔내에서 당면한 문제들을 해결할 수 있기를 기대함.끝

(대사공로명-국장)

국기국 1차보 구주국 외정실 분석관 정와대 안기부

PAGE 1 91.09.25 09:29 WG

외신 1과 통제관

0136

이/장.
풀 file.

주 국 련 대 표 부

주국련 20312- 004 1992. 1. 3.

수신 : 장 관

참조 : 국제기구국장

제목 : 유엔문서 송부

연 : UNW-4469

1. 연호, 핵부재 선언 관련 안보리 문서 (S/23296)를 별첨 송부합니다.

2. 남북한의 유엔가입 결의 (A/RES/46/1)이 91.12.20자 총회 문서로 작성, 92.1.2 배포된바, 동문서도 아울러 송부합니다.

첨부 : 상기 문서 2부. 끝.

주 국 련 대

전 결				
접수일	1992. 1. 6			
처리과	/	00040		

0137

외교문서 비밀해제: 남북한 유엔 가입 10

남북한 유엔 가입 결의안 채택 및 대응 1

초판인쇄 2024년 03월 15일
초판발행 2024년 03월 15일

지은이 한국학술정보(주)
펴낸이 채종준
펴낸곳 한국학술정보(주)
주 소 경기도 파주시 회동길 230(문발동)
전 화 031-908-3181(대표)
팩 스 031-908-3189
홈페이지 http://ebook.kstudy.com
E-mail 출판사업부 publish@kstudy.com
등 록 제일산-115호(2000. 6. 19)

ISBN 979-11-6983-953-2 94340
979-11-6983-945-7 94340 (set)

이 책은 한국학술정보(주)와 저작자의 지적 재산으로서 무단 전재와 복제를 금합니다.
책에 대한 더 나은 생각, 끊임없는 고민, 독자를 생각하는 마음으로 보다 좋은 책을 만들어갑니다.